L'éloge de Ruth Montgomery, auteur d'«Un don de prophétie»,
pour le livre «Edgar Cayce et la réincarnation» :

«Un récit fascinant des «études de vie» faites par Edgar Cayce, le
plus grand voyant de l'Amérique, en même temps que des arguments convaincants de l'existence de la réincarnation.»

Toute l'Amérique lit ses écrits et parle de cet étonnant voyant que fut
Edgar Cayce. Cet ouvrage est le récit authentique des recherches
qu'il mena et qui firent la preuve de l'existence de la réincarnation
— un concept qui affirme que les êtres humains vivent plus d'une
fois.

Constitué principalement sur la base de ses extraordinaires «études de vie», EDGAR CAYCE ET LA RÉINCARNATION a été édité
sous la responsabilité de Hugh Lynn Cayce, fils d'Edgar Cayce et
directeur de l'Association pour la Recherche et l'Éclaircissement.

Hugh Lynn Cayce.

Hugh Lynn Cayce est bien connu comme conférencier, comme auteur et comme chercheur spécialisé dans le domaine des phénomènes psychiques et parapsychologiques. Il est également le directeur de l'Association pour la Recherche et l'Éclaircissement, une société qui se préoccupe de recherches dans le domaine du psychisme et dont le siège se trouve à Virginia Beach, en Virginie. Depuis la mort de son père, Edgar Cayce, en 1945, Hugh Lynn Cayce a pris en main les destinées de l'ARE (Association pour la Recherche et l'Éclaircissement) et s'est fixé pour objectif de préserver et d'étudier les documents particulièrement nombreux accumulés par son père tout au long de sa vie. L'organisation encourage ses membres à prendre part à des programmes d'études et de recherches continus.

De nombreuses interventions à la radio et à la télévision, ainsi que des conférences dans tout le pays, ont contribué à faire largement connaître Hugh Lynn Cayce, tant au niveau local que national.

M. Cayce est l'auteur de «Venture Inward», un ouvrage consacré à la recherche spirituelle et parapsychologique, basée sur les découvertes d'Edgar Cayce. Ce livre a été publié en collection de poche par Paperback Library, New-York.

Noël Langley.
Nouvelliste reconnu et scénariste à Hollywood, M. Langley demeure à Virginia Beach avec sa femme et ses enfants. Parmi ses plus grands succès figurent «The Search For Bridey Murphy», qu'il a écrit et dirigé à l'écran, et la pièce de théâtre «Edward, My Son», qu'il a rédigée en collaboration avec Robert Morley.

EDGAR CAYCE
ET LA RÉINCARNATION

**Du même auteur
aux Éditions Sélect**

EDGAR CAYCE
LES RÊVES ET LA RÉALITÉ

EDGAR CAYCE ET LA RÉINCARNATION

par

Noel Langley

Sous la direction de
Hugh Lynn Cayce

Directeur de l'Association
pour la Recherche et les Éclaircissements (A.R.E.)

ÉDITIONS SÉLECT

Dépôt légal :
Bibliothèque nationale du Québec
Bibliothèque nationale du Canada
Deuxième trimestre 1982

Titre original : "Edgar Cayce on reincarnation".
by Noel Langley
Copyright © 1967 by
The Association for Research and Enlightenment, inc.

Traduction française :
© 1982 Presses Sélect Ltée, 1555 ouest,
rue de Louvain, Montréal, Québec.

"This edition published by arrangement with
Warner Books, Inc., New York".

ISBN ; 22-89132-643-1
G1335M

Table des matières

Préface

Edgar Cayce : qui était-il ?

Les six livres qui ont été consacrés à Edgar Cayce ont totalisé des ventes qui ont dépassé le million d'exemplaires. Plus de dix autres ouvrages ont traité, dans certaines de leurs sections, de sa vie et de ses talents. On a parlé de lui dans des dizaines de magazines et des centaines de journaux, depuis 1900 jusqu'à nos jours. Qu'avait-il donc de si unique, de si particulier ?

Cela dépend de la façon que l'on a de le considérer. Bon nombre de ses contemporains connaissaient Edgar Cayce « conscient », photographe professionnel talentueux. D'autres personnes, particulièrement des enfants, l'admiraient en tant que maître de l'école du dimanche, chaleureux et amical. Sa propre famille reconnaissait en lui un époux et un père merveilleux. Edgar Cayce « inconscient » était tout à fait différent — un parapsychologue connu de milliers de personnes, de tous les milieux sociaux, qui lui étaient reconnaissantes pour l'aide qu'il leur avait fournie. Sincèrement, plusieurs d'entre eux croyaient que lui seul avait sauvé leur vie ou modifié son cours alors que tout semblait perdu. Edgar Cayce « inconscient » était un médecin, un prophète, ainsi qu'un fin connaisseur des textes bibliques.

En juin 1954, l'Université de Chicago le tint en suffisamment haute estime pour accepter une thèse de philosophie consacrée à l'étude de sa vie et de son œuvre. Dans cette thèse, l'auteur se référait à lui comme à un « mage religieux ». Cette même année, une bande dessinée pour enfants, « House of Mystery », lui attribua le titre impressionnant de l'homme le plus mystérieux d'Amérique.

Alors qu'il n'était encore qu'un enfant, dans une ferme proche de Hopkinsville, dans le Kentucky, où il était né le 18 mars 1877, Edgar Cayce manifestait des pouvoirs de perception qui semblaient s'étendre bien au-delà des possibilités de ses cinq sens. À l'âge de six ou sept ans déjà, il dit à ses parents qu'il était capable de voir et de parler à des « visions », parfois de proches parents décédés récemment. Ses parents attribuaient cela à l'imagination trop fertile d'un enfant solitaire, influencé par le langage symbolique et imagé qu'il pouvait entendre lors de réunions commémoratives, alors très en vogue dans cette partie du pays. Plus tard, alors qu'il dormait avec ses livres d'école sous son oreiller, il développa une forme de mémoire photographique qui lui permit de progresser rapidement dans les classes de son école. Cependant, ce don disparut peu à peu et Edgar ne termina que son septième grade avant de se lancer dans la vie active pour tenter de se faire une place dans le monde professionnel.

À 21 ans, il travaillait comme vendeur pour le compte d'un grossiste en papeterie. À cette époque, il fut atteint d'une paralysie des muscles de la gorge et il fut menacé un temps de perdre l'usage de sa voix. Les médecins furent incapables de déterminer les causes physiologiques de cette maladie et il recourut à l'hypnose ; mais ce traitement ne se solda par pas une guérison complète. En dernier ressort, Edgar demanda à l'un de ses amis de l'aider à retrouver cette sorte de sommeil hypnotique qui lui avait permis autrefois de mémoriser ses livres d'école. Son ami lui fit les suggestions nécessaires et, une fois en transe, Edgar fut à même de comprendre les raisons de cette affection. Il fut en mesure de prescrire les médicaments et la thérapie qui lui permirent de recouvrer entièrement l'usage de sa voix et de se guérir définitivement du mal qui l'affligeait.

Un groupe de médecins de Hopkinsville et de Bowling Green, dans le Kentucky, tirèrent parti de ce don absolument unique pour poser des diagnostics sur leurs propres patients. Ils ne tardèrent pas à découvrir que Cayce n'avait besoin que du nom et de l'adresse d'un patient, quel qu'il fût, pour pouvoir se « brancher » en télépathie avec le corps et l'esprit de cet individu, aussi facilement que s'ils se trouvaient tous deux dans une même chambre. Il n'avait besoin d'aucune autre information concernant les patients ; d'ailleurs les médecins ne lui en fournirent pas.

Un des jeunes médecins de cette équipe, le Dr Wesley Ketchum, soumit un rapport relatif à cette manière de procéder peu orthodoxe à une société de recherche médicale de Boston. Le 9 octobre 1910, le New-York Times publiait deux pleines pages de textes et de photos sur l'événement. À partir de ce jour, des malades de tout le pays tentèrent d'obtenir l'aide de l'« homme miracle. »

Lorsqu'Edgar Cayce mourut, le 3 janvier 1945, à Virginia Beach, il laissa plus de 14 000 documents sténographiques relatifs aux expériences de télépathie et de voyance qu'il avait lui-même effectuées avec plus de 6000 personnes pendant une période de 43 ans. Ces documents ont été regroupés sous le titre général d'«*Études.*»

Ces «*études*» constituent une des plus vastes et des plus impressionnantes collections de phénomènes parapsychologiques émanant d'un seul individu. Avec les notes, la correspondance et les rapports qui l'accompagnent, cette documentation représente des milliers de sujets qui ont été mis à la disposition des psychologues, des étudiants, des écrivains et des chercheurs, qui ne cessent de s'y intéresser et de les examiner avec la plus grande attention.

Une fondation connue sous le single ARE (Association pour la Recherche et l'Éclaircissement, Inc., P.O. Box 595, Virginia Beach, Virginia, 23451) a été fondée en 1932 pour préserver ces «*études.*» En tant que société de recherche ouverte à tous, elle continue à indexer et cataloguer des informations, à encourager la recherche et l'expérimentation, à organiser des conférences et des séminaires. Jusqu'à maintenant, les résultats de ces recherches ont été publiés et mis à la disposition des membres de la fondation sous la responsabilité unique de cette dernière.

Cet ouvrage est le premier volume d'une série de livres populaires qui traitent de ce sujet ; il est basé entièrement sur les «*études*» d'Edgar Cayce. Ce volume représente les informations tirées de 2500 études faites par Edgar Cayce entre 1925 et 1944 ; elles traitent davantage de questions psychologiques que de considérations d'ordre physiologique. Les sujets principaux sont les craintes ancrées au plus profond de l'individu, les brocages mentaux, le talent, les difficultés matrimoniales, l'éducation des enfants, etc. Ils sont examinés à la lumière de ce qu'Edgar Cayce appelait les «modèles de karma», façonnés à partir des vies précédentes passées sur la terre par l'âme d'un individu.

Pour Edgar Cayce, le karma était une loi universelle

de cause à effet qui procurait à l'âme des occasions de croissance, d'amélioration physique, mentale et spirituelle. Chaque âme — appelée «entité» par Cayce — lorsqu'elle se réincarnait sur la terre dans un être humain, bénéficiait d'un accès subconscient, ou inconscient, aux caractéristiques, aux capacités mentales et à l'habileté accumulées au cours des vies précédentes. Toutefois, chaque entité devait également combattre des influences aussi néfastes que les émotions provoquées par la haine, la cruauté, la peur, qui toutes ralentissaient sa progression.

Ainsi, la tâche d'une entité sur la terre est de faire usage de ses renaissances successives pour équilibrer ses modèles de karma positifs et négatifs, en réduisant ses impulsions égocentriques et en favorisant ses besoins de créativité. L'un des concepts les plus provocants de cette théorie concerne les questions légitimes que l'on se pose au sujet de la souffrance apparemment «inutile» qu'endurent les humains au cours de leur vie.

Le but de cet ouvrage est de présenter en termes simples quelques-unes des histoires étranges et excitantes tirées de la documentation d'Edgar Cayce, qui pourraient conduire à l'élaboration d'une philosophie pratique pour la vie de tous les jours.

Hugh Lynn Cayce

Chapitre 1

« Ai-je déjà vécu auparavant? »

Il faisait chaud en cet après-midi du 10 août 1923, dans la chambre d'un hôtel de Dayton, en Ohio, lorsque le fameux voyant américain Edgar Cayce se réveilla de son sommeil hypnotique. Il ignorait encore qu'il allait recevoir un des plus grands chocs de sa vie.

Alors qu'il écoutait son sténographe lui lire la transcription de ce qu'il avait dit pendant son sommeil, Cayce, un protestant particulièrement fervent et orthodoxe, un homme qui avait lu la Bible une fois chaque année au cours de son existence, apprit avec un étonnement croissant qu'il venait de déclarer, froidement, que, loin d'être un mythe, la réincarnation était un fait indubitable.

Sa première crainte fut de penser que les facultés de son subconscient, soudainement avaient été manipulées par les forces du mal, faisant de lui leur instrument involontaire. Il se rappela également qu'il avait juré de renoncer à ses dons d'extralucide s'ils étaient amenés à le faire agir contre sa conscience.

Maintenant, alors que sa confusion allait croissant, il était assis et écoutait le récit nerveux que lui faisait Arthur Lammers des paroles qu'il avait proférées. C'est Lammers qui avait demandé la tenue de ces séances : il avait payé Edgar Cayce pour son voyage depuis Selma, en Alabama. Et, bien qu'Edgar ait soulagé les maux de nombreux patients grâce à ses « études physiologiques », depuis plus de vingt ans, jamais encore on ne lui avait demandé de pénétrer dans le domaine interdit des forces occultes. Lammers, pour sa part, avait longuement étudié les phénomènes parapsychologiques et les religions orientales, à une époque où de semblables recherches étaient l'apanage des vieilles dames à l'occasion de séances clandestines qui voulaient revoir leurs petits caniches dans un eden pour chiens.

Lammers était aussi triomphant qu'Edgar était effrayé. Les questions dont il avait bombardé le parapsychologue avaient toutes reçu une réponse catégorique. Les derniers doutes de Lammers avaient été balayés.

Quant à Edgar, il se trouvait à un tournant de sa vie - certainement le plus important de tous ! Sa première réaction fut de s'enfuir. L'idée qu'un homme puisse vivre plus d'une fois sur cette planète, en tant qu'être humain, relevait pour lui du sacrilège et allait à l'encontre des enseignements du Christ.

C'était même pour lui un concept répulsif - illogique, défaitiste et macabre. Les meilleurs des chrétiens éprouvaient déjà assez de difficultés à garder leur foi en la promesse du Christ, qui leur préparait une place dans le domaine de son Père. Mais, en dehors du sacrilège, les mots insensés qui venaient de sortir de sa propre bouche ne lui paraissaient rien d'autre que du baragouinage.

À l'encontre de celle de Lammers, son éducation se

15

confinait à une acceptation littérale de la Bible. Il acceptait ses enseignements mot à mot, il les enseignait mot à mot à l'école du dimanche et il en retirait un confort spirituel qu'il croyait inaltérable. Ainsi, il représentait pour Lammers le translucide idéal pour voyager dans des contrées aussi étranges, dans ces eaux encore inexplorées.

Que serait-il arrivé si Edgar avait demandé à être excusé et avait pris le prochain train pour l'Alabama? Probablement bien davantage que ce que l'on pourrait imaginer. Certainement, de grandes découvertes n'auraient jamais été faites et, accessoirement, ce livre ne serait pas entre vos mains. Les psychiatres n'auraient certainement jamais lancé la vaste controverse qui suivit la publication de *The Search for Bridey Murphy*, au milieu des années 50 - et, par dessus tout, Edgar n'aurait pas accordé toute l'importance voulue à cette étape capitale dans sa longue quête de la Vérité éternelle. Bien qu'il fut mort depuis onze ans, l'attention que l'on porta à Bridey permit de faire connaître sa philosophie dans des sphères où elle n'avait encore jamais pénétré, permettant à ses enseignements de réconforter les faibles et les solitaires, de venir en aide à ceux qui n'avaient pas encore trouvé le réconfort nécessaire dans le vaste domaine de l'agnosticisme. Ce n'est qu'au moment où Edgar vainquit ses derniers doutes, ce jour-là à Dayton, et permit à Lammers de poursuivre ses questions, qu'un nouveau concept de réincarnation vit le jour. Ce nouveau concept ne s'opposait pas aux enseignements du Christ, mais menait à l'établissement d'une philosophie spirituelle suffisamment forte pour faire échec au cynisme de rigueur dans ce XXe siècle particulièrement perturbé.

Edgar Cayce adopta comme règle de ne jamais convertir ou convaincre qui que ce soit en l'assommant de principes scientifiques. Il laissait à quiconque venait l'écouter l'entière liberté de juger ; l'unique objectif de ce livre est de donner une image aussi claire que possible de la théorie de la renaissance.

Plus de 2500 personnes sont allées le voir pour connaître l'histoire de leurs vies précédentes sur cette planète. Et la première question qui vient à l'esprit est la suivante : « Cela a-t-il été d'un réconfort quelconque pour certains d'entre eux ? » La réponse est positive, dans les cas où les *études* ont été prises au sérieux et lorsque les conseils qui en découlaient ont été scrupuleusement suivis.

On pouvait s'attendre à ce qu'un certain nombre de personnes, plus paresseuses que d'autres, continue à mener toujours le même style de vie qu'auparavant, en laissant les conseils des *études* jaunir sur les étagères d'une bibliothèque. Mais la grande majorité fut gagnante, à un titre ou à un autre. Quelques-uns réussirent même à transformer leur vie, pour en faire bon usage au lieu de la considérer comme une corvée. Edgar leur apprit que tous les êtres humains avaient quelque chose en commun ; leur potentiel spirituel ne fonctionnait complètement que lorsque leurs intentions se détournaient des préoccupations égoïstes, pour se fixer uniquement sur l'aide à leurs semblables moins fortunés.

Dans ces conditions, la première chose à faire, et la meilleure, est de se pencher en détail sur deux études de cas effectuées par Edgar Cayce. Aussitôt que l'on a saisi les applications pratiques d'une expérience passée dans le comportement présent d'un homme, il devient plus aisé de traiter des implications plus vastes de la réincarnation. Celles-ci comprennent logiquement les lois inflexibles auxquelles la réincarnation se conforme, sa présence implicite dans la religion orthodoxe, ainsi que les raisons pour lesquelles elle a sans cesse été rejetée dans les civilisations occidentales.

Le 29 août 1927, Alice Greenwood demanda une « étude de vie » pour le compte de son jeune frère David, qui venait d'avoir quatorze ans. Bien qu'Alice ait déjà fait l'objet d'une «étude de vie» de la part d'Edgar Cayce, celui-ci ne connaissait pas personnellement son frère. L'épouse d'Edgar, Gertrude, conduisait habituellement les séances; à cette occasion cependant, les seules personnes présentes étaient le père d'Edgar, Leslie, qui remplaçait Gertrude, Gladys Davis, la sténographe, et Beth Graves, une invitée. Gladys Davis était la secrétaire permanente d'Edgar, une femme loyale et fidèle qui assurait de manière irréprochable la transcription des séances. Tout ce qu'Edgar savait de David Greenwood tenait en quelques mots : c'était un bon élève, il achetait lui-même ses vêtements et ses livres d'école en vendant des journaux, il aimait à collectionner les timbres. En dehors de cela, sa sœur ne possédait pas d'information particulière sur son caractère.

Il faut également préciser qu'Edgar n'entreprenait jamais une «étude de vie» sans l'assentiment du sujet lui-même ou d'une personne responsable de lui. Une fois hypnotisé - il faisait celui lui-même - Edgar ne répondait à aucune autre voix que celle du conducteur de l'entretien. La moindre entorse à cette façon de procéder se traduisait immédiatement par le silence, ou alors par cette brève phrase : «C'est terminé pour l'instant». Et il reprenait aussitôt conscience.

Lorsque cette procédure n'était pas respectée à la lettre, Edgar était personnellement en danger. Une fois, il resta en état de catatonie pendant trois jours et, à deux reprises les médecins le laissèrent pour mort. En réponse à la demande d'Alice Greenwood, Edgar procéda comme à son habitude en se couchant sur un divan, les mains croisées sur sa poitrine et respirant profondément. Puis ses paupières s'agitaient - c'était le signal pour le conducteur, qui devait les clore et pouvait alors entrer en contact avec le subconscient d'Edgar en lui suggérant une «étude de vie ». A ce moment, la requête écrite d'Alice, qui demandait de l'aide pour son frère, fut lue. Pendant ce temps, alors que le battement des paupières d'Edgar se calmait, il dépassa le stade de la transe pour parvenir à un profond sommeil, duquel personne ne pouvait le tirer; lui seul pouvait prendre la décision de se réveiller.

CONDUCTEUR : «Vous allez avoir en face de vous l'entité David Roy Greenwood, né le 26 août 1913, entre les comtés de Perry et de Hale, à huit milles au nord de Greensboro, en Alabama. Vous allez donner la relation entre cette entité et les forces universelles, vous allez donner les conditions de sa personnalité, latente et manifeste, dans sa vie actuelle; vous allez donner également ses apparitions antérieures sur la terre, l'époque, l'endroit et le nom de cette entité. Vous donnerez encore tous les éléments qui ont contribué à améliorer ou à retarder son développement dans chacune de se vies, ainsi que les capacités de l'entité actuelle, ce à quoi elle peut aspirer, et comment. »

Une pause suivit, durant laquelle le subconscient d'Edgar entra en contact avec celui de David Greenwood. (Si cette étude n'avait eu pour objet que la santé physique de David, il aurait été impératif pour Edgar de connaître l'emplacement exact de l'enfant à ce moment précis, au même titre qu'une station de repérage doit connaître la situation exacte d'un satellite avant d'établir le contact radar.) Puis il commença à parler, tranquillement, d'une voix monocorde.

Il commença par dire que la plupart des caractéristiques actulles de l'enfant consistaient en instincts latents plutôt qu'en autres traits assimilables à un effort de volonté. «Il y a cependant des indications qui laissent supposer qu'il bénéficie d'une bonne constitution, avec toutefois des tendances à des affections physiologiques qui peuvent se manifester au niveau de la digestion. Pour cette raison, l'entité doit être mise en garde contre certaines influences qui pourrraient se traduire par des tensions au niveau du système digestif. »

À cette époque, personne n'avait eu connaissance d'éventuels troubles digestifs chez le jeune garçon. C'était là un excellent exemple du pouvoir de préscience d'Edgar Cayce. Il s'employa ensuite à louer la nature aimable de David, tout en suggérant de lui apprendre à modérer son tempérament vif avant que cela ne devienne un problème.

Il avertit que, sans le recours à une volonté forte et responsable, et sans une foi religieuse sincère, les impulsions de l'enfant pourraient l'entraver dans le cours de sa vie.

En accord avec la mémoire inconsciente que l'enfant avait acquise dans ses vies précédentes, sa meilleure chance de succès était de l'associer à des hommes d'affaires qui travaillaient dans le domaine « des matériaux, des vêtements et d'autres objets de nature semblable. C'est dans cette direction qu'inclinaient les penchants de l'entité... avec ses capacités à se faire des amis, c'est dans cette direction qu'il faut l'orienter... l'entité a besoin d'une éducation qui le conduise dans cette voie, le plus rapidement possible, pour lui fournir un matériau de base nécessaire à ce genre de développement. »

Puis il s'employa à décrire la vie de l'enfant immédiatement avant celle qu'il était en train de vivre.

Cela se passait pendant les dernières années du règne de Louis XIII et les premières de celui de Louis XIV en France. Edgar se référa à une prochaine rébellion, qui pourrait bien être le soulèvement contre la Reine Mère et le Cardinal Mazarin, qui se prolongea de manière intermittente d'août 1648 jusqu'à son écrasement final par le Prince de Condé, en juillet 1652. Le nom de David était alors Neil et il occupait un poste relativement important à la Cour du Roi, une sorte de maître des robes et d'arbitre à la mode, personnellement responsble de la garde-robe royale.

Neil servait son maître royal fidèlement et Edgar affirma qu'il pourrait récolter les fruits de sa dévotion passée dans sa vie actuelle — comme une sorte de médaille de bonne conduite, qui pourrait se transmettre de l'un à l'autre.

De quelles autres caractéristiques avait-il encore hérité?

«On constate, dans le présent, le besoin d'être vêtu de manière originale et personnelle, ainsi que la capacité de décrire l'habillement d'un groupe entier de personnages, pour autant qu'il fasse preuve de concentration.» Il faut mentionner ici que ces études recouraient souvent à une phraséologie pédante, se basant sur des termes prudents et vagues, et ceci pour une très bonne raison. Le subconscient d'Edgar Cayce, dans ce cas particulier, traitait avec le français du XVIIe siècle, qu'il devait ensuite transposer en termes d'anglais moderne, qui était la langue de son esprit conscient, de son intelligence.

Le subsconscient n'est en aucun cas constitué de matière tangible; seule la pensée existe. Pour cette raison, les différents langages ne forment qu'un. Le risque d'une mauvaise interprétation n'apparaissait qu'au moment où Edgar se mettait à parler à haute voix. D'où son souci permanent de restituer le sens original de la pensée, après avoir réussi à transposer les images mentales de son subconscient en «télétype» de son esprit conscient.

Ce soin et cette prudence devinrent de plus en plus évidents au fur et à mesure qu'Edgar remontait dans le temps et était confronté, non seulement à des idiomes tombés en désuétude, mais à des langages qui demandaient un effort musculaire particulier pour la langue et les lèvres, qu'il n'aurait de toute manière pas été capable de reproduire. Dans de pareils cas, sa tâche n'était pas tant de traduire d'un langage à un autre que de paraphraser des symboles inintelligibles dans leur équivalent moderne le plus proche.

Bref, il devait faire sauter le verrou du code, exactement comme les archéologues devaient réduire d'anciens signes à leurs équivalents grammaticaux modernes.

Edgar remonta ensuite à la vie qui avait précédé l'incarnation française de David. On se retrouva alors dans l'isthme de Thessalonique, sur la côte grecque de la Mer Égée. Là, dans une ville appelée Solonika, il vécut sous les traits d'un marchand nommé Solval. Aucune date précise ne fut donnée, mais Edgar fit référence à une époque instable, à un moment où un gouvernement fut remplacé par un autre ; Solval avait atteint une position relativement importante, dont il ne sut pas tirer profit par la suite. Pour cette raison, il ne put tirer avantage de certains bénéfices qui auraient pu lui être utiles dans sa vie présente. Néanmoins, « les influences de cette vie dans le présent peuvent être considérées sous l'angle de sa capacité à s'adapter à n'importe quelle position parmi des gens avec qui il est amené à collaborer. » On lui dit aussi, avec raison : « L'amour pour sa famille, ainsi que pour ceux qui lui sont associés, doit être considéré en fonction de cette expérience. »

La vie précédente de Solval pourrait bien avoir coïncidé avec les invasions d'Alexandre le Grand et la conquête de la Perse. Quel que fût l'envahisseur, il parvint à diviser le pays, allant ainsi à l'encontre de ses intérêts. Le nom du garçon était alors Abiel et il réussit à prendre avantage de cette époque troublée pour se hisser au rang de médecin de la cour. Là encore, les intrigues de palais et la corruption ne manquèrent pas de l'affecter et, bien qu'il fit à nouveau mauvais usage de son autorité, il parvint néanmoins à maintenir sa position privilégié malgré les menaces de persécution que les conquérants faisaient planer sur lui.

On pouvait aussi bien remarquer cette influence dans la vie présente de David, qui se sentait irrésistiblement attiré par «l'étude de la chimie... l'envie de devenir un médecin». Tout cela était parfaitement correct; mais, au lieu d'être encouragé dans cette voie, on lui conseilla d'attacher davantage d'importance à son expérience ultérieure de marchand, en Grèce.

En d'autres termes, le jeune garçon fut encouragé à ne pas réaliser son rêve de devenir médecin. En effet, l'évidence sautait aux yeux que son tempérament n'était pas fait pour cette profession et que son penchant pour les intrigues, qui lui venait de la cour de Perse, pourrait bien resurgir; mieux valait laisser ces souvenirs au plus profond de son subconscient. De cette période, Edgar remonta encore dans le temps, pour parvenir à la limite de la préhistoire — en Égypte, pendant une de ses invasions par une peuplade étrangère. Il devenait maintenant possible d'identifier les facteurs récurrents dans le long cheminement de l'âme de David, dans sa progression. À la fois en France et en Perse, il bénéficia des privilèges de la cour royale. Sa première expérience en Perse, où il se familiarisa avec les habitudes des gens de son rang, lui permit de s'adapter sans aucune difficulté à l'environnement de la cour royale française. D'autre part, le fait de vivre à deux reprises dans des pays qui eurent à subir les invasions de peuples et de cultures ennemis lui avait donné une vision assez claire de la psychologie des foules.

En Égypte, son som était Isois et, là aussi, il réussit à s'arranger très bien avec les nouveaux conquérants. Parti de presque rien, il devint une espèce de prédicateur laïque, qui jouissait de la confiance de son peuple. Par conséquent, les prêtres de la nouvelle dynastie comptèrent sur lui pour jouer le rôle de «messager» et faire accepter les nouvelles croyances religieuses.

« Ainsi, il fut l'un des premiers dans le pays à arborer un vêtement particulier, qui le distinguait des autres gens. »

On raconta qu'Isois avait acquis une telle importance en prenant soin du bien-être de ses semblables que l'on pouvait encore trouver des reliques dans les ruines de l'Ancienne Égypte qui commémoraient sa sainteté. Après sa mort, on l'adora comme un saint ou une divinité mineure. « L'entité gagna beaucoup de cette expérience et ce gain se manifeste dans le présent par sa capacité à s'adresser aussi bien aux foules qu'aux individus. » Au cours de sa longue histoire, l'Égypte a été envahie à plusieurs reprises, mais la présence de prêtres parmi les conquérants, à l'époque où vivait Isois, laisse supposer que cette période était antérieure aux invasions par les Babyloniens et les Éthiopiens et devait se situer au moment de l'invasion par les Aryens.

Cela situerait l'existence d'Isois vers l'an 10 000 avant Jésus-Christ, ce qui semble assez « loin » pour une âme. Ensuite, Edgar revint sur le sujet controversé de l'Atlantide, que la science rejette comme pure légende et qu'Edgar Cayce décrit comme trois immenses masses terrestres, situées dans ce qui est maintenant l'Océan Atlantique. Selon lui, ce continent aurait été peuplé par une civilisation bien plus avancée que la nôtre et qui aurait eu la maîtrise parfaite de l'énergie nucléaire, qui devait finalement contribuer à sa propre destruction, entraînant l'immersion du continent. D'importants groupes de survivants atteignirent les rivages d'Amérique Centrale et d'Amérique du Sud, ainsi que l'Afrique du Nord ; un autre groupe, mal assimilé en raison de son isolement, a survécu dans le Pays Basque, dans les Pyrénées, entre la France et l'Espagne.

Les informations concernant l'Atlantide contenues dans les dossiers d'Edgar Cayce sont suffisamment importants pour justifier un livre à eux seuls ; la référence à ce continent reviendra à plusieurs reprises dans cet ouvrage, mais il suffit de préciser pour l'instant que la civilisation qui y a vécu a duré pendant environ 200 000 ans, pour disparaître finalement aux alentours de l'an 10 000 avant Jésus-Christ.

«Avant cela, l'entité se trouvait sur le continent de l'Atlantide, lorsque les flots l'ont submergée, faisant disparaître la terre et les habitants qui s'y trouvaient. L'entité s'appelait alors Amiaie-Oulieb. »

Plus significatif encore, il était l'héritier du trône. Ainsi, dès sa première existence en tant qu'entité, du sang royal coulait dans ses veines. En dépit de sa mort par noyade, il avait vécu assez longtemps pour être en mesure d'indiquer qu'il manquait encore de discipline et d'habileté pour occuper cette fonction, mais «l'évidence présente de cette incarnation doit être considérée sous l'aspect de sa capacité à connaître les matériaux, spécialement ceux destinés à l'habillement. »

En considérant la succession de ces vies, on s'aperçoit que seule l'une d'entre elles n'avait aucun rapport avec l'habillement et les vêtements de cérémonie, et cela même si les vies mentionnées par Edgar Cayce n'étaient pas nécessairement les seules apparitions de l'entité sur la terre. En fait, ces différentes apparitions laissent penser que l'entité peut appartenir à un groupe d'âmes qui tirent une certaine fierté du nombre de leurs réincarnations — un peu comme si une sorte de championnat olympique était en jeu! Mais ces vies furent les seules à avoir des influences positives dans la vie que commençait maintenant l'entité. Cela devint évident au moment où Edgar fit une sorte de résumé des talents potentiels de David Greenwood, avant de clore son étude :

«À considérer les capacités présentes de l'entité, de nombreuses conditions sont réunies qui doivent être portées à la connaissance de l'entité, afin qu'elle puisse en tirer parti dans les circonstances actuelles.

25

«Il faut tout d'abord être conscient de l'existence de certaines forces qui peuvent s'exercer au détriment du bien-être physique, par le truchement du système digestif. Par conséquent, il conviendrait de suivre des régimes spécifiques et de fournir une alimentation qui tienne compte de ces conditions.

«Au niveau de la constitution du corps et de l'esprit, l'entité doit avant tout s'appliquer à acquérir la connaissance la meilleure possible de sa relation à l'énergie créatrice, c'est-à-dire aux enseignements spirituels qui peuvent être obtenus à partir de l'étude de l'expérience du Maître sur la terre en tant que fils de l'homme.

«Dans un sens plus matériel, l'entité doit se tourner du côté de la vente et des affaires, usant par là de ses capacités à déterminer les besoins d'un individu et d'entretenir avec lui des relations d'affaires.

«Reste physiquement, mentalement et spirituellement sain. Choisis soigneusement celui que tu vas servir; en effet, nul homme ne·saurait servir deux maîtres à la fois.

«Respecte la loi, car elle convient à la relation de l'homme avec Dieu. Reste pur des taches de ce monde. Ne te contente pas d'être un témoin, mais un serviteur du Créateur.

«C'est terminé pour l'instant!»

Le compte-rendu de cette étude fut dactylographié et envoyé aux parents de David. Elle avait toutefois si peu de sens pour eux qu'ils ne jugèrent même pas nécessaire de la lui donner à lire. Mais heureusement, sa sœur ne se découragea par pour autant. Elle fit mettre l'étude en lieu sûr et ce cas ne réapparut plus dans les dossiers d'Edgar jusqu'au 22 août 1934, sept ans plus tard.

À ce moment, David, qui avait alors 21 ans, était le principal soutien de sa mère et de son autre sœur. Il gagnait un modeste salaire en occupant un poste subalterne dans le journal d'une petite ville et n'avait que très peu d'espoir d'avancement ; si ce n'était aucun... Il se sentait à la fois frustré et inquiet lorsqu'Alice se décida finalement à lui montrer son « étude » et lui suggéra de mettre en pratique les conseils qui y figuraient, pour sortir enfin de ses problèmes.

La réponse de David fut à peine plus chaleureuse que celle de ses parents. Il n'avait aucun problème digestif ; il ne se sentait aucun intérêt, ni aucune aptitude, pour le marché de l'habillement ; l'idée d'une reconnaissance le laissait absolument froid ; enfin, la possibilité qu'il puisse être une espèce de couturier qui s'ignorait lui semblait parfaitement ridicule. Il admit cependant que rien ne pouvait être pire que de passer le reste de ses jours dans un bureau obscur de ce petit journal.

Mais même dans ces conditions, ce n'est qu'au printemps 1940 que la sœur de David réussit à le convaincre de faire usage d'une invitation qu'elle avait obtenue pour lui de la part de deux responsables d'une fabrique de vêtements, spécialisée exclusivement dans la confection d'uniformes. Alice était au courant des relations qu'entretenaient ces deux personnages avec Edgar Cayce, qu'ils tenaient d'ailleurs en haute estime. C'est pourquoi l'étude de vie de David ne leur laissa aucun doute ; il devait posséder une inclination naturelle pour ce genre de commerce particulier et, sans autre explication, ils lui offrirent un poste de vendeur itinérant. Il devait s'occuper plus particulièrement des uniformes pour les groupes de musiciens des écoles, mais aussi de ceux des groupement civiques.

Dans l'année qui suivit, David développa un tel don pour deviner à l'avance les besoins de ses clients, qu'il put ajouter plusieurs États du sud au territoire qui lui était imparti, surpassant tous les autres vendeurs de la compagnie, bien qu'il fût le plus jeune et le moins expérimenté.

En février 1943, il a été classé 4F dans l'armée américaine. Motif : allergie à certains aliments, dont les origines figuraient dans son étude de vie, qui mentionnait qu'il pourrait être sujet à des troubles du système digestif !

Puis vinrent le rationnement de l'essence, les hôtels surpeuplés et les trains bondés : ce fut pour lui la fin d'une carrière florissante dans le domaine de la vente. David décida alors d'aller travailler pour un des plus grands centres d'approvisionnement de l'armée, où une moyenne de 1500 officiers venaient chaque semaine s'équiper pour le combat.

En juillet de la même année, il fut promu au magasin d'habillement. À la fin de la guerre, il retourna dans la firme qui l'avait employé précédemment, pour être l'unique responsable de la section de la vente au détail, pendant que les deux propriétaires se concentraient à réorganiser le département des ventes en gros pour en faire un secteur séparé du reste de l'entreprise. Dans ces conditions, il n'est pas surprenant de voir Greenwood continuer à travailler en étroite collaboration avec Edgar Cayce. Un fait nouveau apparut lors d'une étude ultérieure : les problèmes de digestion dont il avait hérité étaient une conséquence directe de son amour pour une nourriture trop riche ; il avait contacté cette habitude à la cour du roi de France, où le gourmet Neil se détruisit littéralement à cause de ses excès gastronomiques. Le fait que Greenwood fût contraint de suivre un régime extrêmement strict dans sa vie présente n'était pas seulement la conséquence du mal qu'il s'était fait à la table du roi ; son propre subconscient l'avertissait de ne jamais plus s'infliger de telles punitions qu'il serait contraint de subir dans les vies qui l'attendaient encore !

Ce cas n'est de loin pas unique dans les 2500 études de vie effectuées par Edgar Cayce. Il permet cependant de montrer de quelle manière les possibilités latentes d'un garçon de 14 ans avaient été reconnues par Edgar Cayce, lui évitant ainsi de rester effacé et improductif tout au long de sa vie. Ses qualités une fois reconnues et repérées depuis leur source, il suffisait de les présenter au jeune garçon de façon à ce qu'il puisse en tirer un enseignement pratique. Edgar vécut assez longtemps pour voir David Greenwood hériter de la destinée qu'il méritait.

Le pouvoir prophétique de Cayce lors de ses études ne fut pas moins mis en valeur six années avant sa mort, lorsqu'il se pencha sur le cas de Grover Jansen.

L'appel de la liberté

Lorsqu'on demanda à Edgar Cayce de faire cette étude de vie en 1939, Grover Jansen se trouvait dans une position bien plus enviable que celle de David Greenwood. C'était alors un étudiant âgé de 19 ans qui avait des doutes quant à son avenir. Après deux ans de collège, il ne trouvait pas de profession qui l'intéresse, pour laquelle il se sente des dispositions.

Edgar ne lui laissa aucun doute quant à son inclination naturelle. Durant sa vie antérieure, à l'époque de la Guerre d'Indépendance, il avait travaillé comme agriculteur ; sa tâche consistait à estimer le rendement possible d'un terrain donné, pour le compte de l'armée. Ainsi, il n'y avait que peu de choses qu'il ne connaissait pas de la fertilité, ou au contraire de la stérilité, des régions où devaient se dérouler les grandes batailles de cette guerre.

« L'entité, dont le nom était Elder Mosse, était associée à André, aussi bien qu'à Arnold, Lee et Washington, dans des régions situées dans la partie supérieure de ce qui est maintenant l'État de New-York... à partir de là, nous allons trouver dans le présent, des montagnes et des cours d'eau, la nature, toutes les activités qui sont liées aux prouesses du monde physique, qui exercent une influence innée, subtile, sur l'entité, notamment dans ses choix pour traiter avec autrui.

Dans la vie précédant celle-ci, le jeune homme avait vécu dans l'Empire romain, au moment de sa plus forte expansion.

« Là, l'entité se trouvait parmi ceux qui devaient être choisis par les empereurs - les premiers césars - pour aller travailler en Angleterre, en Irlande, dans certaines parties de la France, de l'Espagne et du Portugal, aussi bien que sur la côte nord de l'Afrique, en Grèce et en Palestine. Tout cela faisait partie des activités de l'entité.

« Car l'entité était parmi ceux (et il n'y en avait qu'un autre) qui étaient capables de juger ce qui pouvait être produit le plus facilement dans ces différents pays, avec le moins d'efforts tout en obtenant le meilleur profit pour l'empire.

« À partir de cette expérience, chaque activité liée au cycle de la nature fait partie de l'entendement de l'entité - que ce soit pour fournir de la décoration, de la nourriture, pour faire des échanges, ou encore pour s'occuper de la production de céréales ou de bois de différentes espèces. Son nom était alors Agrilda.

« Comme on peut s'en apercevoir, l'entité a parfaitement la possibilité de juger de ces influences au profit de la conservation de la nature.

« Avant cela, l'entité se trouvait dans un pays connu maintenant comme l'Égypte, pendant une période de reconstruction qui suivit la disparition de l'Atlantide, et où l'entité avait vécu. Celle-ci, bien que plus jeune que certains qui occupaient des postes à responsabilités, ne tarda pas à occuper des fonctions importantes en Égypte, non seulement pour instruire et éduquer les différents groupes, mais également pour aider à joindre tous les efforts dans le but de consolider la civilisation. Son nom était alors Ex-en.

« Voici quels sont les choix auxquels est maintenant confrontée l'identité : elle peut soit accomplir une mission identique à celle des vies précédentes, soit glorifier sa propre personne ou encore une cause ou un individu ; cela, elle seule a la possibilité de le décider.

« Dans le domaine de la conservation - que ce soit des poissons, des oiseaux, de la nourriture, ou de la protection de certaines parties du territoire et du sol pour la culture de céréales - ce sont là autant de possibilités dans lesquelles l'entité trouvera satisfaction et harmonie.

« Bien sûr, les campagnes continuent à produire — car elles sont le marche-pied de Dieu — mais les abus de l'homme peuvent les rendre improductives. Mais si l'on porte attention à leur conservation et à leur prospérité, les choses continueront à aller de l'avant. Car « tu croîtras avec la grâce, la connaissance et la compréhension » ; cela s'applique aussi bien à la vie séculière de l'homme qu'à sa mentalité ou à sa spiritualité.

Question : « Dois-je continuer à suivre les cours du Penn State College l'an prochain ? »

Cayce : « S'il existe un cours dans lequel cette matière est dispensée, alors oui. Par contre, si de meilleures études peuvent être faites par le biais d'une activité dans le gouvernement, toujours dans le même domaine, alors il faut choisir cette solution. Tu trouveras quelque chose si tu regardes attentivement ! »

Le jeune homme ne manqua pas de suivre à la lettre le conseil que lui avait donné Edgar Cayce dans son étude. Et, exactement comme Edgar venait de le lui annoncer, il développa une affinité naturelle pour la vie sauvage et la conservation de la nature. C'est un homme comblé et satisfait de son sort, qui travaillait pour le compte du Service des parcs nationaux, au Département de l'Intérieur, qui écrivit à Hugh Lynn Cayce sept ans plus tard :

« Chers amis : pour la saison d'été, nous avons finalement été placés à l'entrée sud de ce magnifique parc national, le plus grand de tous. C'est très excitant pour moi d'arborer le titre de « conservateur » : j'ai en effet toujours considéré ces gardiens de nos ressources naturelles comme de vrais hommes, depuis ma plus tendre enfance. Je commence en tant que conservateur-naturaliste, en juillet. C'est pour moi un grand événement que de monter un échelon supplémentaire.

« Mais finissons-en avec la forfanterie ; je désirais uniquement vous faire savoir, à tous, que ces études m'avaient rendu, moi-même et ma famille, très heureux, maintenant que nous savons quelle est notre voie.

« Ce travail de conservateur-naturaliste représente une occasion unique de montrer aux gens un peu de l'œuvre de Dieu encore intacte. Chaque rivière est pure, l'eau y est bonne à boire et les bassins regorgent de truites. Tous les anciens habitants de la montagne, comme les Crow, les Sioux ou d'autres tribus d'Indiens, erraient autrefois dans cette contrée si riche en histoire. L'antilope, le bison, l'élan et le cerf y sont aussi nombreux que lorsque les premiers pionniers tracèrent un sentier au travers de cette immmensité sauvage. Les grizzlis et les ours noirs sont là pour nous rappeler que le danger peut se cacher derrière chaque tronc d'arbre... J'ai même trouvé ici une épice que je n'avais encore jamais goûtée auparavant.

« J'ai l'intention de retourner au collège d'agriculture en septembre pour suivre encore quelques cours et obtenir mon diplôme, puis je retournerai au Service des parcs nationaux, peut-être définitivement.

« Venez seulement me voir - je vous laisserai entrer librement ! »

En 1951, Grover Jansen écrivit depuis le Service de la faune à l'un de ses amis qui s'inquiétait de l'avenir de son fils et qui lui demandait conseil : « Si seulement Edgar Cayce vivait encore, je suis persuadé qu'une étude de vie serait la réponse aux nombreux problèmes auxquels tu es confronté pour l'instant. J'ai eu la chance immense d'entrer en contact avec la fondation ARE alors que j'étais encore jeune et, comme résultat d'une étude de vie et de quelques entrevues complémentaires avec Edgar Cayce, j'ai trouvé le genre de travail pour lequel j'étais fait, celui qui convenait le mieux à ma personnalité.

« Comme tu peux le constater, en consultant l'entête de cette lettre, je ne travaille plus pour le compte du Service des parcs nationaux. En août dernier, nous sommes partis dans le Nord, dans un État où je suis responsable de la loi fédérale sur la pêche et de la réglementation sur la chasse. Mon étude de vie m'avait conseillé de travailler pour le gouvernement, au service de la conservation des ressources naturelles : je puis t'assurer que je profite énormément de cette position ! »

Le garçon qui se rappelait

On peut difficilement imaginer que l'histoire de son âme qu'Edgar Cayce traça lui-même ne fût pas à la fois édifiante et unique. Mais son témoignage est si complexe et si mystérieux qu'un seul volume consacré à son évolution ne suffirait pas à le faire comprendre au commun des mortels.

Sans vouloir le faire passer pour ce qu'il n'est pas, ses antécédents spirituels le placent néanmoins à un niveau assez élevé dans la hiérarchie des âmes humaines - pour autant qu'il en existe une. Ses différentes vies l'ont fait aller de hauteurs sublimes à des niveaux plus modestes, où il n'était ni particulièrement exalté, ni doué de plus de ses cinq sens normaux. Par exemple, dans la vie qu'il passe sur le continent américain juste avant d'y être réincarné sous les traits d'Edgar Cayce, son cheminement ne fut pas exactement celui d'un saint. C'était un mercenaire à la solde de l'armée britannique, peu avant la Guerre d'Indépendance. C'était un soldat jovial, qui avait bien roulé sa bosse, avec un œil sur les femmes et l'autre sur la bouteille.

Il était né en 1742 dans une famille de souche celtique qui, à cette époque, ne nourrisait pas, ou très peu, d'admiration pour l'Angleterre, et qui se glorifiait en faisant de la contrebande et de la démolition de navires. On le batisa John Bainbridge. Il débarqua pour la première fois en Amérique à Chesapeake Bay (un endroit relativement propre de Virginia Beach, où il s'était établi au cours de sa dernière vie, en se souvenant de son premier accostage sur le continent). Sa participation aux fréquentes escarmouches avec des tribus d'Indiens l'avait mené jusqu'au Canada et il vint finalement se battre à Fort Dearborn, sur l'emplacement de la ville de Chicago. La vie dans ce camp était dure, rude, un avant-goût de la vaste duperie qui consista à peindre en rouge vif les nouvelles villes de Californie, le siècle suivant. John était un homme de son époque, dans tous les sens de l'expression.

Lorsque Fort Dearborn tomba finalement aux main des Indiens, il aida un groupe d'hommes, de femmes et d'enfants à s'enfuir en descendant la rivière Ohio, sur un radeau de fortune. Ils n'avaient pas embarqué suffisamment de nourriture pour survivre tous et ils ne pouvaient en aucun cas accoster pour se réapprovisionner : les Indiens les avaient poursuivis sur les deux rives du fleuve. Les malheureux moururent les uns après les autres, soit de faim, soit par accident. Seul Bainbridge termina sa vie par un acte d'héroïsme : il mourut en permettant à une jeune femme de s'enfuir pour échapper à ses poursuivants.

En dehors de cet acte de bravoure, son âme n'avait pas fait de progrès notoires, au niveau spirituel pendant cette vie, qui ne mérite d'ailleurs pas d'autre commentaire, à l'exception de deux faits singuliers se rapportant à la vie présente d'Edgar Cayce. La femme qu'il avait sauvée lui demanda à nouveau secours dans sa nouvelle vie et, grâce à elle, il put venir en aide à plusieurs âmes qu'il avait connues à Fort Dearborn ; le groupe qu'ils formaient alors était resté intact et ils se retrouvèrent dans les environs de Chesapeake pour tenter de résoudre les problèmes qui n'avaient pas encore trouvé de solution. (Voir au chapitre XVI)

Un autre événement, mineur mais tout de même significatif, se produisit lorsque la famille Cayce déménagea la première fois à Virginia Beach, en septembre 1925. Edgar avait accompagné son fils Hugh Lynn chez un coiffeur ; le fils de ce dernier, un jeune de 5 ans tout endormi, attendait impatiemment le retour de sa mère pour qu'elle le mette au lit. Son père lui avait donné une boîte de biscuits pour le faire tenir tranquille et lorsque son regard indolent croisa celui d'Edgar, il se dirigea aussitôt vers lui pour lui tendre sa boîte de biscuits. «Tiens,» lui dit-il immédiatement. «Tu peux avoir le reste. Tu dois avoir horriblement faim!»

«Laisse cet homme tranquille! Tu es capable de faire mieux que d'importuner les gens!» lui répondit son père.

«Mais je le connais!» protesta l'enfant, fixant les yeux d'Edgar avec une parfaite confiance. «Il était aussi sur le radeau! Et tu avais faim, n'est-ce pas, monsieur, tu avais faim?»

«Merci, jeune homme» répondit simplement Edgar. «Je prendrai juste un biscuit,» et il ajouta à voix basse, dans un soupir, «tu as raison! J'avais terriblement faim sur le radeau!»

Chapitre 2

Si nous avons vécu, pourquoi n'en reste-t-il aucune trace?

Le subconscient de l'esprit se souvient de ses expériences passées, mais il y a plusieurs bonnes raisons pour que l'esprit conscient soit épargné par ce privilège plutôt douteux.

Imaginez que vous êtes une âme avant son retour sur la terre. Imaginez que vous êtes un plongeur assis sur le pont d'un bateau de sauvetage, dans la Mer des Caraïbes. Le temps est calme, c'est une belle journée. L'eau est transparente et la surface de la mer est d'huile; le ciel est sans nuage; une légère brise vous berce au gré des courants.

Quelque part au-dessous de vous, il y a l'épave d'une ancienne galère, que l'on disait chargée de lingots d'or au moment de son naufrage. Il vous est même possible de deviner la forme de sa coque, au fond de l'eau, bien qu'elle soit enfouie dans le sable. Mais ce que vous ne pouvez apercevoir depuis le pont de votre bateau, c'est l'imbrication des courants qui sillonnent les profondeurs de la mer; ils sont trop loin pour faire des remous à la surface.

À cause du temps qu'il vous faudra rester immergé, vous vous enfilez dans une vieille combinaison de scaphandrier, avec des bottes plombées; on vous fixe un casque de cuivre qui protégera votre tête. Ses minuscules lucarnes ovales limitent votre champ de vision. Au moment de passer au-dessus du bastingage, vous avez l'impression que votre corps pèse une tonne. Vous vous habituez lentement à respirer l'air qui vous parvient par le tuyau qui vous reliera à la surface; à peine êtes-vous dans l'eau que votre poids n'est plus un handicap et vous vous laissez descendre jusqu'au fond sablonneux de la mer. Tout est simple et évident : le succès ne peut plus vous échapper. Il vous suffit d'atteindre le fond de l'océan, de marcher tout droit jusqu'à l'épave, de localiser le trésor, de creuser pour le récupérer et finalement de signaler qu'on vous remonte à la surface.

La seule chose dont vous avez oublié de tenir compte, c'est l'inconstance de la mer elle-même. Au moment où vos pieds touchent le fond, vous vous retrouvez en train de lutter contre un fort courant. Vous résistez de tout votre poids et vous commencez à approcher de l'épave. Mais la force du courant, qui vous pousse d'abord dans un sens, puis dans un autre, double le poids de la combinaison et du casque que vous portez.

Considérons cette combinaison comme l'enveloppe physique qui abrite l'âme au moyen de son séjour sur la terre. Tout va bien lorsque le courant vous pousse dans la bonne direction, que la lumière est bonne et que vous contrôlez parfaitement votre corps. Mais la lumière qui filtre au travers de l'eau peut soudainement être obscurcie par des nuages; les rayons du soleil disparaissent et le fond de l'océan devient tout à coup gris, ténébreux. La résistance continue aux courants contraires commence à vous fatiguer et vos muscles deviennent douloureux. Ce qui promettait d'être une simple promenade, avec en prime un trésor, depuis le pont du bateau, s'est révélé finalement une tâche complexe, ardue et frustrante. Les choses ne sont pas rendues plus faciles par l'apparition de quelques requins à l'air affamé, qui se tiennent à l'affût dans les environs. Au moment d'atteindre l'épave, votre câble de sécurité et votre boyau d'amenée d'air s'enchevêtrent avec les poutres brisées de l'épave. Vous vous débattez pour tenter de les démêler, mais alors l'air ne vous parvient plus et vous ne pouvez plus respirer. Vous vous demandez alors pour quelle raison au monde vous êtes venu là au fond et si n'importe quel trésor vaut tant de difficultés. Vous tentez de vous rappeler la carte marine que vous avez consultée sur le pont du bateau, qui indiquait avec précision à quel endroit de l'épave se trouvait le trésor; mais vous n'êtes plus certain s'il s'agissait de la poupe ou de la proue. Vous commencez à éprouver ce que Thoreau décrivait comme un « désespoir tranquille. » Le temps semble s'arrêter. Vous vous sentez comme si vous aviez été depuis toujours au fond de la mer, dans votre combinaison pesante, et que vous alliez rester là pour l'éternité. La vie normale sur un bateau devient un rêve de plus en plus irréel — quelque chose que vous n'avez jamais expérimenté vous-même. De même, les voix qui vous parviennent de la surface, par la radio, sont inhumaines et irréelles, elles aussi. La seule, l'unique réalité, c'est la bataille que vous menez tous azimuts contre les courants qui vous poussent, dans un sens puis dans un autre. Vous gardez un œil inquiet sur les requins qui nagent autour de vous, lentement, et qui semblent se rapprocher imperceptiblement; vous n'êtes plus en mesure de vous concentrer sur l'origine de votre mission.

Finalement, la fatigue, la claustrophobie et la défaite vous accablent à un point tel que vous ne pouvez même plus signaler aux hommes qui sont restés à la surface de vous faire remonter. Au moment où l'on vous remonte finalement, vous êtes presque paralysé et, une fois à bord du bateau, lorsqu'on vous débarasse de votre scaphandre, vous êtes plus mort que vivant. Pendant le temps qu'il vous faut pour récupérer, alors que vous êtes couché sur le dos, respirant l'air frais à pleins poumons, le souvenir de ces heures interminables, là-bas au fond de l'océan, s'estompe pour devenir à son tour comme une espèce de rêve. Ce qui est irréel maintenant, c'est le temps que vous avez passé au fond de l'eau ; la réalité, c'est le pont du bateau sur lequel vous vous trouvez, le sentiment de sécurité que vous avez retrouvé et vos compagnons qui vous entourent.

Tout le processus de la mémoire, dans ce cas, a été renversé.

De la même manière, l'âme humaine revient dans le monde des vivants avec une confiance absolue, au moment de sa renaissance, de même elle retourne après la mort à son état originel, avec presque de la méfiance, ayant oublié que les deux mondes coexistaient, que l'un était aussi réel que l'autre.

Un homme, plusieurs rôles

Si vous préférez un cadre de référence plus tangible pour saisir le phénomène de votre manque apparent de mémoire de votre karma, imaginez que vous êtes un acteur professionnel.

Mettez-vous à la place du grand acteur shakespearien Sir Laurence Olivier, dont le génie théâtral nous a valu des portraits inoubliables de Henri V, de Hamlet, de Richard III et d'Othello. Pour lui-même, chacun de ces personnages représente une création parfaite, entière; aucun d'entre eux ne dépend des autres. En fait, Olivier devait se mettre dans la peau de chacun d'eux pour les faire vivre aussi intensément, avec autant de conviction.

Entre chacun de ces succès, Olivier, l'acteur professionnel, a eu le temps de se reposer pour reprendre des forces, pour devenir ce qu'il est maintenant. Il est peut-être le plus grand acteur classique encore en vie d'Amérique et d'Europe, mais en dehors de sa profession, ses problèmes ne sont pas différents des vôtres. Il a des rendez-vous chez son dentiste, des migraines à cause de ses déclarations d'impôts, des grippes et, de temps en temps, un trou à sa chaussette. Mais la différence se remarque instantanément lorsqu'il se trouve dans les coulisses de l'Old Vic Theater, juste avant de faire sa première entrée dans le rôle d'Othello.

S'inquiète-t-il des problèmes fiscaux de Laurence Olivier? Certainement pas. Laurence Olivier s'est rapidement transformé en un petit point irréel au fond de sa mémoire. Sa seule incarnation est celle d'Othello. Il se concentre exclusivement sur les émotions qu'il devra bientôt faire partager. Les décors de la scène disparaissent pour laisser la place à une vraie rue, à Venise. Les voix des autres acteurs continuent de se faire entendre, mais elles viennent maintenant de la gorge de Vénitiens du XVIe siècle, en chair et en os.

Dans une certaine mesure, Olivier se met lui-même en état d'hypnose lorsqu'il fait son entrée sur la scène.

Maintenant, imaginez-le en train de déclamer avec passion, puisant dans les ultimes ressources de son énergie émotionnelle, tout en s'imposant une discipline rigoureuse au moment de prononcer chaque syllabe — et dites-moi s'il aurait le temps de s'allonger fièrement sur les critiques de son interprétation d'Hamlet, ou d'évoquer avec nostalgie les ovations qui avaient accueilli son Richard III, ou encore s'il n'aurait pas mieux fait de prendre un autre accent et de changer son maquillage dans son film consacré à Henri V.

Laissez-moi vous assurer que, dans de pareilles circonstances, il serait bien incapable de se souvenir d'autre chose que de l'engouement d'Othello pour Desdémone. Même pendant les entractes ou les changements de décors, il reste toujours Othello — un Othello détendu peut-être ; comme le corps qui sommeille ; mais toujours Othello. Ce n'est pas avant le baisser de rideau final et le départ du public, pas avant que le costume et le maquillage ne soient enlevés qu'il peut à nouveau être en mesure de discuter les critiques favorables ou défavorables de ses interprétations d'Henri V, de Hamlet ou de Richard III.

Et, si l'on pousse plus loin la comparaison, tous les personnages de théâtre qu'a incarnés Olivier ne furent pas tous des succès. Ce serait ne pas tenir compte de sa sincérité que de reconnaître qu'il pourrait oublier sa médiocre prestation dans une version filmée de «The Beggar's Opera». Quelle sorte de performance pourrait attendre de lui son public d'Othello si son esprit restait hanté par cet échec, au point de s'arrêter au milieu d'une tirade et, au lieu de murmurer à Desdémone, de s'écrier soudain : «Bon Dieu, ma chère, quelle bourrique j'ai été en jouant MacHeath! Je n'ai aucun droit d'être ici et de leur prendre leur argent!» Que deviendrait la connivence qu'il avait soigneusement fait naître entre son public et le personnage d'Othello?

Essayez d'imaginer cela pour vous-même. Supposez que vous ayiez accès volontairement et librement à toutes vos vies précédentes et qu'un jour, par hasard, vous vous aperceviez au détour de votre mémoire que vous avez été l'un des monstres les plus sanguinaires de l'histoire!

Comment réagiriez-vous face à cette horreur, ce

remords tardif? Que feriez-vous si vous saviez qu'il vous faudrait un million d'autres vies de maigres compensations pour effacer tout le mal que vous aviez fait dans cette vie atroce? Quel espoir vous resterait-il?

En réalité, cette situation ne peut se produire, pour la simple raison que la loi Karmique de cause à effet serait transgressée, et que le fonctionnement de cette loi est fixe et immuable. Aucune âme ne sera jamais autorisée à connaître ses propres erreurs passées. Quelle que soit la dette d'une âme envers les autres, elle ne devra jamais s'en acquitter avant d'avoir atteint une maturité suffisante, avant d'avoir assez progressé, pour qu'une compensation soit réalisable. À ce stade, il convient de se débarrasser une bonne fois de la conception erronée du karma considéré comme une brutalité et une punition futile qui s'abattrait sur les indignes pécheurs que nous sommes.

«Car le Seigneur ne tente pas une âme au-delà de ce à quoi elle est capable de résister,» disait Edgar Cayce. À plusieurs reprises toutefois, il a été contraint d'exorciser les principes obscurs de la prédestination et du péché originel qui étaient ancrés dans l'esprit de ceux qui venaient lui demander secours.

«Actuellement, la plupart des individus font une mauvaise interprétation des conditions du karma,» devait-il dire. «Chaque âme ou entité devrait concevoir le juste concept du destin. Le destin est intérieur; il est fait de foi; c'est un cadeau des forces créatrices. L'influence du karma, dans ce cas, est une influence qui se rebelle contre le destin.»

«L'entité exerce une pression sur le karma,» reprocha-t-il à l'un de ses détracteurs. «Si tu vis en fonction de la loi, tu dois juger en fonction de la loi; mais si tu vis en fonction de ta foi, alors tu dois juger en fonction de ta foi.»

«Il ne faut pas prendre cela pour une critique, ni pour un sarcasme,» dit-il à un autre, «mais ce que tu dois savoir, c'est que c'est la loi du Seigneur qui est parfaite — et non la conception que s'en font les hommes. La loi s'appliquera. Le feras-tu, ou quelqu'un d'autre le fera-t-il à ta place?... Celui qui cherche trouvera. Celui qui frappe à la porte, on lui ouvrira. Tout cela est irréfutable, ce sont des lois immuables.»

Edgar Cayce fait une analyse plus détaillée :

«Le karma est une réaction qui peut être comparée à celle qui se produit dans un organisme humain lorsqu'un aliment est absorbé par le système. La nourriture est transmise à une partie du corps lui-même, pénétrant chaque cellule, influençant la santé du corps comme celle de l'esprit.

«Il en va de même pour une âme, lorsqu'elle pénètre dans un corps pour une expérience sur la terre. Les pensées de cette personne, ainsi que les actes qui résultent de ces pensées, sont la nourriture dont l'âme a besoin. Ces pensées et ces actes, à leur tour, ont été engendrés par d'autres pensées et d'autres actes, antérieurs; et ainsi de suite jusqu'à la naissance de l'âme.

«Lorsqu'une âme pénètre dans un nouveau corps, une porte s'ouvre, menant à une occasion de créer le destin de l'âme. Tout ce qui a été créé auparavant, le bien comme le mal, est contenu dans cette opportunité. Il existe toujours une possibilité de rédemption, mais il n'y en a aucune pour échapper aux responsabilités que l'âme a elle-même assumées.

«Ainsi la vie est-elle une sorte de développement, une préparation à la purification de l'âme, malgré les difficultés du chemin, parfois, que doivent affronter le corps et la conscience.

«Des changements surviennent et aussitôt certaines personnes font intervenir le facteur chance. Mais il ne s'agit pas de chance. C'est la conséquence de ce que l'âme a entrepris pour favoriser sa propre rédemption. »

Et Edgar Cayce de présenter, le plus simplement possible, la loi de grâce, qui supplante l'expiation : « Le karma serait plutôt le besoin de vivre selon ce que tu sais que tu dois faire. Comme tu seras pardonné, alors pardonne aux autres. C'est ainsi que tu rencontreras le karma. »

Au travers de certaines des études de Cayce, on trouve des individus dont le péché karmique fut leur détermination à s'accrocher à leur faute, plutôt que de faire un effort positif pour la faire pardonner en pardonnant au autres. »

Évidemment, personne ne peut être contraint, ni par son Dieu, ni par un de ses semblables, à pardonner, soit à lui-même, soit à quelqu'un d'autre ; c'est à chacun de décider. Chacun est entièrement libre de rester aussi longtemps qu'il le désire dans le purgatoire qu'il s'est choisi, aussi longtemps qu'il le trouvera préférable à tout autre statut.

Mais jusqu'à ce qu'il ait évolué suffisamment pour se sortir lui-même de cette situation, à quoi lui servira-t-il de demander inlassablement : « Pourquoi ne me souviens-je donc pas ? « N'est-il pas préférable de dire : « Je suis heureux de ne pas me souvenir ! » (même si cela signifie que lui est dénié le droit de regard sur les vies au cours desquelles il fut l'ange gardien de ses semblables, au cours desquelles il mourut aimé, honoré et respecté ?) Tout le bien fait au cours d'une vie est acquis en permanence pour l'âme, qui ne peut jamais défaire le bien qu'elle a fait. Plus loin, nous verrons comment cela peut se produire, par l'intermédiaire de la loi de grâce, malgré la loi de cause à effet.

Chapitre 3

Le subconscient de l'homme est immortel

Au début, la différence entre le « conscient » et le « subconscient » d'Edgar Cayce était aussi fondamentale que la différence entre Berlin-Est et Berlin-Ouest. Il n'y avait, bien sûr, aucun antagonisme entre les deux formes de son esprit, bien que l'un fût vulnérable et humain et l'autre spirituellement isolé de la « mer des chagrins » dont chaque homme hérite. Probablement le plus simple exemple que l'on puisse en donner est celui d'une radio dans laquelle il n'est pas possible de parler et d'écouter simultanément — un genre de radio souvent utilisé sur les bateaux. Il s'agit simplement d'un moyen mécanique qui permet à un homme en mer d'entrer en contact avec ceux qui sont restés sur le rivage. L'appareil n'enregistre aucune impression et ne retient rien des mots qu'il ne fait que transmettre. Vers la fin de la vie d'Edgar Cayce, une certaine superposition des deux niveaux de conscience devint évidente, mais dans ses jeunes années, il était aussi stupéfait que n'importe quel autre être humain d'apprendre qu'il avait donné des conseils médicaux à un Italien, en italien parfaitement courant. De même, la terminologie médicale compliquée qui sortait de sa bouche ne lui était pas plus intelligible, lorsqu'il était conscient, que la langue italienne.

Peut-être que le malentendu le plus répandu à son sujet était celui qui consistait à le considérer comme une espèce d'ermite séculier qui criait dans un désert métaphysique. C'est cependant son apparente capacité à se souvenir de ses propres débuts dans la création qui fit de lui un être unique.

Son propos — peut-être la totalité de son propos, pour ce que nous en savons jusqu'à maintenant — était d'agir en tant que guide pour ceux qui croyaient que leur héritage commençait avec Dieu. « Ce que je peux faire aujourd'hui, tout homme sera capable de le faire demain », tel est un des thèmes que l'on retrouve régulièrement dans sa philosophie.

Chaque âme possède le même potentiel : cette affirmation figure implicitement dans les paroles qu'il utilise pour décrire la première apparition de l'âme sur terre.

« Au commencement, lorsque le premier des éléments se mit en mouvement pour créer une sphère appelée « planète Terre », lorsque les étoiles du matin chantaient à l'unisson et que les vents apportaient la nouvelle de l'arrivée prochaine de l'homme, issu de l'esprit du Créateur pour se manifester en tant qu'âme vivante, cette entité se fit être humain pour donner naissance à la multitude. »

Si l'on garde à l'esprit qu'à cette époque l'interprétation orthodoxe que donnait Edgar Cayce « conscient », il est intéressant de comparer la citation qui précède avec ce passage de Job 38 : « Puis le Seigneur répondit à Job d'une voix qui sortait du tourbillon, et dit... Où étais-tu lorsque je posai les fondations de la terre... lorsque les étoiles du matin chantaient à l'unisson, et que tous les fils de Dieu criaient leur joie?»

Même si elles attendaient la création, d'après ce que dit Edgar Cayce, certaines âmes étaient déjà prédestinées à faire usage de leur libre volonté, nouvellement créée, pour servir le dessein de Dieu sur la terre, alors que d'autres étaient également destinées à faire usage de leur libre volonté pour faire ce qu'elles avaient choisi de faire... La terre nouvellement créée leur offrait une opportunité d'usurper le rôle de Créateur de Dieu et de devenir elles-mêmes autant de petits Créateurs. Elles amenèrent le péché avec elles. Mais elles étaient encore loin d'être «en vie», à une période où, sur cette planète, l'évolution animale n'avait pas encore débuté. En fait, la densité de la matière «solide», telle que nous la connaissons maintenant, n'est apparue que plusieurs millions d'années plus tard. La pensée était la force motrice originelle. La matière n'était qu'une mutation subséquente. Pour simplifier, la pensée peut être comparée à de la lave en fusion — maléable, en perpétuel changement, capable de prendre n'importe quelle forme. La matière solide n'est que sa réplique inanimée, qui n'existe que par le ciseau et le marteau.

Pour cette raison, on retrouve tout au long des «études» d'Edgar Cayce cette phrase-clé : «La pensée est le fondateur» — la terre humide qui prend forme sous les mains du potier — et la survie de l'âme dépend entièrement de sa capacité à forger son destin au niveau subconscient, là où la terre est assez humide pour être facilement maléable.

Exactement comme une série de réactions en chaîne transforme l'atome d'une particule inoffensive de matière en un gigantesque champignon qui anéantit Hiroshima, les réactions en chaîne d'une pensée positive peuvent éventuellement soulager l'âme de sa matière et ainsi lui faire regagner la liberté de son état fluide, au niveau astral.

C'est parce que nous manquons d'équivalent scientifique adéquat, comme celui de fission atomique dans le domaine de la physique nucléaire, que nous en sommes réduits à nous référer à ce processus qui soulage l'âme en parlant de «la tragédie de la mort.» Cela correspond en quelque sorte à se débarrasser de la pomme de terre pour n'en garder que la pelure...

Il est bien plus simple de penser à l'âme en termes de «Telstar.» Il suffit de deux fusées pour le libérer de la gravitation terrestre et le mettre en orbite. À peine les fusées ont-elles rempli leur mission qu'elles brûlent et disparaissent, exactement comme un corps de chair et d'os — l'enveloppe terrestre de l'âme — brûle et disparaît au moment de la mort, suivi en cela par l'«ego,» l'esprit conscient de l'enveloppe terrestre, qui n'a plus sa raison d'être.

Ainsi, l'âme n'est plus prisonnière de la matière. Elle a conquis sa liberté. Tout ce qu'elle retient de son séjour dans son enveloppe terrestre, c'est le rappel global de ses expériences sur la terre, stocké en toute sécurité dans sa «mémoire.» Seul l'esprit conscient a été exclu du processus. Quant au subconscient, lui, il a survécu, n'étant pas constitué de matière, ni ne dépendant d'elle. Il devient alors la conscience de l'âme et il continuera à fonctionner ainsi jusqu'au moment où l'âme retournera sur terre, pour se réincarner dans une nouvelle enveloppe matérielle.

Pendant ce temps, une sorte de superconscience assumera les fonctions abandonnées par le subconscient et l'âme se trouve maintenant articulée comme elle ne pourrait jamais l'être sur terre. L'extase que certains saints ont éprouvée doit probablement se rapprocher de cet état : il pourrait s'agir d'une captation momentanée de la joie intense que ressent l'âme à ce niveau de l'existence.

Lorsque le moment vient pour l'âme de regagner la terre et d'assumer son nouveau corps, le processus est en quelque sorte inversé. La conscience retourne au niveau du subconscient et le subconscient gagne le niveau de la superconscience, où il subsiste dans une espèce de sanctuaire, à l'intérieur de l'enveloppe matérielle. Cette superconscience ne recherche ni ne désire une association quelconque avec le subconscient ou la conscience nouvellement créée qui, eux, s'accoutument à leur nouvel ego.

Dans quelques cas extrêmement rares, la superconscience peut être contactée — et uniquement dans des cas de profonde hypnose. (Edgar Cayce était capable d'entrer en contact avec sa superconscience uniquement en état d'auto-hypnose ; il ne faut cependant pas perdre de vue qu'il était l'exception, et non la règle, à ce stade de notre développement universel. Il est un reflet de ce que nous serons à l'avenir.)

La conscience nouvellement créée ne peut en aucun cas être plus âgée que l'enveloppe charnelle qui l'abrite temporairement. Tout ce que le nouveau-né a accumulé de sagesse, de prudence, ainsi que l'appréciation qu'il a de lui-même et de ses semblables, tout cela repose au niveau de son subconscient. Et le seul ami et conseiller vers lequel il peut se tourner, c'est son propre subconscient. De plus, ce contact ne peut être effectué que lorsqu'il est endormi et qu'il rêve, ou alors grâce à la méditation. Dans ce dernier cas, à force d'auto-discipline, il s'entraîne à s'asseoir pour écouter « la voix encore fluette et la conscience. »

Pendant les heures où il est éveillé, au niveau de sa conscience, le nouveau-né doit faire une fois encore la connaissance de toutes les nouvelles distractions de l'existence matérielle, choisissant sa voie du mieux qu'il le

49

Où obtenait-il ses informations, lorsqu'il s'installait pour faire une étude de sa vie?

Lors d'une conférence qu'il donna en 1931 au Cayce Hospital, il donna l'explication suivante : «Laissez-moi maintenant vous parler d'une expérience personnelle. J'ai eu l'impression d'une expérience particulièrement réelle et qui pourrait donner une assez bonne idée de ce qui se passe au moment de la mort, pour autant qu'il soit possible d'en parler avec de simples mots. Une fois, pour obtenir des informations concernant un individu et en me rendant donc au niveau du subconscient, j'eus l'impression de sortir de mon corps.

«Devant moi, il y avait une espèce de ligne étroite et droite, comme un rayon de lumière blanche. De chaque côté de cette ligne, il y avait du brouillard et de la fumée, ainsi que de nombreuses silhouettes qui semblaient implorer mon secours, me demandant de venir sur le plan qu'elles occupaient. Au fur et à mesure que je suivais le rayon de lumière, le chemin commençait à s'éclaircir. De chaque côté, les silhouettes devenaient toujours plus distinctes; elles prenaient une forme précise. Mais sans cesse on me rappelait, ou l'on tentait de m'écarter de mon chemin, pour me faire oublier le but de ma mission. Pourtant, avec l'étroit passage qui s'ouvrait en avant de moi, je continuai à avancer tout droit. Après quelques instants, je passai à un endroit où les silhouettes n'étaient plus que des ombres qui essayaient de me pousser en avant plutôt que de m'arrêter. Puis au moment où leurs contours se précisaient, elles ne semblaient plus préoccupées que par leurs propres activités.

Finalement, je parvins au pied d'une colline, où se trouvait un petit monticule et un temple. Je pénétrai dans le temple et me retrouvai dans une vaste pièce, ressemblant à une bibliothèque. Elle était remplie des livres de la vie des hommes; il semblait y avoir un volume pour chaque personne, contenant toutes ses activités. Et je n'eus peut en évitant les écueils qui pavent le chemin de sa vie, évitant — s'il prête attention à la «petite voix fluette» — les excès d'auto-satisfaction auxquels il est tenté de s'abandonner.

Mais cela a-t-il un sens que d'anticiper les problèmes qu'il sera amené à résoudre?

Oui, réellement, si nous comparons les différentes vies de l'âme aux épisodes d'une nouvelle paraissant dans un magazine. Au moment où votre âme meurt à la fin de votre vie, on indique simplement «à suivre» en petits caractères au bas de la page du magazine. Au moment d'apparaître dans un nouveau corps, vous ne repartez pas à zéro; vous reprenez exactement là où vous en étiez resté.

Si, dans une vie antérieure, vous n'avez pas réprimé votre passion de lancer des pierres dans les vitres des maisons, vous devrez vous résigner à naître dans une maison où vous apprendrez le désagrément de vivre à la fin de la trajectoire des pierres. Si vous ricanez et supportez cela pendant que vos carreaux volent en éclats, jusqu'à ce qu'il y ait égalité des scores, vous vous en serez bien tiré. Mais si vous vous laissez aller au désarroi, affirmant que vous n'avez rien fait pour mériter pareil sort, vous vous retrouvez bien mal pris et les avantages que vous retirerez de cette expérience seront minimes.

Edgar Cayce lui-même ne se gênait pas de reconnaître qu'il aurait pu tirer un bien meilleur parti de certaines de ses vies — qu'il s'était souvent laissé aller à la colère et à l'impatience — que les bonnes choses de l'Égypte préhistorique, par exemple, lui avaient offert suffisamment de tentations pour l'écarter du cheminement laborieux de l'amélioration de son âme. La tâche était pour lui aussi ardue de mettre de l'ordre dans sa propre demeure spirituelle que de venir en aide à ses semblables; ses dons représentaient une lourde responsabilité.

plus qu'à retirer des rayons le volume concernant l'individu qui m'intéressait, pour lequel j'étais venu chercher des informations. Comme Paul le dit : « Je ne puis dire si je me trouvais à l'intérieur ou à l'extérieur de l'esprit ; mais ce fut une expérience réelle. »

La libre volonté l'emporte sur le destin

Lorsqu'il se penchait sur les vies précédentes des gens qui venaient lui demander de l'aide, Edgar Cayce leur disait avec insistance, que le karma était une mémoire et qu'ainsi les lois de cause à effet étaient plus ou moins souples. L'âme, un peu comme un prisonnier de confiance dans un pénitencier, a toujours la possibilité de voir sa sentence « réduite pour bonne conduite » en coopérant avec les autorités. Une vie entière sacrifiée au bien-être d'autrui, comme celles d'Albert Schweitzer ou du père Damien, peut parfaitement valoir cinq ou six existences stériles, au cours desquelles aucun progrès ne serait fait et où l'âme resterait à la traîne. En fait, la libre volonté est toujours plus forte que le destin préétabli. Aucune âme n'est jamais débitrice de vieilles dettes au point de devoir se résigner tristement à payer toujours et encore. Mais il ne faut pas non plus perdre de vue le fait que l'âme peut parfois progresser par elle-même, en recourant à des méthodes qui ne sont pas forcément immédiatement apparentes à notre raison consciente. L'aveugle guéri par le Christ, par exemple, n'était pas aveugle parce qu'il avait péché, mais parce que son âme gagnait de l'ampleur de cette expérience de cécité. Il est absolument essentiel de comprendre et d'accepter cette conception avant de s'occuper des cas plus complexes qui vont se présenter, lorsque nous traiterons d'autres sujets individuels plus en détail.

Aussi pénibles que soient les difficultés dans lesquelles vous vous trouvez, sachez que vous vous y êtes empêtré vous-même en ne respectant pas certaines lois. Quelles que soient les lois que vous avez transgressées, vous les avez transgressées de votre propre gré, cette liberté vous ayant été accordée dès le commencement par le Créateur. Vous seul avez choisi d'être là où vous vous trouvez. Au moins, cette solution vous laisse-t-elle la dignité de vous rendre compte de vos propres erreurs — même si cela détruit votre alibi : impossible de dire dans ces conditions que vous êtes la victime d'un esprit vengeur et colérique, qui vous manipule à l'aide de ficelles invisibles, dont vous n'êtes que la marionnette.

Concevoir un Dieu de la Vengeance acariâtre qui contrôlerait l'immensité immaculée de notre système solaire reviendrait à accréditer l'idée qu'une poignée de figurines de plomb déguisées en policiers seraient capables de régler la circulation sur une autoroute à huit voies encombrées!

C'est pour cette raison que les dogmes du péché originel et des principes de l'illumination et la vraie religion n'ont jamais pu coïncider.

Le seul, l'unique Dieu que connaissait Edgar Cayce «inconscient» était un Dieu d'amour et d'infinie bonté, qui nous avait déjà tous pardonné.

Au fur et à mesure que le lecteur prête davantage d'attention aux processus impliqués dans la théorie de la réincarnation, ne lui laissons pas perdre de vue que chacune de ses lois résiste à ce genre de concept et ne peut fonctionner autrement.

Chapitre 4

Le karma physique et émotionnel

Le prix de la vertu, le prix du péché

À l'âge de 34 ans, avec une femme et un enfant à charge, Paul Durbin était atteint de sclérose en plaques, provoquant une sorte de paralysie qui ne lui permettait pour ainsi dire plus d'utiliser sa jambe et son bras droits. Bien que la famille de Paul ne fût pas dans la misère, ses amis se groupèrent pour lui venir en aide. Ils payèrent son hospitalisation, obtinrent une « étude physique » et lui administrèrent même les massages que cette étude avait recommandés. Sa condition ne tarda pas à s'améliorer.

Mais, de façon significative, son étude avait également révélé l'une de ses incarnations antérieures, au cours de laquelle il avait trop encouragé ses passions négatives.

« L'entité est en guerre contre elle-même. Toute la haine, toute la ruse, tout ce qui effraie les hommes doit être éliminé de l'esprit. Car, aussi ancienne soit-elle, chaque âme devra rendre compte de chaque parole inutile prononcée. Elle payera pour chaque bribe. Pourtant, l'entité sait, ou devrait savoir, qu'elle dispose d'un avocat en la personne du Père.

« Car, « Même si tu l'éloignes trop, si tu appelles, je te répondrai aussitôt!» Alors, fais face! Sache que le Seigneur est vivant et qu'il te veut du bien, mais seulement si tu lui fais entière confiance!»

En d'autres mots, une âme n'a qu'à reconnaître en faisait pénitence qu'elle s'est égarée pour qu'on lui prête secours, dans l'exacte mesure de sa sincérité.

Mais cet avertissement tomba dans les oreilles d'un sourd. Paul Durbin, amer et apitoyé sur son propre sort, rejeta ce conseil comme fadaises et demanda pourquoi Cayce n'avait pas réussi à le guérir, miraculeusement et instantanément. Il alla même jusqu'à reporter sa frustrations sur ceux qui prenaient soin de lui, pour finalement leur faire regretter leur dévouement.

Néanmoins, son état s'améliora temporairement ; mais lorsqu'il s'aperçut que sa guérison n'était pas complète, il se plaignit encore plus amèrement qu'avant.

Au cours de l'étude suivante à laquelle Cayce le soumit, celui-ce s'adressa à lui en des termes plus vifs : « Tu te trouves en situation karmique et des mesures doivent être prises afin que ton corps modifie sont attitude vis-à-vis de cette situation. »

« Tout d'abord, tu dois changer ton cœur, changer ton esprit et tes objectifs, modifier tes intentions. Lorsque cela sera fait, continue les massages et poursuis les applications suggérées. Mais tout ces traitements physiologiques ne te permettront pas de guérir complètement tant que ton âme n'aura pas été baptisée par l'Esprit Saint. C'est en lui que réside ton salut. Mais vas-tu le rejeter? Car ton corps est le temple du Dieu vivant, et à quoi ressemble-t-il actuellement?

«Il a été brisé dans son élan, il n'est plus capable de se régénérer. Que lui manque-t-il? Ce qui constitue la vie elle-même, cette influence ou cette force que tu appelles Dieu. Vas-tu l'accepter, ou au contraire la renier? Il n'appartient qu'à toi de décider!

«Aussi lontemps qu'il y aura de la haine, de la méchanceté, de l'injustice — autant de concepts qui sont en désaccord avec la patience, les longues souffrances, l'amour fraternel — il ne saurait être question de soigner ce corps. Pour quelle raison ce corps serait-il soigné? Pour lui permettre de satisfaire ses propres désirs, de combler son appétit? Pour ajouter à son propre égoïsme?

«S'il en est ainsi, il fait mieux de rester tel qu'il est!

«C'est terminé pour l'instant — à moins qu'il n'y ait de ta part demande de réparation.»

Cette étude a été choisie délibérément en raison de son austérité exceptionnelle. La correspondance dans les dossiers de l'ARE reste silencieuse sur le cas de ce patient récalcitrant, déterminé à ne pas modifier d'un pouce son comportement, demandant le rétablissement de sa santé comme un dû. Pourquoi Paul Durbin a-t-il souffert? Pour quelle raison chacun de nous est-il condamné à souffrir, s'il faut en arriver là?

«Toute maladie est un péché,» disait Edgar Cayce; et il ne voulait pas dire nécessairement par là que le péché avait été commis consciemment dans la vie présente; le péché s'exprimait sous forme de maladie parce qu'il n'avait pas encore été complètement expié par l'âme.

Le karma, considéré comme un abaque sur lequel sont comptabilisés les gains et les pertes d'une âme d'une vie à l'autre, est souvent confondu à tort avec une rétribution. Il est bien trop méticuleux et froidement calculateur pour cela, son ultime dessein trop bienfaisant. Mais en même temps qu'il agit en tant que facteur de guérison, même douloureuse et sujette à des rechutes encore plus pénibles, il peut faire preuve d'un acharnement sournois.

Apparemment, un certain nombre de souffrances mortelles peuvent être salutaires pour secouer de sa torpeur le subconscient, lorsque tous les avertissements plus subtils n'ont pas réussi à convaincre l'ego d'agir dans le sens de ses propres intérêts. «Celui que le Seigneur aime, il le châtie bien» contient davantage de tendresse que d'ironie, considéré sous cet angle.

Les études d'Edgar Cayce font une distinction assez grossière entre deux types de karma — le karma émotionnel et le karma physique. Chacun d'eux possède, par nécessité, ses aspects positif et négatif, son bien et son mal.

Sous la tutelle des émotions négatives se rangent des symptômes aussi divers que l'incompatibilité maritale, l'alcoolisme, l'impuissance sexuelle, les névroses telles que la dépression chronique et la paranoïa, les perversions mentales et même les possessions, dans le sens médiéval du terme.

En ce qui concerne l'aspect physique, il se manifeste par des maux tels que la surdité, la cécité, des difficultés d'élocution et des maladies mortelles comme la leucémie et la sclérose en plaques.

Tout au long de sa vie de voyant, Edgar Cayce a voué la plus grande partie de ses efforts à diagnostiquer avec succès les maladies physiques du corps. À plusieurs reprises cependant, ces maladies ne résultaient pas de causes physiologiques, mais d'un jaillissement inéluctable de la vérité au niveau du subconscient, lorsque l'être répond à l'être. Le meurtrier qui a versé le sang d'un innocent au cours d'une vie se rattrappera dans une autre en versant symboliquement le sien. Plus d'un cas de leucémie a été directement attribué à ce type de relations.

Mais le remède n'a pas toujours besoin d'être aussi drastique qu'il le fut pour Paul Durbin. La loi de grâce est une alternative toujours disponible pour l'âme — la résiliation des dettes accumulées, rendue possible par le dévouement généreux au bien-être d'autrui — selon les propres paroles d'Edgar : « Ce que tu sèmes, tu le récoltes, à moins d'avoir passé de la loi charnelle, ou karmique, à la loi de grâce. » La plupart des âmes semblent hésiter entre ces deux extrémités.

Le cas suivant de karma physique est celui d'une femme qui a surmonté avec succès le défi qui lui était lancé.

Stella Kirby, une femme tranquille, divorcée avec un enfant à charge, décida de suivre le conseil d'un de ses amis, qui lui proposait de suivre une formation d'infirmière. À peine eut-elle achevé son apprentissage qu'on lui proposa d'offrir ses services dans un établissement privé, où elle gagnerait le double du salaire en vigueur. Elle fut interrogée par la responsable d'une imposante demeure, une femme charmante qui sembla l'apprécier instantanément et qui lui donna le travail. Le personnel de la maison était compétent et bien dirigé, la nourriture était excellente et son appartement presque luxueux. Tout cela, combiné avec un salaire généreux, était bien plus que Stella n'avait jamais osé espérer. Mais lorsqu'on l'emmena dans la chambre du patient dont elle aurait à s'occuper, elle se trouva face à face avec un homme de 57 ans, parfaitement débile. Son lit était entouré d'une cage de fer ; il était assis dessus, occupé à déchiqueter systématiquement chacun de ses vêtements, l'œil hagard et semblant absolument incapable de réagir normalement. Il ne pouvait parler, et encore moins répondre à n'importe quelle question. On devait le nourrir comme un enfant, parfois de force, et il résistait à tous les efforts que l'on faisait pour qu'il soit propre.

Découragée, mais déterminée à faire de son mieux en dépit de la répulsion qu'elle sentait monter en elle, Stella pénétra dans la cage pour le laver ; au moment de le toucher, elle fut prise d'une telle nausée qu'elle dut se retirer et se rendre aux toilettes pour vomir.

Lorsqu'elle s'aperçut que jamais elle ne serait capable de surmonter cette répulsion, elle se rendit compte qu'elle devrait renoncer à ce travail et à la sécurité qu'il lui procurait et dont elle avait cruellement besoin. Heureusement pour elle, elle put se rendre à Virginia Beach et demander l'aide personnelle d'Edgar Cayce — et c'est ainsi qu'il fut confronté à l'un des cas les plus étranges de sa carrière.

Deux fois auparavant, les chemins de Stella et de son patient s'étaient croisés. En Égypte, il avait été son fils. La répulsion qu'elle ressentait pour lui remontait à une vie qu'ils avaient tous deux vécue au Moyen-Orient, alors qu'il était un philanthrope fortuné et considéré, admiré pour sa générosité. En privé, cependant, il entretenait une sorte de sérail de jeunes et jolies femmes qui étaient obligées de se soumettre à la perversité de ses caprices sexuels. Elle avait été une des femmes emprisonnées dans ce sérail.

Elle s'était souvenue de cette dépravation et de ce dégoût au moment de toucher la chair de cette créature, alors que lui, pauvre hère, entouré à nouveau de tout ce luxe et ce confort, s'était trouvé en face de son karma — et sa vengeance. Il était difficile d'imaginer une âme plus dénuée et avilie. Pourtant Cayce insista pour dire (comme il le faisait chaque fois dans pareil cas) que même l'esprit le plus délabré était capable de réagir à l'amour — que Stella devait, en quelque sorte, apprendre à l'aimer si elle désirait jamais surmonter ses propres barrières karmiques. Quitter cette maison n'aurait pas été pour elle une solution : le lien entre eux ne se serait pas relâché, ni résolu, et ils l'auraient retrouvé dans leurs vies ultérieures. Plusieurs années plus tard, Stella fit part des premières réactions qu'elle fit à son étude de vie. L'idée même de réincarnation était entièrement nouvelle pour elle, bien qu'elle y répondît instinctivement. Pour elle, l'existence de Dieu n'avait jamais été clairement établie auparavant ; maintenant, elle se sentait capable de le comprendre. Toute sa vie, elle avait ressenti une telle compassion pour les handicapés qu'avant la naissance de sa fille, sa seule crainte fut que l'enfant naisse avec des jambes déformées.

La cause de ces craintes remontait à une vie qu'elle avait vécue en Palestine, où elle s'occupait de soigner les faibles et les paralysés — une expérience qui pourrait maintenant lui servir au centuple. Même la personne qui l'avait engagé se trouvait avec elle en Palestine et cela avait compté pour une bonne part dans l'attirance qu'elles avaient ressentie mutuellement dès leur première rencontre.

Stella resta, mais l'idée de faire preuve d'amour envers la créature pitoyable dont elle s'occupait la rebutait toujours. À plusieurs occasions, elle crut devoir admettre sa défaite, mais les études d'Edgar Cayce la pressaient de poursuivre et, finalement, son patient commença à faire quelques progrès. Il lui obéissait maintenant parfaitement, il mangeait sa nourriture au lieu de la recracher, il devint enfin propre et ne mettait plus ses vêtements en lambeaux. Lorsqu'elle se déplaçait dans sa chambre, il suivait chacun de ses gestes avec la dévotion d'un jeune chien.

L'amour de Stella pour cet homme commença à faire de l'effet sur son cerveau paralysé, comme Cayce l'avait prédit ; lorsqu'il se rendit compte qu'une fois encore on l'aimait, il fut immédiatement libéré de son enfer. Il avait beau avoir langui pendant des années dans un état de profonde débilité, il eut droit à une mort paisible deux ans plus tard. Quant à Stella, elle put continuer à mener une vie paisible et équilibrée.

Les études furent trop passionnées pour faire référence à leur relation lorsqu'elle fut sa mère, en Égypte ; mais, puisqu'aucune cause n'est sans effet, elle n'aurait pas été l'objet de ses fantasmes obscènes au Moyen-Orient si elle ne lui devait déjà quelque chose auparavant. On peut supposer qu'elle avait trahi sa confiance en Égypte, en négligeant son fils ou même en le rejetant, liant leur destin à un point tel qu'il ne fut plus possible pour elle d'éviter les humiliations qu'elle eut à subir au Moyen-Orient, lorsque leurs chemins se croisèrent à nouveau. Là encore, lorsque son amour fut assez fort pour susciter une réaction de la part de son âme vouée à la débauche, elle se retint, s'obligeant ainsi à vivre encore une autre vie de misère.

L'enfant mongoloïde

Les karmas physique et émotionnel sont à nouveau étroitement liés dans le cas de cet homme et de cette femme qui ont été associés l'un à l'autre au moins deux fois dans leurs vies précédentes. Les deux peuvent être considérés comme des âmes hautement développées, mais ils se trouvaient confrontés à une difficulté, une épreuve, qu'ils auraient bien pu ne pas résoudre sans l'aide d'une étude de vie.

L'enfant de six ans de David et Myra Cobler était mongoloïde. Les Cobler demandèrent aussitôt si leur conduite dans leurs vies antérieures était à blâmer ; une réponse empreinte de prudence et de délicatesse leur fut donnée.

Toutes leurs vies ne furent pas « idéales » et bien que leur vie actuelle fût plûtot décevante, le désir sublimé de

Myra de devenir une nouvelliste aurait pu s'exprimer si elle avait pris pour source d'inspiration les leçons qu'elle tirait chaque jour des peines qui l'affligeaient dans son propre foyer. Sa nature passionnée, son besoin d'affection et une profonde solitude spirituelle auraient pu devenir autant d'atouts. Malgré l'amour et les soins constants que réclamaient son enfant, elle les donnait avec une liberté toujours plus grande, pour édifier une vie de beauté pour le prochain enfant qu'elle porterait en son sein.

«Ne te blâme pas toi-même,» lui dit Edgar, «ne blâme pas ton compagnon. Ne blâme pas Dieu.» Elle et son époux avaient atteint ce niveau où «l'être doit rencontrer l'être» et accorder leurs souvenirs. S'ils y parvenaient, ils pourraient ainsi aider l'âme de leur enfant à se libérer de son propre karma, qui n'aurait plus jamais besoin, dans ces conditions, de s'incarner sous une forme aussi peu normale.

L'âme de l'enfant, dit Edgar, «constitue ton problème avec Dieu, qui ne peut être résolu tant que Lui, qui est le Géniteur de la Vie, n'a pas décidé de la rappeler pour préparer une vie meilleure que tu auras rendue possible par ta bonté envers ton prochain.»

Qu'avait donc fait Myra pour mériter pareille destinée? Sa vie précédente, Myra l'avait passée misérablement dans un poste-frontière du Middle West américain, sous le nom de Jane Richter; l'expérience de ces conditions de vie sordides avait jeté les bases de son intense désir de fonder un foyer sûr et agréable dans sa vie présente.

Son étude la fit ensuite remonter en Palestine «à une époque où le Maître se trouvait sur terre.» Le nom de Dorcas qui était alors le sien faisait d'elle une femme d'origine grecque ou romaine extrêmement sceptique quant aux pouvoirs miraculeux attribués au Messie. Ne s'étant pas embarrassée de partir à sa rencontre et jugeant des choses par elle-même, «l'entité prit en vérité un malin plaisir à blâmer» ceux qui croyaient réellement en l'existence du Fils de Dieu. Ce n'est qu'à la Pentecôte que son chemin croisa celui de Dorcas. Lorsqu'elle aperçut la présence de l'Esprit sain, elle se convertit, mais estima qu'il était trop tard pour effacer son passé, pour changer de religion. «Mais il n'est jamais trop tard pour améliorer les conditions de ton existence,» lui rétorqua Edgar. «Car la vie est éternelle et tu es ce que tu es aujourd'hui à cause de ce que tu as été. Car tu es le co-auteur avec le Créateur et un jour tu seras présente avec tous ceux qui l'aiment et attendent sa venue.»

Au cours de cette vie palestinienne, la destinée de son mari convergea avec la sienne. Il fut l'un des soixante-dix choisis pour répandre l'évangile à travers le pays. Il échoua dans sa mission pour avoir pris certains des enseignements trop à la lettre, au lieu de les considérer symboliquement, il avait été particulièrement offensé par le contenu purement spirituel de la parabole : «À moins que tu ne manges de Mon corps, tu n'auras rien de Moi.» Il s'appelait Elias et était l'ami de deux des disciples, bien qu'il «penchât davantage en faveur d'André, plus sérieux, qu'en faveur de Pierre, plus impétieux;» car il pouvait discuter avec André là où il ne pouvait que se disputer avec Pierre.

Leur étude suggéra ensuite aux deux conjoints d'accorder leurs souvenirs relatifs aux disputes qu'ils avaient autrefois entendues entre les deux disciples, ce qui aurait pour conséquence de stimuler des attitudes positives dans leur manière de penser actuelle.

«Car la loi du Seigneur est parfaite. Si elle est appliquée, à condition de ne pas en abuser, elle permet de convertir l'âme. Comme l'entité l'a appris lorsqu'elle était Elias, soigner le physique sans modifier les données spirituelles et mentales n'est finalement pas d'un grand secours pour l'individu.»

Un dernier séjour a été évoqué — quoique très brièvement — en Égypte vers l'an 10 000 avant Jésus-Christ. David, sous le nom d'Atel-El, avait servi comme aide des médecins qui travaillaient dans un Temple des guérisons ; Myra avait été élevée et éduquée de la même manière dans un temple semblable.

Cette période vit le développement d'une sous-race d'âmes primitives, qui évolua d'un état à peine supérieur à celui de l'animal à celui de corps «façonnés à l'image de Dieu.» Ces humanoïdes, ou mutants, avaient vécu dans l'Atlantide sous la forme primitive de créatures antédiluviennes, assimilables aux centaures ou minotaures de la mythologie grecque. C'était des créatures sans défense et des bêtes de somme pitoyables, que les habitants de l'Atlantide utilisaient comme esclaves ; le but des médecins du temple était de hâter leur évolution grâce à la chirurgie corrective. Pour cela il fallut recourir à l'utilisation du laser, ainsi qu'à un rituel de purification entrepris au nom du Dieu Unique. À cette époque très reculée, on peut supposer que les deux âmes qui nous intéressent avaient été éduquées pour prendre soin des plus malformés et de ceux privés de toutes ressources ; il est également possible d'imaginer que l'âme de l'enfant mongoloïde qui leur avait été donné dans leur vie présente l'avait été pour leur rappeler l'aide et la compassion qu'ils avaient ressenties au moment de voir d'autres âmes se battre pour acquérir le statut d'êtres humains.

Cette expérience devait compter énormément pour les liens qui allaient les unir tous trois. S'ils s'étaient égarés le long de leur chemin, on a l'impression qu'ils ne s'étaient pas beaucoup écartés. Les liens qu'ils avaient forgés en Palestine étaient trop forts pour se défaire.

Lequel des trois s'était égaré le plus récemment? David, probablement. Sa vie précédant sa présente incarnation fut celle de William Cowper, un archiviste qui vécut au temps de la Révolution américaine, au moment où Washington tentait de rallier ses troupes démoralisées à Trenton, avant de reprendre l'avantage dans une bataille qui allait le mener à la victoire. Là, William Cowper, responsable du ravitaillement de cette partie de l'armée, fut impliqué dans une sorte de désastre qui se solda par la perte d'une partie des patriotes — des volontaires.

«Il faut maintenant laisser la place à un avertissement,» poursuivit Edgar dans son étude. «Prends garde à un corps malformé, ou à un corps dont un memtre ou une activité fait défaut; cela pourrait te valoir une grande peine.»

Apparemment, Cowper fit partie d'un groupe qui tomba dans une embuscade tendue par les soldats de l'armée britannique. Cowper tint ses propres officiers pour responsables du carnage, bien que ce ne fût pas la faute de «ceux qui commandaient, mais bien un accident.» Cependant, le choc que provoqua en lui la vue de ses compagnons tués ou mutilés fut enfoui au plus profond de sa mémoire. Incapable de pardonner à ses supérieurs dans cette vie-là, cette incapacité s'était à nouveau manifestée dans sa vie présente, l'empêchant de trouver la sérénité à laquelle il aspirait. La vue d'un handicapé lui rappelait automatiquement cette amertume et ce sens de l'injustice, faussant ainsi son jugement, même si cela devait affecter son propre enfant.

Il avait un urgent besoin de faire preuve de pardon, de tolérence et de compréhension dans tous ses rapports avec autrui. Ce n'était qu'à ce prix qu'il pourrait aborder ses problèmes affectifs et émotionnels de façon constructive.

La gentillesse presque paternelle qui servit de toile de fond à ces deux études ne laissa subsister aucun doute quant à l'avenir de Myra et David Cobler; ils allaient s'occuper de leur enfant mongoloïde jusqu'à ce que «celui qui est le Géniteur de la Vie décide de le rappeler à Lui.» Cela illustre parfaitement l'exemple de la loi de grâce l'emportant sur la loi de karma, épongeant ainsi l'ardoise des dettes accumulées.

Qu'en était-il de l'enfant lui-même? Dans une étude, on trouve une allusion à un enfant souffrant d'une arriération chronique. Son âme occupait une position importante à la cour d'Angleterre lors d'une vie antérieure; c'était alors un proche de Lord Buckingham, dont l'exploitation outrancière de ses privilèges et l'influence contribuèrent à la décapitation de Charles Ier et eurent même des répercussions à la cour de France, où sa liaison avec la reine faillit entraîner sa chute.

«L'entité se détourna de ceux qui étaient alors sans espoir, qui rencontraient des difficultés, préférant satisfaire ses propres appétits. L'entité a été prise à son propre jeu; elle sème ce qu'elle a récolté.»

Pour les parents qui s'occupèrent avec dévouement et affection de l'enfant, l'étude fut particulièrement favorable. «Grâce à votre amour et votre dévouement, la conscience de cette entité se rendra compte du pouvoir de la vérité et de l'amour qui pousse les individus à protéger ceux qui dépendent de leurs bons soins; car l'âme de cette entité commence à se réveiller dans sa vie présente. Récoltez les fruits de la vérité, de l'espoir et de la miséricorde, de la gentillesse et de la patience, de sorte que cette âme apprenne enfin que je suis de gardien de mes frères!».

Irène McGinley attira l'attention d'Edgar Cayce pour la première fois lorsqu'elle lui demanda une étude physique, à l'âge de 17 ans. C'était une jeune fille intelligente et attirante, qui était déjà contrainte de garder le lit en raison d'une érosion de son fémur; ses médecins avaient recommandé l'amputation de la jambe juste au-dessous de la hanche, pour stopper l'évolution du cancer. Elle était issue d'une grande famille bourgeoise et la femme d'un de ses frères aînés vivait avec eux sous le même toit.

Bien qu'elle eût ses propres enfants, Kit, la belle sœur en question, remplissait également le rôle de compagne d'Irène, tout en prenant soin d'elle. Le traitement que suggéra son étude physique prévint l'amputation de la jambe d'Irène et la mit rapidement sur la voie de la guérison. Mais ce qui nous intéresse ici, c'est surtout l'étude suivante qu'elle demanda à Cayce.

Là encore, nous nous trouvons face à deux karmas, l'un physique, l'autre émotionnel, qui se croisent à un moment donné de l'existence de l'individu. Toutes les personnes concernées étaient conscientes des liens qui les unissaient, et apparemment rien ne transparaissait des conflits de caractère qui surgissent si souvent dans des situations de ce genre. La seule chose qui se manifestait ouvertement, c'était l'injustice de la maladie qui affligeait Irène.

«Une personne raffinée et de bon goût;» c'est ainsi que la première étude de vie décrivit Irène. «Ses capacités mentales sont vives; l'influence de l'amour lui vaudra de grandes expériences, ... comme dans la recherche permanente de quelque chose qui lui permettra de développer ses capacités mentales et physiques.»

D'entrée, le ton est optimiste. Il laisse supposer l'existence d'une vie normale et productive. Cayce la considéra comme une rêveuse qui construisait des châteaux dans les airs; il laissa entendre que l'écriture serait pour elle la meilleure forme d'expression créatrice, mais que cela devait toujours rester ancré dans la réalité. Dans sa vie précédente, elle avait été l'un des premiers pionniers en Amérique. Les beaux discours ne signifiaient alors pas grand chose pour elle : elle jugeait les gens sur leurs actes, et non en fonction de leurs bonnes intentions. Elle était honnête et croyait sincèrement à ses convictions religieuses; elle était douée pour coudre, tricoter et filer la laine.

Sa vie précédente la situa à Rome lors du règne de

l'empereur Néron, qui faisait persécuter les chrétiens ; elle était alors la fille d'un membre du gouvernement fortuné et influent. Parmi les femmes qui vivaient dans la maison, elle observa avec prudence et discrétion l'impact qu'avait sur elles le christianisme. C'est ici que l'on retrouve les premières traces de sa malchance — « se moquer de la sincérité de quelqu'un d'autre avait entraîné des souffrances physiques... comme le ferait la haine, comme le ferait un comportement égoïste. »

Cayce commença la deuxième étude de vie par une habile analyse de la mémoire de son âme. Celle-ci enregistre ses expériences dans le « souvenir akashique », qui correspond au monde mental, au même titre que le cinéma correspond au monde physique.

On s'aperçoit maintenant que Kit, son actuelle belle-sœur, avait été la fille de l'un des gardes assignés à la ville romaine. Il y avait probablement un lien très étroit entre les deux filles, qui partageaient toutes deux une passion réelle pour la musique et Kit était traitée sur un pied d'égalité. Kit était également secrètement convertie au christianisme et Irène la trouva de plus en plus attirée par les enseignements du Maître, bien qu'elle prît toujours soin de dissimuler ses sympathies lorsqu'elle assistait aux persécutions, au Colisée. C'était une conduite parfaitement compréhensible et logique, compte tenu des horreurs dont Néron était capable. Toute femme romaine de la bonne société qui laissait apparaître des penchants pour le christianisme avait toutes les chances de rejoindre les martyrs dans l'arène.

Les allusions de Cayce à des histoires d'amour malheureuses ont toujours été faites avec beaucoup de tact, mais dans ce cas, nous sommes amenés à constater que Kit attira sur elle l'attention d'un homme qu'Irène courtisait. Irène ressentit le besoin de se venger de cet homme et elle dénonça son amie aux autorités ; elle pourrait de la sorte voir l'amant souffrir en assistant à la mise à mort de sa bien-aimée, dans les arènes du cirque. Assise à côté de lui dans le public, Irène rit en voyant l'horreur sur son visage au moment où celle qu'il aimait fut dévorée et mise à mort par une bête sauvage, devant ses yeux.

Le rire d'Irène fut certainement provoqué davantage par de la jalousie et de l'hystérie que par de la joie sadique, mais il n'en fallait pas davantage pour sceller le lien karmique. Le châtiment ne tarda pas à fondre sur elle : l'homme, le cœur brisé, ne se remit jamais de l'horreur du spectacle auquel il avait assisté et Irène fut contrainte de le voir dépérir devant ses yeux. Sa conscience fut encore plus tourmentée chaque fois qu'elle entendait la musique que Kit et elle-même jouaient ensemble, surtout celle de «la lyre, de la harpe ou de la cithare.» Finalement, ses remords furent la cause d'interminables souffrances.

«Dans leur vie présente, c'est maintenant au tour de l'entité de passer sous le joug. C'est elle qui inspire la pitié, c'est d'elle que l'on se moque, elle que l'on méprise parce qu'elle ne peut prendre part à aucune activité qui nécessite l'usage de tout son corps.

«L'entité peut maintenant surmonter les difficultés qui se sont abattues sur elle, si elle sait de quelle manière mener sa vie : sans mépris, sans raillerie, mais avec patience et avec courage, avec mérite, en trouvant son plaisir dans la musique, dans la bonté, dans les bonnes paroles, en parlant de ce qui peut mener à la perfection de l'esprit, à la perfection de l'âme et à la perfection du corps... car les faiblesses de la chair sont les cicatrices de l'âme, qui ne peuvent être guéries qu'en exécutant Sa Volonté, qu'en étant purifiées dans le sang de l'Agneau».

Irène ne semble pas avoir été punie pour ses éclats de rire, mais bien plutôt pour le crime passionnel qu'elle a commis — la froide trahison d'une rivale dont elle partageait secrètement la foi religieuse.

Qu'en est-il du karma de Kit? Dans l'Égypte préhistorique et en Arabie de nouveau, elle a subi des pertes et des gains. En Égypte, on lui apprit à s'occuper des enfants, ce qui lui permet dans sa vie actuelle de prendre soin d'Irène ; mais elle fut vaniteuse et jalouse de sa position sociale en Arabie, ainsi que rancunière lorsque l'âge l'obligea à y renoncer.

Dans la période romaine, elle fit de grands progrès au niveau spirituel : les sermons de l'apôtre Paul, qu'elle avait entendus lors des réunions secrètes tenues dans les catacombes, l'avaient convertie si complètement qu'elle mourut sans éprouver de ressentiment à l'égard d'Irène.

Dans sa vie suivante, cependant, alors qu'elle était une enfant de douze ans et demeurait dans une auberge en France, elle reconnut le roi Louis XVI et Marie Antoinette et les fit arrêter, justement comme ils allaient s'enfuir pour échapper à la Terreur. L'atmosphère enfiévrée de cette époque lui donna envie de prendre une part active à la Révolution ; dès qu'elle fut en âge de quitter la maison, elle partit pour Paris, où elle ne tarda pas à acquérir une position influente dans les milieux politiques ; mais il est probable que sa propre ascension sociale fut la cause même de sa chute.

Dans sa vie actuelle, elle avait toutefois inhibé ses ambitions ; elle s'était sagement contentée de se marier et de se consacrer à l'éducation et au bien-être de sa famille. L'aide généreuse dont elle gratifia sa jeune belle-sœur contribua grandement à l'équilibre des dettes karmiques qu'elle avait contractées auparavant. Elle avait même réussi à surmonter sa peur innée des animaux, qu'elle avait héritée de sa mort dans les arènes romaines.

Irène, quant à elle, guérie grâce à son étude physique, suivit le conseil d'Edgar et se mit à jouer de la harpe, découvrant à son grand étonnement qu'elle possédait un talent inné qui lui permettrait de jouer au niveau professionnel. Retirée de la scène des concerts publics, elle continue aujourd'hui à jouer de son instrument, dans le jardin d'enfants dont elle s'occupe, pour stimuler l'amour de la musique chez ses jeunes auditeurs.

Ainsi donc, Irène et Kit constituent un bon exemple d'application positive des karmas émotionnel et physique. En réalité, il est très rare de voir l'un se manifester sans que l'autre ne fasse sentir ses effets dans un domaine tout proche.

Il existe cependant une exception à ce cas, où le karma émotionnel s'est manifesté seul, sans aucune conséquence d'incapacité physique — seule l'âme attendait une récompense pour sa «bonne conduite.»

Deux ans avant la mort d'Edgar Cayce, Norah Connor, une jeune veuve de 31 ans, fit appel à lui pour un conseil d'ordre professionnel. «Oui,» débuta son étude, «nous avons vos mémoires ici. Quel embrouillamini, et pourtant quelle âme talentueuse!»

«Nous nous trouvons en présence d'une entité dont on peut dire qu'elle combine tout ce qui est beau, gracieux et adorable; et en même temps tout les malheurs qu'il est possible d'imaginer.

«La souffrance a considérablement purifié l'esprit; elle l'a dirigé dans le sens de l'aide à son prochain. C'est merveilleux, car il est hautement profitable pour la plupart des individus de se trouver en présence de cette entité.

«Quel fantastique compagnon cette entité serait pour une école où l'on enseignerait la spiritualité aussi bien que la grâce dans une maison, pour la maternité, pour les choses qui ont à voir avec la tenue d'un foyer! C'est là que résident les meilleures possibilités de l'entité.

«Vraiment, dans les conditions que nous sommes en train de vivre (la deuxième guerre mondiale), consacre-toi aux activités de la Croix-Rouge. Car tu as la possibilité d'en secourir beaucoup en leur permettant de ne jamais plus se plaindre de leurs peines.

«Mais lorsque les conditions de vie auront changé,

71

commence à travailler avec des groupes qui s'occupent de musique ou d'art, de science sociale, voire même d'économie politique, toute activité ayant rapport aux émotions, ou encore toute forme d'éducation des jeunes filles. Dirige-toi dans ces direction, car là tes possibilités sont grandes, bien au-delà de la moyenne.

« Ne laisse pas la frénésie des autres te détourner de ce que tu sais être ton devoir spirituel et mental. Garde précieusement cette beauté de l'amour, de l'espoir, de la gentillesse, de la grâce, qui est la caractéristique innée de ton entité. »

L'étude s'attacha ensuite à délimiter la vie antérieure de l'entité : elle était l'épouse d'un garde-frontière au début de la colonisation de l'Amérique. Là, elle apprit à veiller sur les femmes et les enfants, à maintenir l'unité de la communauté, à assurer le ravitaillement en nourriture malgré le harcèlement des Indiens et à panser les blessures des soldats. « Alors, sous le nom d'Anna Corphon, l'entité s'attacha à créer un environnement vivable pour elle et les siens ; dans cette tâche, bien des hommes auraient pu l'envier. Car, en dépit d'un dur labeur et des rudes conditions qui prévalaient parmi les habitants de ces contrées nouvelles, l'entité se créa de nombreuses amitiés : elle avait appris que l'individu ne devait offenser, ni ne devait se laisser offenser par autrui. En adoptant pareille attitude, il devient vraiment possible pour l'individu de trouver la paix intérieure. Il est indispensable d'atteindre soi-même l'harmonie, avant de pouvoir en faire bénéficier les autres.

« L'entité y est parvenue, l'a perdue quelque foiso ; mais en gardant sa confiance en Lui, elle ne se lassera jamais de faire le bien.

« Avant cela, l'entité se trouvait en Palestine, lorsque le Maître se trouvait lui aussi sur terre. L'entité était avec les enfants de Bethséda, qui reçurent Sa bénédiction. D'òu le désir chez elle, toujours actif et latent, de faire partager Sa joie, Sa sollicitude, Son attention envers les autres. À cette époque, l'entité, du nom de Samantha, s'appliqua à encourager les faibles pour qu'ils ne succombent pas à la tentation de la chair, qui menace tout être humain. Pour cela, l'entité se trouve être une hôtesse gracieuse, une personne particulièrement aimable tant avec ceux qui lui sont proches qu'avec les autres. »

Une des questions écrites qu'elle posa à Edgar Cayce fut la suivante : «Pouvez-vous m'indiquer quelle église je devrais rallier pour m'associer à ses objectifs?»

«Sache plutôt que l'église est en toi,» répondit-il. «Quant à sa dénomination, choisis en une, quel que soit son nom, pourvu que ce ne soit pas en fonction de tes propres intérêts, mais là où tu seras le plus utile. Que ta vie consiste à faire connaître Jésus, le Christ.»

«Avez-vous un dernier conseil à me donner?» fut sa dernière question. «Pourquoi dire à la beauté d'être superbe? Contente-toi d'être douce,» lui répondit Edgar Cayce avec une galanterie exceptionnelle.

Un portrait assez clair de Norah Connor peut être fait sur la base de la lettre de remerciement qu'elle envoya ensuite à Edgar Cayce : «Cette étude exprime certainement mes aspirations et mes désirs les plus secrets. Mon désir le plus vif a toujours été de tenir un ménage et j'adore servir les gens. En ce moment, il se trouve que je m'intéresse beaucoup aux études sociales — à la géographie, à l'histoire — et à l'anglais, surtout de nos jours où cette langue est très utilisée, notamment dans le domaine des affaires...

«Quant à la musique et à l'art, j'ai pu m'y intéresser davantage grâce aux services religieux. Je pense maintenant que le cours au collège qui m'a le plus intéressé parmi tous, celui pour lequel j'ai obtenu un A, c'était celui des arts appliqués dans le domaine de la religion.

«Je suis consciente du besoin que j'ai de vivre en paix et en harmonie avec moi-même, pour le communiquer à autrui. Et lorsque je perds cette paix et cette harmonie, je me sens comme une âme égarée qui lutte pour retrouver son droit chemin.

« J'ai changé d'emploi si souvent que je me demande si je serai jamais capable d'en garder un plus d'un an. Je me rends compte que je ne peux me décider qu'en fonction des occasions qui se présentent, mais je me contente de cette situation. (Comme vous l'avez dit, quel embrouillamini!) » Jusqu'à la fin de la guerre, Norah se dévoua pour la Croix-Rouge et fit la découverte de sa propension naturelle pour l'organisation. Elle attint un poste à haute responsabilité comme il y en avait peu dans l'organisation. Les cas urgents lui faisaient donner le meilleur d'elle-même et, à la fin des hostilités, elle fut décorée pour les services rendus. Elle continua à servir dans la Croix-Rouge, en se spécialisant dans les secours en cas de catastrophe.

Comme Hugh Lynn Cayce devait le relever dans un rapport qu'il fit en 1957, « Madame Connor continua à œuvrer pour la Croix-Rouge, comme le lui avait suggéré son étude. Nous nous demandons si les missions de secours qu'elle a été amenée à entreprendre le long du Delaware et en Louisiane l'ont fait retourner dans des régions où elle avait déjà été avec les pionniers et où elle surmonta des difficultés incroyables en faisant un excellent travail. »

Elle parla également des problèmes qu'elle eut avec un de ses supérieurs, lors d'une mission, au moment où le mot « frénésie » apparut dans son étude : il s'agissait d'une critique de son supérieur qui lui reprochait son excès de zèle en secourant et en réconfortant ceux qui avaient échappé au désastre...

« Elle travaille maintenant à l'Université de Boston, où elle est responsable d'un dortoir de 150 filles. Elle a l'intention de suivre des cours qui la prépareront à travailler dans un établissement plus modeste, où elle pourra se

74

consacrer à l'éducation des jeunes filles, comme le lui conseillait son étude. Elle précisa encore qu'elle appréciait le travail des girls scouts, spécialement les activités en plein air et le camping.

« Il est encore intéressant de relever que cet interrogatoire fut des plus plaisants du début à la fin et confirma pleinement, à mon avis, les observations faites durant l'étude. »

La peur de l'enfantement

« Je suis au bord de la folie et du suicide, je suis la femme la plus misérable de la Terre, comme une sorte de démon drogué ». C'est un extrait d'un des dossiers les mieux documentés d'Edgar Cayce.

Flora Lingstrand, née en 1879, avait 46 ans lorsqu'elle écrit à Edgar Cayce pour lui demander de l'aide. Ses problèmes avaient débuté avec sa mère déjà névrosée, qui devenait de plus en plus terrorisée à l'idée de mourir au moment de donner naissance à chacun de ses six enfants. L'enfance de Flora fut tourmentée par les obsessions lugubres de sa mère. Au moment de partir mener sa propre vie et de se marier, elle se retrouva bloquée par la même phobie que celle qui avait hanté sa mère. Son mari était un homme sympathique et compréhensif qui fit tout son possible pour la comprendre et lui venir en aide ; mais il ne pouvait en aucun cas contrôler une naissance et elle était terrifiée à un tel point par le fait d'être enceinte qu'elle finit même par se séparer de son époux. Il continua à l'aider en lui faisant parvenir l'argent qu'il pouvait lui donner et, dans un moment d'égarement, elle décida de se faire enlever les ovaires.

Dans les lettres incohérentes qu'elle envoya à Edgar Cayce, Flora laissa supposer qu'elle avait été soumise à un traitement au radium et que les médicaments qu'on lui avait administrés par la suite avaient entraîné une accoutumance à la drogue. Ces symptômes s'accompagnaient d'une boulimie chronique et avaient débouché sur des consultations avec divers psychiatres.

« Je ne peux plus me rendre dans un autre hôpital, car les analystes ne me parlent que de sexe... ils me disent que l'ablation de mes ovaires est la cause de tous mes maux et de la terreur que m'inspirent les enfants ; ils m'ont ensuite dit que je ne serais pas soulagée tant que je ne retournerai pas auprès de mon mari. Tout le temps, j'ai peur et cette crainte est insupportable. » C'est ce qu'écrivit Flora.

La vie de Flora était tragique. Son obsession l'aveuglait à un point tel qu'elle ne se rendait pas compte des besoins des autres, alors que c'était là que résidait sa seule chance de salut. À ce jour, sa correspondance volumineuse constitue un dossier pathétique, quoiqu'on ne puisse totalement rejeter l'impression que ses sursauts de remords ne fussent que des mots en l'air ; regrettait-elle réellement les souffrances qu'elle faisait endurer aux autres, spécialement à son époux ?

Son étude de vie la réassura petit à petit : son cas n'était pas aussi désespéré qu'elle voulait bien le croire ; mais il était également précisé d'entrée que la source de tous ses maux résidait dans le besoin qu'avait son âme de se corriger et de surmonter ses vieilles obsessions.

« Aimable sur bien des points, avec de nobles aspirations, mais la plupart jamais atteintes ! La réussite est à portée de main lorsqu'elle se détourne de son but, au dernier moment. Ses intentions sont bonnes. Pour les actes qui viennent d'elle-même et pour l'utilisation de sa volonté à des fins propres, ce n'est pas bon. Ses relations avec autrui, en grande partie excellentes... avec elle-même, négligeables. »

Sa vie précédente fut celle de Sara Golden, une de celles qui vint à Roanoke, en Caroline, avec les mineurs, dans cette «colonie perdue» qui disparut sans laisser de trace en 1590.

Là, elle fut obligée de voir tous ses enfants «emmenés de force et fouettés dans le feu ; l'entité vécut dans la crainte le restant de ses jours.» Quand elle perdit la raison, elle commença à maudire Dieu, qui avait permis que ses enfants soient littéralement détruits. «Cela se traduit dans le présent, pour l'entité, par la crainte de porter des enfants et a favorisé l'introduction de forces maléfiques dans le sein de l'entité, qui se manifestent encore actuellement.»

Elle était donc repartie sans espoir de pardon de la part de Dieu, qu'elle avait renié. Mais ce n'était là qu'une manifestation de sa propre faute, et non la revanche d'une quelconque divinité séculière. C'est pourquoi son péché n'était dirigé que contre elle.

La vie précédente, qui fut gaspillée à la cour de France sous le règne de l'un des Charles, ce qui signifie avant 1515, se déroula pendant une sombre période de traîtres et de coupe-gorges. En tant que l'un des commis du roi, l'entité s'adonna à un excès de débauche, annihilant ainsi dès le début toute forme de bonheur. Il faut remonter jusqu'à la Grèce Antique pour trouver une âme encore incorrompue. Et en Égypte, encore du temps de la préhistoire, elle était «immaculée et grande», en tant que prêtresse dans un temple d'initiation.

L'étude ne se termine sur aucune promesse de rédemption rapide : «L'entité ne peut s'améliorer qu'en rendant service à autrui, car en servant ses propres intérêts sans respect pour le bien qui pourrait être fait aux autres, toute amélioration est rendue impossible. Lorsque nous érigeons une barrière entre nous-même et nos associés, nos amis ou nos parents, il n'appartient qu'à notre volonté de la faire disparaître ; il est nécessaire pour chaque individu dont l'existence se déroule sur le plan physique de combler cet espace qui nous sépare.

« …Ces forces spirituelles, qui sont innées, peuvent être subjuguées à un point tel par les désirs de la chair qu'elles peuvent être réduites à néant. Elles sont pourtant toujours prêtes à être stimulées et à faire valoir leurs prérogatives dans la vie de chaque individu. Mais l'individu doit être auparavant subjugué pour qu'il en soit ainsi. »

Ensuite de cela, l'étude suggéra à Flora de développer son talent latent pour l'écriture et de choisir pour sujet une philosophie positive qui aurait une influence stimulante sur ses lecteurs.

Flora Lingstrand saisit la chance que lui offrit Edgar, avec la frénésie de quelqu'un qui est en train de se noyer et qui se raccroche à ce qu'il trouve. Mais il était possible de sentir qu'en dépit de la gratitude dont elle fit preuve, elle s'attendait à une espèce d'intervention miraculeuse, qui lui aurait évité de faire tout effort personnel pour modifier son comportement.

On retrouva souvent cette tendance dans le comportement d'Edgar face à ses patients, qui dit clairement qu'il n'est pas un conseiller mais un prolongement de l'« ange qui troubla les eaux du bassin de Bethséda. » On pensait que l'acte d'immersion suffirait à faire une cure complète... Mais Edgar ne dévia jamais de son unique dogme : seule la foi en un Dieu bienfaisant permettait à l'âme de s'imposer et de faire valoir ses droits.

D'autre part, Cayce n'était pas homme à mâcher ses mots lorsqu'il avait en face de lui quelqu'un qui faisait preuve de lassitude ou ne cessait de se plaindre ; il mettait alors cela sur le compte d'un cas malencontreux de karma.

« Y-a-t-il une sorte de dette karmique dont je devrais m'acquitter auprès de l'un ou l'autre de mes parents ? » lui demanda une jeune fille. « Et devrais-je rester avec eux jusqu'à ce qu'ils fassent preuve de davantage d'attention à mon égard ? »

« Qu'est-ce qu'une dette karmique ? » lui répondit-il

sur un ton cassant. « Vous êtes en train d'en faire un cauchemar. Il ne s'agit pas d'une dette karmique entre vous et vos parents ; c'est une dette karmique envers vous-même, qui ne peut être acquittée que maintenant, entre vous et vos associés ! Et cela est vrai pour chaque âme ! »

« Mais alors, vaudrait-il mieux que je reste dans le même appartement que mes parents, comme c'est le cas maintenant, ou dois-je m'arranger pour emprunter de l'argent et trouver un endroit où je puisse demeurer seule ? »

« Il serait préférable de rester, » lui conseilla-t-il. « Et si l'antagonisme entre vous et votre famille devait persister, alors là, déménagez. Pour le moment, une séparation laisserait des marques d'animosité et de rancune de votre part, ainsi que de la part de votre famille ; comme vous le savez, cela pourrait donner lieu à une situation de karma. »

À propos de sa dernière question, il dissipa sans ambiguïté les craintes de la jeune fille : « Qu'y a-t-il finalement de faussé dans ma personnalité, qui me retient, qui inhibe mon comportement physique et mental ?

« Rien, » répondit Edgar aimablement, « éviter de faire de fausses évaluations de votre propre personnalité dans votre expérience actuelle. »

L'arrongance et l'auto-satisfaction

Nous allons maintenant nous pencher sur le karma émotionnel d'une fort belle femme, âgée d'une trentaine d'années, alcoolique par la force des choses et qui se trouvait impliquée dans des affaires confuses et embrouillées les unes après les autres. Lorsqu'elle ne buvait pas, elle condamnait amèrement sa propre conduite, mais restait incapable de la modifier. Son étude de vie lui apprit qu'elle avait hérité sa nymphomanie d'une incarnation

79

française; elle était alors la fille du roi. Elle avait vécu à une période d'immoralité et de matérialisme et elle n'avait pas hésité à faire passer en jugement des femmes plus faibles qu'elle, laissant peu de place à la tolérance et à la pitié dans ses condamnations arbitraires. Elle finit néanmoins par se retirer dans un couvent pour éviter de subir davantage encore l'influence néfaste de son entourage, mais laissant derrière elle des traces évidentes de persécution.

«Tu condamnas tous ceux dont les activités furent hors la loi,» lui apprit son étude. «Mais celui qui se laisse tenter par la chair, ne commet-il pas une plus grande faute? Car chacun devrait savoir que la condamnation des autres est déjà une condamnation de soi-même. Quel est alors le plus grand péché?»

La haine et l'arrogance délibérée avaient également caractérisé l'existence de cette femme lorsqu'elle vécut en Perse. Elle avait été la fille d'un chef de tribu fortuné, capturée par les Bédouins et donné de force en mariage à un jeune capitaine, qui tomba sincèrement et profondément amoureux d'elle. Ç'aurait pu être l'occasion pour son âme de progresser, mais pour une femme si fière et acharnée, ce fut une dégradation intolérable. Lorsqu'elle donna naissance à une fille, elle ne trouva aucune consolation dans son éducation. Incapable de surmonter sa haine et le mépris que lui inspirait ses ravisseurs, elle finit par se suicider, abandonnant son enfant à son triste sort.

Aujourd'hui, abandonnée et célibataire, elle désire avec tant d'ardeur une petite fille qu'elle s'est même préparée à en adopter une. Son projet a cependant été contrarié à cause d'une histoire d'amour compliquée et obsédante, qui s'est éternisée et lui a fait perdre une bonne partie de sa vie, si ce n'est la meilleure. Au sujet de son amant, avec qui elle ne pouvait décidément pas s'accorder, elle demanda: «Pourquoi n'a-t-il fait preuve que

d'injustice à mon égard, alors que j'ai essayé inlassablement d'être juste avec lui?»

«De même il vous traite dans le présent, de même
vous l'avez traité dans votre vie en Perse,» Cayce lui
répondit. «Ce que tu as fait aux autres, on te le fera à toi-
même!»

Ce même effet de boomerang frappe un jeune
homme qui avait été caricaturiste à la cour du roi Louis
XVI. Il n'avait pas manqué de se moquer des membres
infortunés de la cour qui n'avaient pu dissimuler leur
homosexualité. Dans sa vie présente, il doit sans relâche
lutter contre cette même tendance et, bien que son étude
lui fût d'un grand secours, elle mit à nouveau en évidence
que «ce que l'on fait aux autres, on le subit soi-même.»

Le credo définitif

La philosophie qui émane des études de vie d'Edgar
Cayce prend une dimension à ce point universelle dans
l'exemple suivant que l'on est tenté de l'appeler le «credo
définitif» de chaque âme vivante, quelles que soient les
conditions d'âge ou de sexe.

«Depuis Saturne, nous pouvons retracer les sou-
dains changements qui ont été et qui sont caractéristiques
de l'entité — et dans cela, Mars a joué un rôle. Lorsque
ces deux planètes se trouvent associées, il se dégage d'elles une influence néfaste, une sorte de colère ou de folie,
provoquant une profonde confusion pour l'être mental
de l'entité.

«Pour cette raison, il importe que l'entité se fixe
constamment un idéal, pas vraiment pour le besoin d'être
idéal, mais bien plutôt pour disposer d'un modèle qui lui
permette de juger ses propres actes. Car tout idéal de justice ne peut jamais s'appliquer qu'à soi-même.

«Car si tu disposes de la vie, du dois la donner!

Comme les lois s'appliquent à la spiritualité, elles s'appliquent dans la pratique. Car l'Esprit est le Fondateur!

«Si tu veux avoir de l'amour, tu dois te montrer aimable. Si tu veux avoir des amis, tu dois te montrer amical. Si tu veux la paix et l'harmonie, cesse de ne penser qu'à toi, agis avec harmonie et paix dans tes associations.

«Car chaque âme suit le processus de son développement pour devenir pleinement consciente de l'existence de son Créateur. Comme le Seigneur l'a dit: «Comme tu agis à l'égard du plus modeste de ceux que tu rencontres, jour après jour, ainsi tu agis à l'égard de ton Dieu.»

Ne sois pas déçu et ne te méprends pas. On ne se rit pas de Dieu. Car ce que l'homme a semé, l'homme le récolte et il est sans cesse confronté à lui-même!

Si tu essaies d'agir par toi-même, c'est alors le karma. Fais plutôt le bien, comme Il l'a fait, à ceux qui font preuve de haine à ton égard et là tu vaincras, quoi que tu aies fait à tes semblables!»

«Laissez venir à moi les petits enfants»

Le cas le plus émouvant, dans son sens le plus positif, s'est probablement celui du karma émotionnel qui concerna directement Edgar et Gertrude Cayce. Leur second fils, Milton Porter Cayce, est né le 28 mars 1910 à 8 h. 30 le soir, et est décédé deux mois plus tard, le 17 mai à 11 h. 15. Edgar, celui qui fut capable de sauver la vie de tant d'autres enfants, ne fut pas capable de sauver celle de son propre fils et, bien qu'il ne parlât jamais du sujet, cette tragédie le hanta jusqu'au jour où il rêva, pendant la première guerre mondiale, qu'il avait rencontré un groupe de ses élèves de l'école du dimanche, alors que ceux-ci avaient été tués sur un champ de bataille, dans les

Flandres. Toujours en rêve, il se dit que s'il avait été capable de voir ces jeunes soldats, heureux et toujours en vie, il devait bien y avoir un moyen de rencontrer son propre fils. Aussitôt, il se trouva en présence de plusieurs rangées de jeunes enfants et de bébés et, sur l'un des rangs les plus élevés, il vit son enfant qui lui souriait comme il l'avait reconnu. Il se réveilla consolé enfin de ce chagrin et jamais plus ne se fit du souci pour le bien-être et la sécurité de l'âme de son enfant.

Presque vingt ans plus tard, le 25 mai 1936, il commença une étude de routine pour un garçon de 13 ans, fils d'un médecin, né à Pékin, en Chine, le 31 mars 1923. Comme à son habitude, il remonta les années depuis le présent jusqu'au moment de la naissance de l'enfant, remarquant l'important changement que fut pour lui son arrivée aux États-Unis, en 1932, où il débarqua avec sa famille.

Puis il annonça, alors que personne ne s'y attendait, que « ceux qui lui étaient associés dans cette entreprise » devaient être les tout premiers à se pencher sur son cas. « Car l'entité, qui s'appelle maintenant David Hoffman, est arrivée sur la terre lors de son expérience précédente pour quelques semaines seulement — du 28 mars 1910, à 8 h. 30 le soir au 17 mai à 11 h. 15. « Sa mère le saura, dorénavant, » ajouta-t-il, en faisant référence à Gertrude ; elle le reconnaîtrait instinctivement au moment de le voir. Puis il expliqua que le jeune garçon était mort à cause « d'une tension trop forte lors de la période de gestation, au niveau de l'esprit, et qu'en raison de cette expérience, l'âme ne pouvait rester. » Par la même occasion, il n'y avait que très peu, si ce n'est aucune chance pour l'âme de se développer. Mais maintenant qu'il était établi que David avait été une fois leurs fils, « la connaissance de cette association jouera pour lui le rôle d'expérience utile dans le développement de son âme. »

Edgar parla ensuite avec moult détails des faiblesses

physiques dont l'enfant pourrait éventuellement avoir à souffrir. Le système digestif était particulièrement délicat et cela pouvait avoir des répercussions au niveau du colon et de l'appendicite… «soyez conscients que cela ne nuira pas aux chances de l'entité; car…ces faiblesses existent en tant que recouvrement matériel d'expériences antérieures sur la terre.»

Dans la vie qui avait précédé son bref séjour terrestre en tant que Milton Porter Cayce, il avait servi comme secrétaire pour le compte d'Adams et Hamilton, à Boston, à l'époque de la rédaction de la Constitution; pour cette raison, il serait particulièrement capable, dans sa vie présente, de servir des personnalités de haut rang, sans crainte ni hésitations, «car les idéaux de l'entité sont naturellement élevés.»

Dans sa vie précédant celle-ci, «l'entité était l'un des enfants d'un certain Bartellius, en Palestine; il reçut la bénédiction du Maître, Jésus. L'enfant se trouvait parmi ceux qui, par la suite, eurent à endurer des peines matérielles en raison de leurs croyances.»

C'est sur la base de cette expérience que l'entité développa ses idéaux; en effet, dans chaque étude où l'on trouvait un enfant qui avait été béni par la main du Christ, il gardait un souvenir indélébile de cette bénédiction, quelque part dans la mémoire de son âme.

Sa première vie se déroula dans l'Égypte préhistorique, où il fut l'un des rescapés du continent perdu de l'Atlantide. «Son nom était alors Aart Elth. Cela, on peut en être certain, était le nom égyptien d'un maître consacré qui travaillait pour le Temple.

«Bien qu'encore jeune au moment de son voyage en Égypte, l'entité prit une part active au développement des applications mécaniques destinées à la taille des pierres pour les temples.

«Ainsi, dans le présent, cette expérience sera d'une

grande utilité pour l'entité (quoiqu'à un niveau supérieur), qui saura tirer parti du meilleur de ses forces.

«Cela devrait l'aider tout d'abord à apprendre à se connaître elle-même, à connaître ses faiblesses physiques, ses propres capacités mentales... et, partant de là, l'entité sera amené à réaliser de grandes expériences au cours de sa vie... Car, au fur et à mesure du développement du corps et de l'esprit, chacune des branches suivantes offrira des possibilités intéressantes : les travaux d'ordre mécanique, la musique, ou encore la biologie, spécialement le domaine des insectes et leurs influences sur l'environnement humain. »

Lorsqu'Edgar revint à la conscience, sa femme lui dit, des larmes de joie dans les yeux, qu'il avait ainsi grandement contribué à la préparation de la nouvelle vie de son fils perdu.

Une année plus tard, le Dr Hoffman revint à New-York avec son fils pour rencontrer à nouveau Edgar et Gertrude Cayce. Évidemment, personne n'avait jamais dit à David les liens qui l'unissaient aux Cayce; et bien qu'Edgar ait averti son épouse, celle-ci eut bien de la peine à dissimuler ses sentiments au moment de voir le jeune garçon, tant elle se sentait attirée par lui.

Il est extrêmement difficile d'imaginer situation plus unique dans l'histoire d'Edgar Cayce, qui s'est dévoué sans relâche au service de son prochain. Cette expérience a eu le double avantage de consoler des parents de la perte d'un de leurs enfants et d'aider les parents d'un garçon de 13 ans à le préserver de la maladie et à le diriger dans la bonne voie dès ses premières années.

Chapitre 5

L'élément de crainte du karma émotionnel

Patricia Farrier, une célibataire de 45 ans, apprit au cours de son étude qu'elle avait passé sa vie précédente près de Fredericksburg, en Virginie, sous le nom de Geraldine Fairfax, à une époque où l'Amérique était encore une colonie britannique. On lui dit qu'il restait des traces de sa vie, « même en pierre ». Ainsi, elle et sa soeur Emily firent le voyage de Fredericksburg, dans l'espoir de retrouver ces traces.

Au cours de leurs recherches, les deux soeurs eurent l'occasion de passer une nuit dans une petite auberge de campagne. Ayant décidé de se coucher de bonne heure, après une journée bien remplie, elles ne tardèrent pas à s'endormir. Au cours de la nuit, Emily fut réveillée par des bruits étouffés qui provenaient du lit de sa soeur. Elle alluma la lumière et trouva Patricia suffocant à en mourir.

Son visage était écarlate et elle luttait désespérément pour continuer à respirer. Cependant, Emily fut incapable de la tirer du coma profond dans lequel elle était tombée.

Affolée, Emily demanda de l'aide au propriétaire de l'auberge ; mais rien n'y fit et Patricia resta dans le coma ; on aurait dit qu'elle allait mourir. À l'arrivée du médecin, elle reprit conscience, quoiqu'avec difficulté, et sa respiration se normalisa peu à peu. Les deux sœurs quittèrent l'hôtel précipitemment le lendemain matin et se rendirent immédiatement chez Edgar Cayce. Dans son étude suivante, Patricia demanda : «Pourquoi ai-je si peur maintenant?»

On lui répondit qu'elle avait été sujette à de nombreuses craintes, au sens physique du terme, au cours de ses vies précédentes, et que celles-ci l'auraient suivie jusqu'à sa vie actuelle, dans l'inconscient de sa mémoire.

À Fredericksburgh, alors qu'elle n'avait que 13 ans, elle allait jouer dans la cave où étaient entreposés les céréales, les légumes, les pommes de terre et les herbes, en prévision de l'hiver. C'était probablement un endroit où l'enfant n'était pas supposée aller si elle n'était pas accompagnée ; un jour, un léger tremblement de terre secoua la région, provoquant un affaissement du plancher de la cave où elle se trouvait. Les étagères sur lesquelles étaient entreposés les vivres s'écroulèrent et lui tombèrent dessus ; l'enfant se retrouva prise sous un amoncellement de racines, de bulbes et d'autres objets, sur le sol humide de terre battue. Elle suffoqua presque à en mourir tant elle fut paniquée, en proie à une crise d'hystérie ; cela se manifestait dans sa vie actuelle par de la claustrophobie, la peur de la foule et la crainte quasi permanente d'étouffer. Cette association ne se manifesta toutefois jamais de manière évidente jusqu'au jour où elle et sa sœur se retrouvèrent dans cette chambre d'hôtel. L'hôtel devait être construit à l'emplacement de l'ancienne maison où Patricia avait vécu, ou en était suffisamment rapproché pour raviver ses souvenirs et lui rappeler les menaces de mort qui avaient plâné sur elle dans sa vie précédente.

Son étude lui conseilla de canaliser son énergie vers une sorte d'idéal positif, plutôt que de la gaspiller en craintes inutiles, pouvant ainsi profiter de son influence. Son karma lui offrait une excellente possibilité de développer sa foi religieuse. En Palestine, à l'époque du Christ, elle avait été parmi les témoins qui avaient assisté à la résurrection de Lazare par le Maître ; le Nouveau Testament lui était très familier, au niveau subconscient de son indentification personnelle.

Elle suivit donc ces conseils et rencontra un vif succès en organisant un groupe de prière qui consacrait plusieurs heures de ses journées à prier pour Edgar Cayce, lorsque lui-même utilisait ses propres ressources pour secourir les autres.

Toute la dignité et la simplicité d'Edgar Cayce sont d'ailleurs parfaitement bien illustrées dans la lettre de reconnaissance qu'il fit parvenir à Patricia :

« Chère Mademoiselle Farrier : il me serait vraiment très difficile de vous dire à quel point j'ai apprécié votre lettre du quinze. Je suis incapable de vous dire combien je me rends compte que votre groupe de prière — en tant que groupe et pour les individus qui le composent — m'a rendu service. J'en suis arrivé à dépendre beaucoup de lui. Je me sens comme Moïse a dû se sentir lorsque Joshua et Aaron furent contraints de lui tenir les mains en l'air ! J'ai la volonté, mais la chair est faible — et il est absolument nécessaire de pouvoir compter sur des amis sûrs lorsque nos propres forces viennent à manquer. Je vous assure que j'ai puisé beaucoup de forces dans les efforts et la coopération de chaque membre de votre groupe. Je vous remercie encore beaucoup et vous suis sincèrement reconnaissant.

Edgar Cayce   le 18 décembre 1931

Patricia Farrier mourut d'un cancer en janvier 1939 et Edgar Cayce correspondit avec elle jusqu'à la fin de sa vie, tout en donnant des conseils à sa sœur, par étude physique, pour lui dire comment s'occuper au mieux de la malade. Lorsqu'elle demanda combien de temps encore «elle devrait souffrir dans de telles conditions», il la consola en lui assurant qu'il ne s'agissait là nullement d'une punition, mais plutôt d'une leçon de patience pour son âme, «comme Jésus fit l'apprentissage de l'obéissance au travers de la souffrance.»

Toute aussi émouvante fut la compréhension qu'Edgar Cayce montra à l'égard de Jane Clephan, une jeune collégienne de 21 ans, qui souffrait d'un complexe d'infériorité qui la rendait presque incapable d'entreprendre quoi que ce soit.

Il parla immédiatement de son talent musical inné et la pressa de le développer. Il l'assura également qu'elle disposait d'un talent certain pour devenir une pianiste de concert doublée d'une maîtresse de piano, ceci pour autant qu'elle prenne suffisamment confiance en elle-même. Il lui déconseilla cependant de se marier, à moins que ce ne fût plus tard dans sa vie. «car cela pourrait lui valoir de nouveaux mécontentements et un découragement encore plus grand que celui qu'elle a connu jusqu'à maintenant.»

Edgar apprit tout cela d'elle à partir de sa vie précédente en France, où elle fut l'épouse d'un matamore physiquement mécontent de lui-même, qui ressentait le besoin «de dominer la beauté et l'affabilité de l'entité, recourant même parfois à la force pour parvenir à ses fins.» La sensation que son corps retirait des séances de flagellation que lui imposait son mari était encore présent dans sa mémoire. «C'est de là que vient également la crainte de la punition dans la vie présente, la crainte d'être mal comprise.

89

« L'entité était alors une musicienne, mais son élan fut brisé en raison de sa relation. C'est ainsi que, dans sa vie actuelle, l'entité sera amenée à déterminer quel type de relations avec autrui elle désire, puisqu'elle s'arrange pour que cela se concrétise... Que ceux qui se montrent amicaux aient des amis! »

Son étude décrivit ensuite sa vie au temps des persécutions des premiers chrétiens.

« L'entité accepta les enseignements des apôtres de Jésus; cependant, la menace des persécutions devint à ce point odieuse que l'entité se laissa aller à de viles besognes pour rester à l'écart des querelles, des blessures, des insultes et des diffamations...

« Mais sache, puisque tu vis consciemment avec la foi en le Créateur, que tu peux regarder chacun droit dans les yeux et sache que si tu n'as fait rien que du bien en pensées et en actions, tu peux rester exaltée face à ton Créateur. Et si le Seigneur est de ton côté, qui donc peut être contre toi?...

« Avant cela, l'entité se trouvait en Égypte, au temps où l'on purifiait le corps pour qu'il puisse servir activement dans les temples. L'entité mena alors une vie de dévouement, se consacrant aux tâches attribuées aujourd'hui aux infirmières, soignant ceux qui étaient physiquement ou mentalement malades.

« Ces différentes phases représentent une partie des désirs et de l'expérience actuelle de l'entité, pour autant que la timidité ne l'empêche pas de mettre cela en pratique.

« Quant aux capacités actuelles de l'entité : tout d'abord, va à la découverte de toi-même et de ton idéal, mentalement, spirituellement et physiquement; puis fais de même dans tes relations avec autrui.

« Étudie la musique et fais encore la même chose, soit comme professeur, soit pour donner des concerts, ou quelque chose de semblable. Car c'est dans ce domaine que tu trouveras l'harmonie de la vie, l'harmonie de l'expression, l'harmonie de ta relation avec les forces créatrices. Je suis prêt pour les questions. »

Jane : «Aurai-je jamais des amis intimes?»

E.C. : «Si tu œuvres dans les domaines que je t'ai indiqués, oui. »

Jane : «Quelle est la cause de mon manque de dispositions?»

E.C. : «La condamnation de toi-même! Ne condamne jamais! Sache plutôt, et vis selon toi-même, comme nous te l'avons conseillé. »

Jane : «De quels instruments de musique devrais-je apprendre à jouer?»

E.C. : «Pour débuter, le piano, tu peux en être sûre; mais n'importe quelle sorte d'instruments à cordes. »

Jane : «Mes capacités mentales et ma condition physique me permettent-elles de poursuivre mes études au collège?»

E.C. : «De toute évidence! Continue dans cette voie!»

Jane : «Pourquoi n'ai-je pas fait partie de l'Association des filles du collège, en février dernier?»

E.C. : «Par crainte! Comme nous l'avons dit, fais ce que tu voudrais que les autres fassent pour toi, en faisant la même chose pour les autres!»

Jane : «Quel est mon quotient intellectuel?»

E.C. : «Cela dépend de la manière dont on le juge. Il est suffisant pour tes exigences, si tu prends la peine de t'appliquer — tout d'abord sous l'angle spirituel et mental, puis matériel. »

Jane : «Comment puis-je surmonter la peur intense qui m'habite — la peur de rencontrer et de parler avec d'autres gens?»

E.C. : «Comme nous te l'avons indiqué!»

Quels conseils plus simples et plus lucides pourrait-on donner à une jeune fille inhibée qui, jusqu'au moment de son étude, ne disposait d'aucun moyen pratique de surmonter sa confusion.

De toute évidence, personne dans la situation de Jane n'aurait pensé à associer ses craintes avec celles d'une épouse maltraitée, dont l'esprit aurait été brisé par le sadisme d'un rustre. Ainsi, puisqu'elle connut les raisons de sa timidité sociale, cela eut pour conséquence de soulager les innocentes gens qu'elle craignait à tort et qui ne comprenaient pas son comportement à leur égard; cela permit à Jane de les considérer d'un œil plus objectif et sympathique. Elle prit peu à peu confiance en elle, un peu comme un enfant apprend à marcher.

Cet exemple illustre très clairement la réponse de Cayce à la question : «Pourquoi ne nous souvenons-nous pas de nos vies antérieures?»

«Nous n'avons aucune raison de nous en souvenir,» dit-il en effet. «Nous sommes la somme globale de nos souvenirs.» Nous les laissons se manifester au travers de nos habitudes, de nos idiosyncrasies, de nos goûts et nos dégoûts, de nos talents et nos faiblesses, de notre force et notre vulnérabilité, tant physique qu'émotionnelle.

À cause de la vie qu'il avait passée sous les traits de Bainbridge, par exemple, Edgar Cayce n'a jamais eu la moindre envie de jouer ou de boire. Le souvenir de ce que cela lui avait coûté, du gaspillage de ses forces, était encore trop récent. Pour cette raison, il insista toujours pour dire que ceux qui avaient suffisamment d'honnêteté pour examiner leur propre nature trouveraient en eux la liste complète de leurs besoins et de leurs possibilités... la petite voix de la conscience ne ment jamais. Parce que cela nous arrange, nous décidons simplement de ne pas l'entendre, parfois, et alors nous ne manquons pas de nous demander pourquoi nous sommes entrés dans la porte de verre qui se trouvait devant notre nez.

Il y a quelque chose de contagieux dans l'exubérance de Cayce lorsqu'il taquine une âme qui a perdu toute confiance en elle face aux assauts de la vie.

«Tu t'es sousestimée et tu as restreint tes propres capacités,» dit-il à une femme de 46 ans. «Réagis! Tu peux aller où tu veux tant que tu gardes ta foi en Dieu, contente-toi d'être attentionnée et patiente, de faire preuve d'amour fraternel.

«Trop longtemps, tu es restée sous un nuage, si cela est possible, trop timide, ne laissant pas libre cours à ton imagination. Tu as grand besoin de sortir dans la nature, de crier et d'entendre revenir ton propre écho.

«Ne te laisse pas subjuguer par ceux qui essaient, ou qui ont essayé, de t'impressionner par leur importance, car Dieu ne fait pas acception de personnes! Chacun peut influencer le simple d'esprit en lui laissant croire à son importance!

«Mais les plus grands sur la terre sont les plus humbles. Cela ne signifie pas qu'il faille rester si tranquille et inactif.

«Il y a un manque d'éclat et d'apparat. Si tu veux te vêtir d'une superbe robe rouge, fais-le! De telles envies ont été trop réfrénées, l'amour et les sentiments profonds ont trop longtemps été dissimulés, de sorte qu'une petite partie seulement de ta beauté s'est faite jour.

«Tu as besoin de changer ton environnement, de te trouver là où tu feras la rencontre d'autres personnes, avec lesquelles tu pourras parler, auxquelles tu pourras expliquer qu'elles sont loin de savoir ce que tu sais.

«Donne à ceux qui pensent en savoir beaucoup! Si seulement tu t'en rends compte, alors tu en sais bien plus qu'eux, dans n'importe quel domaine. Ces circonstances, une fois changées, représenteront, pour toi, une énorme différence... Ainsi, n'aie pas peur de rencontrer des difficultés; sache que, quoique tu veuilles, tu pourras l'obtenir. Car le Seigneur aime ceux qui L'aiment et à ceux-là, Il ne retirera aucun bien!»

De la même manière, il aida un jeune homme de 20 ans, particulièrement nerveux : «Surmonte ta timidité en ayant quelque chose de particulier à dire! Nombreux sont ceux qui parlent sans rien dire — c'est-à-dire rien de constructif ou rien qui n'ait de sens — et ne les considère que pour ce qu'ils sont!

«La nature ne nous a donné que deux yeux et deux oreilles, mais nous devrions voir et entendre deux fois — même quatre fois — plus que nous parlons! Ne sois jamais orgueilleux, ne cherche jamais à être «comme les autres garçons, à faire ce que les gens disent, sous peine d'être considéré comme différent..

«Ose être différent! Et si tu commences par lire Deutéronome, chapitre 30, et l'Exode 19:5, tu connaîtras les raisons profondes qui te motivent!»

Chapitre 6

Le Karma de la vocation

Les fresques du Panthéon

L'exemple suivant est particulièrement significatif de l'amitié indéfectible que Cayce s'est attirée de la part des jeunes qu'il a aidés et encouragés tout au long de sa vie.

John Schofield, un jeune homme âgé de 23 ans, était extrêmement frustré par le travail mécanique et répétitif qu'il faisait dans une entreprise de gravure. Ce sentiment était encore aggravé par le fait qu'il vivait dans une famille possessive, qui l'empêchait de penser librement, comme il l'entendait. C'était un artiste amateur d'assez bon niveau, autodidacte, mais qui manquait totalement de confiance pour ce qui était de sa propre créativité. Il avait peint un autoportrait qu'il avait placé dans un coin de sa chambre et son tableau mit beaucoup de temps à sécher.

Comme beaucoup d'autres, Schofield en appela finalement à Edgar Cayce, tous les autres moyens de lui venir en aide ayant échoué. Celui-ci lui conseilla vivement de mettre une certaine distance entre lui-même et sa famille parasitaire. Lors de ses vies antérieures en Égypte, en Grèce et à Rome, il avait souvent pris une part active à la réalisation de fresques pour les temples, les tribunaux et les immeubles du gouvernement. Cela représentait pour lui une vocation hautement spécialisée, qui ne se limitait pas à la pure habileté architecturale, tout en ne se voulant pas aussi informelle que les peintures murales. Toujours est-il qu'on lui conseilla de se rendre à New-York pour chercher une place dans l'un des grands bureaux d'architectes de la place, ceci une fois qu'il eut achevé sa formation professionnelle dans une école de beaux-arts.

Cayce lui expliqua que les styles architecturaux représentaient la somme globale, dans les différents pays de la planète, de l'inspiration des hommes qui avaient œuvré afin qu'il se perpétuent de siècle en siècle, même si leurs récompenses immédiates n'étaient que la dédicace de leurs idéaux artistiques. Il fit référence à Léonard de Vinci comme étant l'exemple type d'un génie dont l'âme s'exprimait encore maintenant, comme cela ne lui avait jamais été permis du temps de son vivant. Le génie de Vinci ne put s'exprimer que lorsque le monde eut suffisamment progressé pour pouvoir le reconnaître et mettre en valeur ses créations. Ainsi, son immortalité transparaissait au travers de son influence universelle, et non au niveau de sa destinée personnelle.

La même argumentation pouvait parfaitement s'appliquer aux talents innés de John Schofield.

«Pourquoi en serait-il ainsi?»

«Parce que cette âme, qui a tant appris dans la

96

décoration des temples, ainsi que dans celle des tombes, ou encore des bâtiments publics, commence maintenant seulement sa vraie carrière en Amérique. Et l'on peut remarquer, dans le style de décoration des fresques, ou dans les peintures du Panthéon et ses fenêtres, les influences qui provenaient de l'école dans laquelle l'entité avait autrefois étudié.»

«Mais alors, comment devrais-je me préparer pour contribuer à cette œuvre?» demanda Schofield.

«En apprenant à combiner les tendances de l'architecture moderne avec les styles phécicien et égyptien, car ils se combinent à merveille, tant dans leur simplicité que pour leurs motifs décoratifs.»

Schofield agit selon les conseils que lui avait donnés Cayce et, cinq ans plus tard, il put lui faire part de ses progrès.

«Un jour, je reçus une invitation à me présenter à la Fondation Barnes, où j'étais étudiant, pour être récompensé de mon travail par un voyage d'études de quatre mois en Europe cet été, avec un groupe d'étudiants... du 18 mai au 18 septembre. Cela comprend le prix du voyage et des cours dans sept pays différents.

«Cette année, je termine ma cinquième et dernière année d'étude à l'Académie des Beaux-Arts et ma deuxième à la Fondation Barnes. Je suis à la recherche de nouvelles valeurs et d'une nouvelle inspiration pour ce dernier cours que je m'apprête à suivre.

«Je suis conscient de la chance qui m'est offerte et très reconnaissant des occasions qui me sont fournies. Mon désir, humble et sincère, est de pouvoir prouver que je les méritais et de pouvoir développer une forme d'expression qui soit significative pour ceux qui tentent leur chance dans le domaine de l'art.»

«Mon voyage de cet été fut une série d'expériences fantastiques et je dois avoir vécu une vie entière au cours de cette période,» devait-il encore écrire à Hugh Lynn

Cayce, après la mort d'Edgar. «Depuis mon retour, j'ai été fidèle aux conseils de mon étude et, avec beaucoup de patience, j'ai achevé ma première fresque; je suis en train de préparer la deuxième. La première fut un succès et je place beaucoup d'espoirs dans la deuxième. Je viens de vivre une excellente année, probablement la meilleure jusqu'à maintenant. »

Neuf ans plus tard, Hugh Lynn Cayce fut en mesure de faire l'estimation suivante :

«Il est tout naturel pour nous d'avoir suivi avec intérêt les années d'études et de travail de ce jeune homme dans les écoles d'art, ainsi que son ascension à un niveau remarquable dans ce domaine. N'importe qui ferait la comparaison entre ce jeune homme opprimé d'il y a quelques années et le jeunes étudiant et artiste dont les œuvres sont aujourd'hui reconnues, se rendrait compte de la raison pour laquelle nous estimons que les études de vie valent la peine d'être faites. »

L'officier des renseignements

Un grand fossé sépare le cas de Schofield de celui de cette âme complexe qui se trouve impliquée dans cette nouvelle étude — une âme trop complexe pour que l'on puisse utiliser ici l'entier de son étude de vie, même si elle permet de prédire comment et quel rôle elle a joué dans la seconde guerre mondiale.

Calvin Mortimer, un psychologue, était défini dans son étude comme «un extrémiste dans certaines de ses idées», une âme qui était revenue pour un but bien défini, qui possédait un talent développé pour «mener de larges groupes d'individus dans des sphères d'activités très variées. »

«Avant cela, l'entité se trouvait déjà dans le pays où elle vit actuellement, durant la période qui suivit immédiatement la Révolution américaine... parmi la soldatesque britannique, œuvrant sur le continent américain dans ce que l'on appelerait maintenant un service de renseignements. Elle ne servait pas en tant qu'espion, mais travaillait à dresser les plans des campagnes de Howe et de Clinton.

« Malgré cela, l'entité resta sur le sol américain après la fin des hostilités. Pas en tant que cadavre, mais bien plutôt pour s'occuper de la coopération entre les populations de la patrie de l'entité et celles de son nouveau pays d'adoption.

« Alors sous le nom de Warren, l'entité se vit gratifiée de nombreux gains en établissant avec succès de bonnes relations entre les populations.

« C'est ainsi que, dans le présent, les relations diplomatiques, les échanges d'idées et de projets entre les nations constituent le centre d'intérêt des activités de l'entité. »

Avant cela, l'entité fut un Croisé anglais qui fut fait prisonnier par les Sarrasins en Terre sainte et fut profondément impressionné par les traitements civilisés dont le gratifièrent ces « païens infidèles ».

Il enregistra des pertes au cours de cette vie, en défendant aveuglément une cause erronée au lieu de se mettre au service d'un idéal auquel il aurait cru. Cela se traduisit pour lui, dans le présent, par un scepticisme à l'endroit des principes de la religion ou de la philosophie, bien qu'il restât toujours fasciné par les doctrines permettant d'influencer en même temps des masses de gens.

Dans une incarnation persane antérieure à celle-ci, il perdit encore en succombant aux excès de la chair, bien qu'il fût sous l'influence d'Esdras, à propos duquel on avait coutume de dire : « Selon la tradition, tous les écrits de la Bible ont été détruits, mais ils ont été récupérés par Esdras, qui « s'en souvenait par cœur » et les a réécrits. »

Il maîtrisait également la science de l'astronomie,

«d'où une connaissance des mouvements de la terre, qui fait également partie de la mémoire de l'entité.»

Dans l'Égypte préhistorique, «l'entité œuvra pour le plus grand développement de ses capacités mentales et pour les expériences de son âme. En rassemblant diverses ethnies et croyances, l'entité entreprit de les étudier et de les classifier, non seulement en Égypte, mais aussi aux Indes, en Mongolie, à Gobi et dans les Carpathes.»

Il est maintenant possible de suivre sa destinée grâce aux informations de sa troisième ex-femme. Au moment du bombardement de Pear Harbor, «il était trop âgé pour le service actif; en tant que spécialiste de l'opinion publique, il fut dépêché à Washington, où l'on verrait s'il pouvait être d'une aide quelconque dans ce domaine.

«Après une série d'interrogatoires stériles, il rentra chez lui découragé; mais il ne lui fallut pas longtemps pour trouver une autre idée. Ayant vécu longtemps sur l'eau et ayant les moyens de se soigner lui-même, il avait une expérience considérable des bateaux; il postula chez les garde-côte.

«Il passa l'examen de la Marine avec le score de 175, fut nommé lieutenant-commandant et revint à la maison pour peaufiner ses connaissances de la navigation.

«En quelques mois, il fut aiguillé dans le Service de renseignements internes DWI en tant qu'expert en opinion, où il travailla en étroite collaboration avec l'OSS, puis avec l'OWI Outre-Mer. À la fin de la guerre, il était responsable d'une école technique, entraînant des hommes à pénétrer au-delà des lignes ennemies. Il travaillait alors à Long Island, à l'endroit même où il avait autrefois fait les plans des campagnes de Howe et de Clinton, au moment de la Guerre d'Indépendance.»

En 1957, le Dr Mortimer se maria pour la quatrième fois. Sa troisième femme raconta que son propre mariage avait duré dix ans, davantage que tous les autres; cela était probablement dû au fait qu'ils avaient déjà été réunis auparavant, dans une vie harmonieuse en Perse, alors qu'ils n'avaient pas pu s'entendre au moment de la Guerre d'Indépendance.

Dans les dernières années de leur mariage, il avait commencé à boire plus que de raison et son épouse également, «de sorte que même maintenant c'est un problème pour moi.» Elle mentionna encore les activités sexuelles passionnées qui avaient jalonné toute la période de leur union.

Elle écrivit à nouveau en 1963 pour annoncer sa mort, durant son sommeil, après avoir été la victime de deux attaques et avoir perdu la vue. Elle-même devait décéder subitement l'année suivante, après avoir parlé d'une «attirance terrible» qu'elle sentait émaner de lui, «comme s'il était en train de m'hypnotiser pour me convaincre de le rejoindre.»

Il est possible que, si Mortimer avait pris garde aux avertissements de Cayce contre les excès et l'indulgence vis-à-vis de soi-même, il soit revenu pour accomplir la mission qu'il s'était fixée. C'était probablement la continuation de la progression qu'il avait entamée en Égypte, alors qu'il occupait un poste à responsabilités dans la diplomatie. Mais les envies nostalgiques de Mortimer pour les délices érotiques de la Perse furent pour lui un obstacle insurmontable.

Il n'est pas hors de propos ici de considérer la croyance orientale selon laquelle l'âme se voit gratifiée d'une réincarnation «confortable» pour six vies de développement ardu. Cette théorie stipule que les vies deviennent toujours plus difficiles au fur et à mesure que l'âme étend les liens qui la relient à la terre. Sans ce «sabbat», l'âme pourrait bien se lasser de cette constante lutte vers l'amélioration et finalement se décourager.

De même, il est possible que les Mortimer aient

atteint la sixième vie d'un tel cycle et que le Dr Mortimer et sa femme retourneront prochainement à une vie plus calme, au cours de laquelle ils pourront «mettre de l'ordre dans leur demeure» et fixer de manière plus précise leur progression spirituelle ultérieure.

Chapitre 7

Études de vie
pour les enfants

Lorsqu'Edgar Cayce s'occupait d'enfants, on se rendait compte de l'amour et de l'affection qu'il leur témoignait rien qu'en lisant les pages de ses transcriptions.

Dans la vie de tous les jours, les enfants se sentaient attirés par lui instinctivement. À une certaine époque, il rencontra un franc succès en tant que photographe d'enfants; cela était dû aux rapports presque magiques qu'il parvenait à établir entre lui-même et ses jeunes modèles. C'est au tout début du siècle déjà qu'il avait commencé à enseigner à l'école du dimanche et, bien souvent, ses élèves restaient en contact avec lui longtemps après s'être lancés dans la vie active.

Le médecin malgré lui

Roddy était né le 9 janvier 1943, à 4 h. 43 du matin, et ses parents demandèrent une étude, pour lui, au mois de juin de la même année.

«Comme l'on s'en apercevra, dans un avenir trop éloigné,» commença l'étude, «toutes les âmes qui sont arrivées sur la terre, ou qui vont y arriver pendant les années 43, 44 et 45 seront vraisemblablement amenées à remplir des rôles intéressants au service de leurs semblables et aborderont ces tâches sous un angle peu conventionnel.

«Cette entité, si l'occasion lui en est fournie assez rapidement, est destinée à être un professionnel dans ce domaine, de préférence dans les secteurs de la médecine, de la médecine dentaire ou de la pharmacie. Chacune de ces professions représente une possibilité pour l'entité d'accomplir sa mission.

«Au fur et à mesure du développement de l'entité, on s'apercevra également de son imagination fertile. Aussi, ne l'empêchez jamais de raconter toutes sortes «d'histoires» qui, pour elle, paraîtront vraies. Laissez lui simplement entrevoir de quelle manière plus constructive elle peut les utiliser, dans le sens d'une amélioration de ses capacités spirituelles, mentales et physiques.

«Il sera également enclin à une certaine extravagance dans ses paroles et ses attitudes. Cela non plus, il ne faudra pas le réprimer — ne pas lui répéter sans cesse «ne fais pas ceci» ou «ne fais pas cela», mais plutôt l'encourager dans d'autres voies, qui lui donneront l'impression d'une certaine constance dans ses actes et lui prouveront «qu'il est capable de faire tout ce qu'il dit».

«Au niveau astrologique, il se trouve sous l'influence de Vénus, de Mercure, de Mars et de Jupiter. Avec Vénus, c'est l'amour de la beauté.

«Dans ces conditions, il sera capable de bien faire ce

104

qu'il entreprendra, pour autant qu'il soit habilement guidé. Et cela requerra beaucoup de patience de la part de ceux qui seront responsables de lui!

« Sous le signe de Mercure, nous trouvons de grandes possibilités mentales. Sous celui de Mars en conjonction avec Mercure, nous trouvons un perfectionniste, peu enclin à s'intéresser aux autres et désireux de se faire son propre chemin, tout en sachant faire les choses juste un peu mieux que n'importe qui d'autre!

« Sous le signe de Jupiter, et avec l'amélioration de ses connaissances, nous trouvons la conscience universelle, qui lui procurera les mêmes possibilités que celles qui furent attribuées à l'une de ses incarnations antérieures — celle du Dr Harvey, qui fit ses découvertes intéressantes au niveau de la circulation du sang.

« Malgré la preuve évidente de ses erreurs à plusieurs reprises, il était toujours persuadé qu'il savait mieux que les autres! Ses activités sont bien connues et, en les étudiant quelque peu, elles donneront à ceux qui sont responsables de l'éducation de l'entité une idée des problèmes qu'ils auront à résoudre.

« Mais ne manquez en aucun cas de donner à l'entité la chance d'étudier la pharmacologie ou l'odontostomatologie; quant au reste, elle s'en chargera elle-même par la suite. »

Et c'est à ce moment que survint un événement assez surprenant. En France, à l'époque où vivait le cardinal de Richelieu, l'entité vivait sous les traits « du comte Dubourse, qui contribua grandement à l'amélioration des conditions d'hygiène, notamment en rapport avec la maladie. Bien que l'entité ne fût pas particulièrement prétentieuse, elle ne se gênait pas de dire à qui voulait l'entendre qu'elle savait mieux que les autres. (C'était effectivement exact!) Le comte attira surtout l'attention sur les maladies contagieuses, car il savait qu'elles ne venaient pas que des microbes, mais que les individus pouvaient les transmettre.

« Pour cette raison, dans sa vie actuelle, l'entité sera particulièrement propre de sa persnne, bien que moins « difficile » en ce qui concerne une maison. Ce sont là les deux caractéristiques extrêmes de cette expérience révolue et que l'on retrouvera dans le présent.

« Et l'entité sera l'un de ceux qui gardent toujours leurs amis à distance respectable !

« Quant à l'éducation que vous lui donnerez, prenez garde de toujours équilibrer sa vie spirituelle et sa vie de tous les jours. Si cet équilibre est maintenu, ses capacités se manifesteront d'elles-mêmes pour le plus grand bien de nombreuses personnes. »

Au moment où Edgar se déclara prêt à répondre aux questions, la mère de l'enfant lui demanda quand et où elle avait déjà été associée avec lui dans le passé. La réponse fut la suivante :

« À de nombreuses reprises — spécialement en Égypte, où l'influence fut directe. Ainsi, il faut se garder d'une trop forte mésentente entre les deux ! »

Quant au père, il s'était retrouvé avec l'enfant lors de son expérience française, « aussi bien qu'en Égypte — où ils furent en opposition l'un avec l'autre. Attendez-vous donc à passablement d'« accrochages » entre eux deux ! »

Bien que cela fût la seule étude que l'enfant puisse jamais obtenir, en raison de la disparition d'Edgar Cayce deux ans plus tard, sa mère donna de ses nouvelles à l'ARE dix ans plus tard.

« Dès sa plus tendre enfance, Roddy a montré un intérêt particulier pour le corps humain, spécialement pour tout ce qui a trait au cœur et à la circulation du sang. Et il insiste effectivement toujours pour dire qu'il a raison ! Jamais il n'admet que l'explication de quelqu'un d'autre puisse être meilleure que la sienne. À l'école, il a été dans la catégorie A-1 et il se vante toujours d'avoir les meilleures notes de sa classe ; il cherche à en savoir toujours davantage. D'autre part, il a la phobie des microbes — il se lave les mains à longueur de journée! — et il est vraiment obsédé par ce sujet. De toute manière, il ne veut pas vivre dans une grande ville à cause de «tous ces gens qui vous soufflent des microbes à la figure!»

«Bien que nous n'ayons jamais parlé avec lui de cette étude, il répète sans cesse qu'il veut devenir médecin. À dix ans, sa voie semble tracée et déjà il met de l'argent de côté pour ses études de médecine.

«Nous avons quatre autres enfants, tous très différents. Ces caractéristiques sont propres à Roddy, exactement comme nous l'avait dit Edgar Cayce alors qu'il n'avait que cinq mois...»

Toutes les excentricités qu'Edgar avait cru pouvoir déceler chez l'enfant s'étaient complètement développées en moins de dix ans.

Edgar ne faisait qu'indiquer la voie que devait suivre un enfant ; jamais il n'insistait. La responsabilité incombait directement aux parents de savoir s'ils désiraient encourager les ambitions médicales de leur enfant ou, au contraire, le diriger dans d'autres directions. Mais au moins, ils savaient où son instinct le menait, et pourquoi.

La pureté d'une âme enfantine

Dans les dossiers d'Edgar Cayce consacrés aux enfants, beaucoup sont simples, ne constituent que de modestes documents. Les enfants sont souvent confrontés à des destinées sans accrocs, leurs problèmes ne sont que rarement dramatiques ou graves. Mais de temps en temps, l'un sort du lot et mérite d'être mentionné, ne serait-ce que pour son seul intérêt d'ordre humanitaire.

Un de ces jeunes «originaux» reçut cette étude de vie en 1936 :

107

«Beaucoup de choses à dire à son sujet!» commença Edgar, «car l'entité est particulièrement sensible et a de nombreuses cordes à son arc; elle est obstinée et exprime ouvertement ses sentiments... En effet, l'entité est une vieille âme, un habitant de l'Atlantide qui, proprement guidée et dirigée, n'œuvrera pas que pour son propre développement, mais fera de son environnement, de son monde, un endroit bien meilleur pour les autres.

«On remarquera que peu nombreux seront ceux qui resteront étrangers à l'entité, même si certains le resteront à jamais; peu importe la fréquence et la manière dont ils seront liés les uns aux autres! L'entité tendra toujours vers une nature idéale. Cependant, à moins que l'entité réalise clairement pourquoi certains individus ont manqué à leurs promesses, elle aura tendance à perdre confiance non seulement en autri, mais également en elle-même.

«Et la personne la plus seule, l'individu le plus seul, l'entité la plus seule est celle qui a perdu sa confiance en elle-même!»

Dans sa vie précédente, l'entité était un chercheur d'or en Californie, qui avait été dégoûté par l'absence totale de lois et la violence qui règnaient alors; cela lui avait valu de se faire dépouiller de la récompense de ces efforts et avait provoqué sa mort violente. À cause de cela, l'enfant avait hérité d'une peur innée des armes à feu, dont il ne supportait pas même la vue. «De telles explosions constituent des expériences terrifiantes pour l'entité.

«Mais l'entité ne perdit jamais confiance en elle... et si vous lui demandez maintenant : «Peux-tu faire ceci ou cela?» elle répondra toujours qu'elle en est capable «si on lui montre comment!»

« »Elle recherchera toujours de nouveaux domaines d'activité, car tout autour d'elle doit être nouveauté. D'où un conseil pour ceux qui s'occuperont de l'entité durant les années de sa formation : ne soyez pas intimidés ou surpris lorsqu'elle dira à ceux qui l'entourent qu'ils ne sont «plus dans le coup!» L'entité fut auparavant un personnage important de l'Empire romain, un contrôleur de la taxe et de la dîme influent et fortuné, et, au moment des inondations fatales de l'Atlantide, un fonctionnaire important chargé de diriger les réfugiés vers des camps en Égypte, dans les Pyrénées et en Amérique latine. Actuellement, sa vocation, «c'est le droit», avec une préférence pour le droit international.

Son père était un vieil ami qui avait vécu avec lui la grande désillusion des chercheurs d'or, ainsi qu'en Égypte au moment de l'Exode. Lors de cette incarnation, sa mère était sa fille... et «c'est pour cette raison que, dans leur vie présente, le fils remettra parfois en cause l'autorité de ses parents!»

Il y avait de toute évidence des jours orageux à venir, mais Cayce restait confiant : aussi longtemps que les parents expliqueraient pourquoi ils attendaient de leur fils une conduite exemplaire, il serait en mesure de comprendre et obéirait.

Cette étude est absolument unique pour la raison suivante : Cayce, qui avait consulté le livre des mémoires akashiques de l'enfant, fit cette remarque lors d'une séance : «Le livre le plus pur qu'il m'ait jamais été donné de consulter. Et pourtant, avant, j'avais toujours pensé que ces livres ne pouvaient pas ne pas être purs.»

Les séquelles d'un accident

Frederick Leighton n'avait que cinq mois lorsqu'Edgar Cayce fit pour lui une étude de vie, en 1931. Il dit à son sujet que son caractère n'était pas encore formé (ce qui était assez rare) et que toute la responsabilité du développement de l'enfant reposait en fait sur les épaules de ses parents. Ce n'est pas avant la seconde partie de sa vie que les caractéristiques héritées de ses vies antérieures se manifesteraient. Il aurait alors des affinités particulières pour la musique, ayant été musicien ambulant dans le sud et de sud-ouest du pays juste après la fin de la Guerre de sécession ; il avait gardé de cette expérience une prédilection pour la musique folklorique.

Il aurait également des prédispositions pour les affaires et le droit, «pour autant qu'il ne se confine pas dans l'espace restreint d'un magasin, d'un bureau ou de quelque chose dans ce genre. Il aurait davantage tendance à s'exprimer au grand jour, dans la foule, sur une scène ou en tant que leader politique.» Il avait hérité d'une forte influence religieuse d'une vie antérieure à Jérusalem, où il était harpiste dans un temple. Dans l'ancienne Égypte, il avait encore consacré sa vie à la musique, tout en devenant riche «en se mettant au service de la communauté pour distribuer la nourriture des greniers royaux. Ainsi, dans la dernière partie de sa vie actuelle, l'entité accumulera beaucoup des biens de ce monde.»

Puis Edgar Cayce adressa un avertissement aux parents : «Pour ne pas briser la volonté de l'entité, pour ne pas anéantir sa capacité de penser, pour qu'elle se souvienne de l'aspect spirituel de sa vie, il importe que ceux qui sont responsables de sa formation lui assurent une bonne éducation.» Dans ces conditions, l'enfant serait assuré de mener une vie couronnée de succès, que ce soit dans la politique ou la musique.

Cet avertissement implicite n'était pas sans fondement. À l'âge de quatre ans, Frederick fut victime d'un grave accident et grièvement blessé à la tête. Comme on l'avait autorisé à jouer avec une paire de ciseaux, il se blessa à l'œil droit, évitant de justesse des dommages irréversibles au niveau de la partie frontale du cerveau. Il subit immédiatement une opération, qui ne permit toute-

110

fois pas d'éviter à l'enfant de souffrir d'une cataracte; sa vue était en danger.

Grâce à sept études physiques auxquelles il fut soumis au cours des deux années qui suivirent l'accident, l'enfant guérit et sa vue se rétablit. Ses parents firent part de leur gratitude à Edgar Cayce dans une lettre qu'ils lui envoyèrent et dans laquelle ils écrivaient notamment : «Et en marchant le long de la rue avec mon petit Frederick, je me suis aperçue qu'il aimait Mr. Cayce autant que les étoiles...»

Une triple dette

Sarah Crothers avait treize ans lorsque ses parents se décidèrent finalement à demander une étude pour elle. Cela faisait quelque temps déjà qu'Edgar Cayce faisait pour elle des études physiques, pour tenter de la guérir des crises d'épilepsie, particulièrement violentes, dont elle souffrait depuis sa naissance. Avec les études physiques, elle faisait quelques progrès, pour régresser à nouveau peu après. Peut-être les conseils des études n'étaient-ils pas correctement suivis, ou alors les parents devaient-ils affronter des médecins qui s'opposaient à ces méthodes peu orthodoxes de soigner pareil cas. Toujours est-il qu'Edgar ne trouva pas d'explication à la persistance de cette maladie jusqu'au jour où il commença son étude de vie. Il affirma que, si les souvenirs karmiques étaient d'une quelconque manière en cause, les parents auraient à supporter une part des responsabilités dans cette affaire.

«Ceux qui sont responsables de l'entité, souvent enclins à mettre ces crises d'épilepsie sur le compte du hasard ou de circonstances inéluctables, feraient bien de mettre en parallèle leurs obligations vis-à-vis d'elle. Dans ces conditions (et grâce à leur propre étude de vie), ils comprendraient bien mieux les motifs qui s'expriment au

111

travers de la condition physique de l'entité, qui récolte également sa propre tempête. »

Lorsqu'elle était encore une toute jeune fille, durant la Révolution américaine, ses parents l'avaient utilisée pour aller espionner leurs concitoyens ; ils craignaient que la défaite de l'Angleterre n'entraîne leur ruine. La fille s'appelait alors Marjorie Desmond et possédait des dons paraphychologiques latents que ni elle ni ses parents ne comprenaient très bien. Son père l'encourageait à canaliser cette énergie pour séduire de jeunes officiers et les amener à commettre des actes sexuels répréhensibles ; plusieurs succombèrent à ses charmes. Le crime karmique n'était pas tant la trahison de la jeune colonie que l'utilisation des dons parapsychologiques à des fins sexuelles, qui plus est pour une cause sordide. Edgar n'hésita pas à mettre une part des responsabilités sur le compte des parents. Quant à l'enfant, elle avait également fait des erreurs à deux occasions — dans ses deux vies, elle avait été une lévite — et cela se ressentait encore au niveau de son caractère.

« Avant cela, l'entité se trouvait en Égypte, parmi les rescapés de l'Atlantide, bien qu'elle fût née et élevée en Égypte pour servir dans les hôpitaux et soigner les malades. »

On peut légitimement supposer que c'est soit sa négligence, soit son indifférence qui fut la cause des premières lésions de son âme, quoiqu'Edgar Cayce, avec sa discrétion habituelle, ne fit aucune allusion allant directement dans ce sens.

Au moment de répondre aux questions des parents, à la fin de la séance, il n'aboutit à aucune solution miracle.

Q. : « L'état de son corps au cours des dix années écoulées a-t-il eu des répercussions sur l'entité, tant physiquement que mentalement ? »

E.C. : «Forcément; celles-ci n'ont pas été — et ne sont pas encore — coordonnées.»

Q. : «Quel genre d'éducation devrait-elle avoir pour être bien préparée pour sa vie?»

E.C. : «Une formation musicale, ou alors dans le domaine des soins aux malades.»

Q. : «Quelles sont les conséquences de son destin sur sa vie actuelle?»

E.C. : «Cela dépend, comme je vous l'ai dit, des intentions de ceux qui ont placé l'entité dans son environnement actuel; le gain dépendra de la façon dont les obligations envers elle seront remplies.»

Q. : «Que faut-il faire pour surmonter ses déficiences physiques et mentales?»

E.C. : «Comme je vous l'ai dit : par des exercices physiques, des exercices et des activités destinés à son corps.»

Il est difficile d'ignorer la répugnance inconsciente du père, qui transparaît dans toute la correspondance qu'il a envoyée par la suite à Edgar Cayce. Et, à la fin de ce dossier volumineux, on reste avec la regrettable impression que les progrès de l'enfant furent minimes. Pire : que la dette karmique n'avait nullement été acquittée.

Une réputation chimérique

C'est le moment de relever maintenant que les «célébrités» de l'histoire ne forment qu'une petite minorité de ceux qui ont bénéficié d'une étude de vie. Cayce laissait entendre que la plupart des âmes faisaient leurs plus grands progrès spirituels au cours de vies obscures et ternes, généralement dans des circonstances assez éprouvantes. Jusqu'au milieu de ce siècle, le serf et le paysan n'avaient que peu de plaisirs par rapport à leurs obligations. Néanmoins, la moyenne de ceux qui ont été initiés à la réincarnation prend un malin plaisir à considérer la possibilité de voir, une fois au moins, le monde qui s'incline devant elle.

Malheureusement, l'importance que vous pouviez avoir autrefois ne joue qu'un rôle minime ; il importe par contre beaucoup plus de se conformer à des modèles plus décents dans l'immédiat.

Alexandre Hamilton (1775-1804), soldat, héros et l'un des pères-fondateurs de la Constitution américaine, dont la vie fut abrégée par un tragique duel, aurait pu bénéficier d'une âme particulièrement élevée. Ceci ne l'empêcha toutefois pas de revenir sur terre dans la peau d'un jeune homme d'origine juive, plutôt excédé, et dont les parents obtinrent pour lui une étude de la part de Cayce, alors que l'enfant n'avait que cinq semaines.

D'emblée, Edgar Cayce mit les parents en garde contre le caractère original de l'enfant, qui pourrait lui causer des ennuis à la suite, et insista sur le fait qu'il fallait à tout prix empêcher le jeune garçon de jouer avec des armes à feu. L'entité ne portait pas en elle de modèle préconçu de développement de son âme ; elle devrait s'en créer un au cours de sa croissance. On lui conseilla de faire des études « dans le domaine du droit, de la finance ou des grands principes de l'État. »

Peu avant le cinquième anniversaire de l'enfant, son père tomba amoureux d'une autre femme ; les parents divorcèrent et la garde de l'enfant fut confiée à sa mère. (Les ménages brisés représentaient toujours de noires perspectives pour Edgar Cayce. Il insistait toujours beaucoup sur le besoin qu'avait chaque âme de disposer d'un arrière-plan de sécurité au cours de ses jeunes années ; il était persuadé que la préservation d'un foyer harmonieux constituait le but suprême de la progression d'une âme, son idéal en quelque sorte).

À l'âge de 25 ans, le jeune homme manifestait « une attitude très dogmatique vis-à-vis de la vie en général, »

114

qu'une année et demie dans la Marine n'avait pas suffi à modifier.

L'année suivante, il fut placé sous contrôle psychiatrique et dut se rendre à l'hôpital pour des traitements de choc. Ses tendances innées pour la violence avaient repris le dessus. Fonçant tête baissée dans tout ce qu'il entreprenait, il aggrava encore ses problèmes en épousant sans aucune hésitation une femme divorcée avec un enfant. Les conséquences d'un foyer brisé se retrouvèrent encore ici : la fille qui avait ruiné le mariage de son père et la femme qu'il épousa étaient de la même origine ethnique, toutes deux étaient rousses et les deux avaient épousé, en premières noces, des hommes qui travaillaient dans le même secteur de la mécanique.

Lorsque son mariage ne fut plus qu'une succession de déboires et de désillusions, il commença à éprouver des remords pour n'être pas resté en termes plus amicaux avec son père, du temps de son vivant. Vers la fin de l'année suivante, il lui sembla que son seul espoir de s'en sortir était de devenir rabbin. L'ARE tenta alors d'entrer à nouveau en contact avec lui, mais sans succès : une lettre revint avec la mention «Adresse inconnue. »

Sur la base de son étude de vie, on aurait tendance à penser que les dettes qu'il avait accumulées au cours d'une vie antérieure en Grèce l'avaient emporté sur les gains qu'il avait obtenus en tant qu'Alexandre Hamilton. Ailleurs dans son étude, il est fait mention de la Guerre de Troie : de toute évidence, ce conflit avait été marqué par une telle violence que plusieurs de ses protagonistes furent par la suite entravés dans le bon développement de leur âme. Si l'on est par essence un guerrier, les passions engendrées par la guerre laissent des marques suffisamment profondes pour qu'elles se transmettent au delà des siècles. Si l'on considère la moyenne de toutes les études d'Edgar Cayce, force est de constater que ce malheureux jeune homme devra vivre encore une autre vie

115

pour payer ses dettes et libérer sa mémoire karmique des chaînes qu'elle trainait depuis la Guerre de Troie.

Ce qui est le plus significatif dans l'étude de ce cas, c'est le fait qu'Alexandre Hamilton ait été capable de s'élever suffisamment, au moment où une jeune nation en crise avait absolument besoin de son aide. Il fut alors capable de se livrer entièrement à cette tâche. dans un sens exclusivement positif. Toutes les forces négatives qui se trouvaient en lui avaient été mises en veilleuse pour d'autres jours, où il pourrait alors s'occuper d'elles, à une période plus calme de l'histoire de son pays. Rien que cela donne une idée des tendances qui s'affrontent pour s'exprimer au travers de l'âme. À cette occasion précise, il avait justement mérité les éloges que lui adressèrent ses compatriotes pour son ultime voyage.

Le souvenir de son maître

Les études d'Edgar Cayce ne laissent aucun doute quant à la bénédiction permanente qu'une âme peut emmener avec elle au cours de ses différentes vies sur terre, pour autant qu'elle se souvienne d'une faveur que lui aurait accordée Jésus en personne.

Prenons l'exemple de cette petite fille de cinq ans qui refusait de dire sa prière tant que sa mère ne se trouvait pas à son côté pour mettre sa main sur sa tête ; c'était pour elle le symbole du contact rassurant de la main du Seigneur, lorsque celui-ci la bénit quand elle vivait en Terre sainte. Et lorsqu'Edgar fit une étude pour un autre enfant d'une année, en 1935, il insista tout spécialement sur le fait que « à l'époque où le Maître se trouvait sur terre, l'entité était avec les enfants qui reçurent Sa bénédiction lorsqu'il se rendait à Béthanie.

« Puis l'entité le regardait et le reconnaissait comme Celui qui faisait venir à Lui les enfants, comme Celui qui

116

avait dit : « À moins que tu ne deviennes comme les petits enfants, tu n'entreras en aucune manière dans mon domaine. »

« Car si l'on désire être pardonné comme l'est un enfant, il faut alors pardonner celui qui se trompe à notre égard.

« L'entité, alors sous le nom de Clémentine, vivait dans la maison de Cleopas ; » ayant suivi, au cours de ses jeunes années, les enseignements des disciples pour suivres Ses traces, elle se mit au service de Marc et de Luc lors de leur voyage à travers le pays ; elle devint liée à Marc au point de l'aider à préserver « les enseignements que l'on trouve dans l'évangile de Marc. »

C'est pourquoi on recommanda vivement aux parents de favoriser l'éclosion des souvenirs de l'enfant relatifs à sa vie en tant que Clémentine ; sa vie actuelle n'en serait que plus orientée dans le sens du dévouement à autrui.

Les soins aux enfants

Les dossiers de l'ARE contiennent un volumineux courrier de remerciements provenant de personnes que Cayce a aidées, soit physiquement, soit spirituellement. Mais aucune ne sont plus touchantes, plus émouvantes que les lettres de parents qui ont des enfants trop jeunes encore pour comprendre d'où leur était venue l'aide dont ils avaient bénéficié.

Les idées de Cayce relatives à l'éducation mettaient constamment l'accent sur la nécessité d'une honnêteté absolue vis-à-vis de l'enfant. Il condamnait les excès de flatterie comme le manque de sécurité. Si celle-ci venait à manquer, l'enfant pouvait alors perdre confiance en lui et laisser ainsi resurgir les habitudes négatives héritées des fautes commises lors de ses vies antérieures. Cayce pressait les parents de toujours expliquer les raisons d'une discipline nécessaire, de ne jamais dire de façon autoritaire « parce que c'est comme ça. » En faisant appel régulièrement à la capacité de raisonnement de l'enfant, on fournissait ainsi une base de stabilité à son caractère. Et lorsque Cayce croyait pouvoir déceler des traces d'indifférence ou de manque d'affection de la part de certains parents, il n'hésitait à le leur dire carrément. Rien ne le dérangeait davantage qu'un parent qui ne laissait pas s'exprimer les craintes et les préjugés d'un enfant dont il avait la garde. Pour lui, la raison de la plupart des névroses résidait dans d'illogiques obligations et interdictions dont on assommait les enfants, comme s'ils ne servaient que d'exutoire pour les propres frustrations des parents.

Sans relâche, Cayce répétait qu'il fallait encourager les enfants 24 heures par jour, et qu'il fallait considérer cela comme un plaisir, non comme une corvée. L'enfant doit comprendre pourquoi il doit se distancer de ses caractéristiques les plus faibles. La religion doit lui être présentée sous ses aspects les plus simples, sans aucune intolérance ou coercission. Le développement d'un bon sens de l'humour est essentiel pour son équilibre, surtout lorsqu'il parvient à l'âge adulte. Toute inclination pour la musique doit être vivement encouragée, car elle permet à l'enfant de se développer harmonieusement. « Au même titre que des exercices pour les mains et les bras, la musique utilisée à des fins créatrices est très utile. C'est au travers de la musique que l'on peut s'exprimer le plus intensément. »

Une mère posa à Edgar Cayce la question suivante : « Comment doit réagir la mère face au tempérament de son enfant pour qu'il en tire le meilleur parti ? » Voici ce que Cayce répondit : « Il ne s'agit pas tant de « réagir » que d'aller à sa rencontre ! Sois aussi patiente que tu voudrais que le soit ton enfant ; il sera alors plus patient avec toi. »

« Quel genre de formation devrait-elle faire par la suite ? »

« La musique, sous toutes ses formes ! Si elle apprend la musique, elle connaîtra l'histoire ; elle connaîtra les mathématiques ! Si elle apprend la musique, elle apprendra tout ce qu'elle doit savoir — à moins que ce soit quelque chose de mal ! »

Les enfants de la guerre

Vers la fin de sa vie, alors que la deuxième guerre mondiale faisait rage, le souci d'Edgar Cayce pour les enfants qui en étaient victimes se fit de plus en plus évident. Il n'était pas le seul dans la crainte de voir les âmes des enfants, effarées par tant de morts violentes, errer, tout aussi effarées, dans d'autres sphères astrales, incapables de voir la Lumière. Il craignait de les voir, dans leur confusion, retourner sur terre trop rapidement, dans l'unique but de trouver refuge dans le sanctuaire provisoire d'une matrice maternelle.

Joan Grant, une parapsychologue anglaise, partageait les mêmes craintes qu'Edgar Cayce et son mari, le psychiatre Denys Kelsey, en faisant appel à la technique hypnotique de la régression, fit la rencontre de plusieurs de ces « enfants de la guerre » réincarnées trop hâtivement, dans des familles désunies ; ils étaient en quête d'un abri, aussi dérisoire fût-il, qui les protégerait de l'horreur des bombardements et des camps d'extermination, qui les avaient marqués comme autant d'obsessions, au-delà même de leur mort.

Fletcher, le guide spirituel du parapsychologue Arthur Ford, avait pris soin de ne jamais se réincarner après sa mort, dans les Flandres, sur un champ de bataille de la première guerre mondiale. C'était alors un jeune soldat canadien français de 17 ans. C'est une espèce d'original, dans le sens où il est parfaitement heureux dans le monde qu'il habite pour le moment, une sorte de spectre joyeux et grégaire, bien plus heureux de vivre que bien des gens qui sont venus voir Arthur Ford pour le consulter.

À ce sujet, le premier cas saisissant à figurer dans les dossiers des études remonte au mois d'août 1943. La mère, désespérée, d'une petite fille de quatre ans demanda à Edgar Cayce de lui faire passer ses cauchemars et la terreur que lui inspirait la vie dans les villes.

Edgar s'abstint discrètement de trop mettre l'accent sur les vies antérieures de l'âme; il conseilla à la mère d'attendre que sa fille ait atteint l'âge de 11 ans pour faire une seconde étude de vie. (Cela permettait parfois de prévenir une éventuelle tragédie ou même une mort prématurée.) «Nous nous trouvons ici en présence d'un retour précipité sur terre,» remarqua-t-il, «de la peur à la peur, en passant par la peur.» Il conseilla de mettre l'enfant à l'abri «des bruits trop forts, de la pénombre et du hurlement des sirènes.»

«Car, dans sa vie antérieure, l'entité venait de prendre conscience de la beauté des associations, de l'amitié, des magnifiques paysages, des fleurs, des oiseaux, ainsi que des manifestations divines, comme la beauté et l'unicité de la nature, lorsque soudain le martèlement des bottes, les cris et les raffales des armes à feu vinrent avec leurs forces maléfiques.»

Edgar explique que l'enfant n'avait alors qu'un an ou deux de plus que ce qu'elle avait maintenant, ce qui faisait que le passé et le présent se trouvaient inextricablement mêlés dans son esprit, qu'elle ne pouvait plus faire la distinction entre le tumulte de la vie new-yorkaise et les horreurs du nazisme qui avaient fait voler en éclats son monde et avaient finalement causé sa mort.

«À cette époque, l'entité s'appelait Theresa Schwalendal; elle vivait à la frontière qui sépare la Lorraine de l'Allemagne. À peine l'entité eut-elle trépassé qu'elle regagna le monde matériel, moins de neuf mois plus tard.

«Fais preuve de patience. Ne gronde pas, ne parle pas brusquement. N'écorche ni ne condamne son corps ou son esprit. Mais parle-lui plutôt chaque jour de l'amour que Jésus porte à tous les enfants, parle-lui de paix et d'harmonie. Ne lui raconte jamais ces histoires de sorcières, jamais celles qui regorgent de peur et de grands châtiments, mais seulement celles qui parlent d'amour et de patience.

«Fais cela et nous aurons alors une âme grande et généreuse, qui fera le bonheur de beaucoup.

«C'est terminé pour l'instant.»

Le fou du roi

Les hésitations d'Edgar à donner en détail les perspectives d'avenir d'un jeune garçon sont à nouveau évidentes dans cette étude qu'il fit en 1944, pour un garçon de 7 ans qui habitait à Londres, en Angleterre.

«Nous nous contenterons de donner des conseils, d'indiquer une direction générale. Plus tard, lorsque l'entité aura atteint l'âge de faire son choix, vers 13 ans, elle pourra venir pour d'autres conseils, si elle-même les désire.

«Avec toute l'horreur de ces destructions, avec toutes les épreuves que doivent affronter les hommes dans cette période que l'entité subit également, garde vivante en lui la capacité de voir non seulement les choses sublimes de la vie, mais aussi l'humour, l'esprit — même le sens du ridicule — que l'on peut retirer du cynisme et du pessimisme, comme dans une sorte de dessins animés. Il faut encourager les penchants d'écrivain de l'entité, lui apprendre à utiliser les faits historiques qui pourront servir de toile de fond à ses œuvres... car, au cours de son expérience précédente, l'entité était un fou à la cour d'Angleterre; elle s'appelait Hockersmith... et contribua à remettre bien des choses à leur place, à une époque où l'égoïsme des hommes était la cause de graves tensions.

«L'entité se trouvait également parmi ces peuples d'Israël qui ont gagné la Terre sainte et qui étaient unis au peuple de Canaan. Cependant, l'entité n'était pas avec ceux qui égarèrent les enfants d'Israël. Car il délaissa Asthéroth pour servir plutôt le Dieu d'Abraham, d'Isaac et de Jacob, comme le fit celui qui mena les enfants d'Israël jusqu'à la Mer Rouge, au-delà du Jourdain.

«Mais nous donnerons d'autres indications lorsque l'entité aura atteint ses 13 ans.

«Favorisez surtout son apprentissage de l'anglais, à Eton.

«J'en ai terminé avec cette étude.»

Cette lettre que la mère envoya à Hugh Lynn Cayce en février 1947 confirma la préoccupation d'Edgar Cayce.

«Mon fils est passé rapidement dans un autre monde de conscience, le 6 février vers 4 h. 40 l'après-midi. Je me trouve maintenant à l'hôpital et j'attends mon troisième enfant. Timmy se réjouissait de son arrivée et il était impatient de savoir si ce serait un garçon. Il me dit également, quelques semaines avant de mourir : «J'aimerais que tu sois ma maman dans ma prochaine vie.» Je lui répondis qu'il ne serait probablement pas en mesure de s'arranger de cette manière, mais il insistait : «De toute façon, j'irai demander à Dieu.» Je me souviens de lui avoir répondu, «Bon, il n'y a aucun mal à cela.» J'ai l'impression qu'il était bien préparé pour ce qu'il convient d'appeler «la mort». Je lui avais raconté l'histoire de «There is a River» et, avant, je lui avais résumé «The Unobstructed Universe», de Stewart Edward White.

«Mon premier sentiment fut qu'il allait nous revenir

122

sous les traits de ce petit bébé que j'attendais, surtout parce que je sentais — et je l'avais dit à mon mari — qu'il n'avait pas encore de personnalité bien à lui; je me demandais quel genre d'âme nous aurions cette fois. Maintenant, cependant, je n'ai plus l'impression qu'il va nécessairement choisir de revenir si rapidement, même s'il a «envie que je sois sa maman dans sa prochaine vie.»

«Peut-être est-il trop tôt; il a certainement des choses à apprendre, dans son autre monde de conscience. Il se peut également que ce soit une situation par trop similaire, trop embarrassante pour lui. Il était (c'est difficile à expliquer en quelques mots!) sensible au chaos de ce monde, ainsi qu'à l'insécurité financière dans laquelle nous avons vécu ces deux dernières années, due à la générosité et à la gentillesse de mon mari envers sa mère, qui est décédée le 23 janvier 47, après avoir vécu avec nous comme une invalide... J'ai dû négliger mes enfants pour prendre soin d'elle, alors que j'étais enceinte. C'était bien trop pour moi et Timmy souffrait pour moi comme pour son père, qui ne savait plus quoi faire, qui devenait impatient et nerveux, qui n'était plus cette personne aimable et gaie que l'on connaissait. Ce qui fit que l'atmosphère d'amour et de bonheur de notre foyer fut entièrement détruite depuis environ août 46 jusqu'au mois de mars de l'année suivante, lorsque je sentis que Timmy commençait à la restaurer, avec notre coopération. Il essayait toujours de nous faire comprendre que son papa et sa maman devaient être unis et devaient s'aimer, comme nous en avions coutume, sauf lorsque notre maison devenait celle de ma famille ou de celle de mon mari, même si ce n'était que pour une visite de quelques mois...»

Elle avait ajouté à sa lettre une coupure de journal, qui décrivait la façon dont Timmy et un de ses amis «s'étaient aventurés sur un étang gelé; la glace s'était rompue et les deux garçons avaient disparu ensemble. Pour les deux, la mort avait été provoquée par le choc... »

Dans la lettre de sympathie qu'il envoya en guise de réponse, Hugh Lynn Cayce adressa le commentaire suivant à la jeune mère de l'enfant disparu : « Je me demande si vous réalisez à quel point son étude de vie fut courte et si vous vous rendez compte des réticences de mon père à donner des informations avant que Timmy le demande lui-même. Je pense que nous avons beaucoup à apprendre des relations qu'il peut y avoir entre notre monde de conscience et ceux qui se trouvent de l'autre côté de l'état que nous appelons mort. Peut-être que Timmy est maintenant en mesure d'obtenir son étude et qu'il se prépare à accomplir le travail que son étude lui aurait indiqué de faire... »

L'appel de la mer

À l'âge de 17 ans, Fred Coe mit un terme brutal à une adolescence faite de restrictions et d'incompatibilités en claquant la porte de la maison. Deux mois plus tard, il n'avait toujours pas réapparu et Edgar Cayce fut chargé de le retrouver. L'étude qu'il fit, quoique brève, est aussi intéressante qu'une autre et conte son histoire avec rigueur et vivacité.

« Oui, nous sommes en présence de l'entité, » commença par dire Cayce. « En arrivant sur notre planète, il était sous l'influence de Neptune et d'Uranus avec des conjonctions de Jupiter et de Mars. Pour ces raisons, l'entité se trouve attirée, dans sa vie présente, par l'amour de la mer.

« Grâce à l'influence de ces planètes, nous trouvons là des possibilités exceptionnelles.

« Celui qui est considéré comme excentrique et particulier, qui change souvent son humeur.

«Celui qui aime les contes mystérieux avec des limiers ou des détectives, ou qui traitent des conditions mystérieuses de·la mer.

«Celui qui aurait dû être guidé avec assurance dans l'étude de tout ce qui se rapporte aux mystères et à l'occultisme.

«Celui pour qui les meilleures capacités de sa vie sur cette planète résident dans l'étude des forces occultes.

«Celui qui aime faire usage des armes à feu, qui aime en faire l'étalage.

«Celui qui, cette année, verra le plus grand changement de sa vie, qui fera de nombreuses expériences dans des pays très divers, qui ne reviendra sur les lieux de sa naissance lorsque son âge sera déjà avancé.

«Celui qui ne ressent que peu le besoin de vivre une vie religieuse.

«Celui qui apportera de nombreuses joies et de nombreuses peines à beaucoup de ses proches, surtout à ceux du sexe faible.

«Celui qui a la possibilité de donner de nombreux conseils à beaucoup de ses semblables.

«Au cours de ses apparitions antérieures, nous trouvons plusieurs des conditions qui ont une influence directe sur son existence actuelle. Dans l'existence précédant immédiatement celle-ci, on se référait souvent à l'entité comme au Capitaine Kidd. L'entité réalisa des gains au cours de la première partie de sa vie et donna beaucoup aux autres durant la seconde, bien que le coût de l'opération envers elle-même fût plutôt élevé. Parmi les besoins de l'entité figure l'amour de la mer, de ces choses qui confinent au mystérieux, la capacité de découvrir le mystère qui se cache dans le regard des autres.

«Dans sa vie précédente, on connaissait l'entité sous le hom de Hawk, dans la Marine anglaise. L'entité était le subalterne direct du premier des navigateurs qui partit à la découverte de l'Orient (Jean Cabot, 1497); à la fin de ses jours, il aborda d'ailleurs sur la côte nord de ce continent.

« Une fois encore, la passion pour l'aventure et le mystère est pour lui un besoin vital.

« Dans la vie d'avant, on le retrouve dans le pays des Bédouins, à une époque où la guerre opposait des forces venues de la Grèce aux habitants de la plaine (aux environs de 900 avant Jésus-Christ). L'entité s'appelait alors Xenia et était le vice-commandant-en-chef des hommes de la plaine, qui provoquèrent la consternation parmi les envahisseurs en semant la zizanie dans leurs propres rangs! Comme on peut le constater, cette vie contribua à asseoir le pouvoir de l'entité, mais provoqua finalement sa perte. On retrouve dans le présent son amour des grands espaces et des mystères de la nature.

« Dans la vie précédente, aux environs de 10 000 avant Jésus-Christ, à une époque où le pays que l'on connaît maintenant comme l'Égypte était encore divisé, l'entité gravait dans le fer, au service de ceux qui gouvernaient. En faisant cela, elle donna des conseils à de nombreuses personnes. On retrouve ce besoin dans le présent — le désir de se mettre au service des autres et d'être en communication directe avec ceux qui détiennent le pouvoir.

« Beaucoup, beaucoup d'autres développements seront nécessaires pour que cette entité atteigne l'unicité avec les forces les plus élevées. Étudie donc les conditions qui te permettront d'y parvenir; et prends garde de laisser faire ceux qui veulent l'assister.

« C'est terminé pour l'instant! »

Ce cas est significatif dans la mesure où les sympathies d'Edgar Cayce vont plutôt au garçon qu'à ses parents. Lorsque ceux-ci demandèrent une seconde étude, la seule information qu'il leur donna fut on ne peut plus brève : le jeune homme s'était embarqué sur un bateau qui était parti de New-York pour l'Europe.

126

Dans le cas suivant, toutefois, il s'agit d'une histoire beaucoup plus tragique.

Les raisins de la colère

La mère d'un jeune garçon de 12 ans, Lennie Talbot, demanda une étude de vie pour son fils, dans l'espoir de comprendre le comportement emporté de son rejeton.

En dépit du tact dont Edgar Cayce a toujours su faire preuve, il devait clairement laisser transparaître son inquiétude quant à l'avenir du garçon; il est d'ailleurs frappant de relever les avertissements implicites qui figurent entre chaque ligne de sa transcription.

«En considérant ici les souvenirs de l'entité, il est aisé de les interpréter soit d'une manière optimiste, soit d'une manière très pessimiste. Car on se trouve en présence de vastes possibilités, mais il y a d'énormes obstacles à surmonter. Au stade où elle en est, l'entité peut devenir un nouveau Beethoven ou un Whittier; ou alors, un autre Jesse James! En effet, l'entité a tendance à se considérer pour plus qu'elle n'est; c'est justement ce qu'on fait ces trois individus. Quant aux conséquences que cela peut avoir, cela dépend entièrement de la personne elle-même.

«Nous nous trouvons en présence d'une entité ayant de nombreuses capacités latentes en elle-même, qui peuvent se traduire soit dans la musique, soit dans la poésie ou encore dans la prose, où peu nombreux furent ceux à jamais exceller. Ou cela peut se traduire par le désir de créer sa propre voie, à un point tel que l'entité en arrivera à mésestimer tous les autres, pour quoi que ce soi, pour se faire sa place au soleil.

«Au niveau astrologique, certains aspects sont latents, d'autres manifestes : les influences viennent de Mercure, de Vénus, de Jupiter, de Saturne et de Mars.

Ces influences s'opposent les unes aux autres, dans une certaine mesure ; elles sont cependant toujours présentes et laissent à penser que le corps succombera à bien des excès, à moins qu'il y ait de solides résistances héritées de la période d'éducation. Et l'entité est en train d'aborder cette période au moment où — alors que l'esprit ne doit en aucun cas être brisé ! — chacun devrait faire preuve de fermeté tout en étant positif pour la forcer à raisonner et à s'analyser, à former sa propre conception des idéaux et des objectifs ; en agissant ainsi, nous ne ferons pas que donner au monde un individu réellement génial, mais nous contribuerons au développement de son âme ; dans l'autre cas, nous donnerons au monde un individu tout aussi génial, mais pour semer le trouble parmi les siens !

« Quant aux apparitions antérieures sur terre, elles ont, bien entendu — et comme le laissaient supposer ces diverses tendances — été très variées :

« L'entité se trouvait dans le camp des Français qui gravitaient autour de Fort Dearborn ; elle était décidée à agir pour son propre compte, sans se soucier du mal ou du désarroi qu'elle pouvait provoquer pour les autres.

« Finalement, l'entité réussit à réaliser des gains importants en partageant les souffrances des autres. On peut dire d'elle que, comme le Maître, elle apprit beaucoup grâce à la souffrance.

« Son nom était alors John Angel.

« Avant cette vie, l'entité se trouvait en France.

« Puis l'entité, avec certains groupes, prit part à des razzias dans le pays des Huns et trouva éventuellement refuge dans la partie la plus au sud de l'Italie.

« L'entité était alors à même d'exercer ses talents artistiques et musicaux dans de meilleures conditions, écrivant même des vers pour ensuite les mettre en musique.

« La possibilité de devenir un chef d'orchestre ou un écrivain fait partie de l'expérience présente de l'entité, pour autant qu'elle n'ait pas la «grosse tête» ou ne fasse preuve de trop de prétention. Sur la terre, chaque individu a autant de droits que tout autre, même si, à certains égards, il n'est pas aussi avancé dans ses études ou ses capacités. Dieu ne respecte pas les hommes en fonction de leur aspect physique, de leurs bonnes manières ou de leurs capacités; il respecte l'individu en fonction de ses projets, de ses intentions et de ses désirs. Souvenez-vous de cela!

«Avant cela, l'entité se trouvait dans la Cité de l'or, au moment de l'évolution des différentes contrées de Saad, de Gobi et d'Égypte (10 000 avant Jésus-Christ).

«L'entité était avec ceux qui avaient pour mission de garder les dames d'honneur; elle prenait une part active à leur divertissement en leur chantant et en récitant de ses compositions; elle faisait même davantage que les divertir en contribuant à leur développement et à leur éducation.

«Avant cela, l'entité se trouvait sur le continent de l'Atlantide, durant la période qui précéda immédiatement le second tremblement de terre, vers l'an 28 000 avant Jésus-Christ.

«L'entité se trouvait avec les Fils de Bélial, qui utilisaient les forces divines à des fins personnelles, pour satisfaire leurs propres appétits. C'est l'apparition de ce désir de se satisfaire égoïstement qui constitua pour elle la pierre d'achoppement.

«Quant aux possibilités de l'entité pour sa vie actuelle, celles-ci sont illimitées. Comment seront-elles utilisées par l'entité? De quelle manière les autres peuvent-ils aider l'entité à prendre conscience des activités qu'elle serait à même de concrétiser? Il faut se poser soi-même ces questions.

«Apprends tout d'abord à connaître tes idéaux, au niveau spirituel, mental et matériel. Applique-toi ensuite à les réaliser, de sorte que jamais plus il n'y ait le moindre doute dans ta conscience, ni dans le regard des autres.

« Je suis prêt pour les questions. »

Q. : « Quelle sera son occupation principale ? »

E.C. : « Cela dépend de ce qu'il choisira — s'il se dirige vers la musique, la composition de la musique ou la poésie — ce sont là autant de domaines dans lesquels l'entité peut aussi bien échouer que réussir. »

Q. : « Tous ses talents devraient-ils être développés ? »

E.C. : « Tous ses talents seront développés, ou alors ils entraîneront sa perte. »

Q. : « Êtes-vous en mesure de faire d'autres suggestions qui pourraient aider ses parents à le guider ? »

E.C. : « Que les parents apprennent à se montrer conformes à la volonté de Dieu ; qu'ils n'aient pas honte de leur travail ; qu'ils exercent des pressions là où il doit y en avoir, tout en gardant l'individu vierge des taches de ce monde.

« C'est terminé pour cette étude. »

C'est dans le prochain chapitre que l'on traitera plus en détail des Fils de Bélial, qui vécurent dans l'Atlantide. Pour l'instant, le lecteur ne niera pas que cette expérience fut la pire rature de son existence ; le très long enchaînement de karma qui s'ensuivit pour l'enfant et qui fait encore maintenant sentir ses effets débuta à ce moment.

Premier extrait de la correspondance de la mère, février 1944 :

« L'étude que vous avez faite de Lennie ne fut une surprise ni pour moi, ni pour mon mari. Très tôt, nous nous sommes aperçus que sa formidable énergie devrait être canalisée ; notre fils entame maintenant sa troisième année dans une école catholique extrêmement stricte. L'oisiveté le détruirait. Il ressent toujours le besoin d'être dans le monde des grands, où il est « une goutte d'eau dans un seau » au lieu d'une « grande grenouille dans un petit étang… »

Deuxième extrait, septembre 1949 :

«En ce moment, nous sommes extrêmement déçus par la situation de notre fils unique, qui souffre d'une maladie mentale et nerveuse affligeante, dont on ne connaît pas encore les origines...»

Troisième extrait, juillet 1951 :

«Malgré toute la peine que nous avons éprouvée, la presse a été cruelle avec nous et il n'y a aucun doute que vous êtes au courant de notre tragédie. Mon fils Lennie, dont l'équilibre et la santé mentale étaient précaires depuis trois ans, a tué son grand-père et sa grand-mère, à coups de fusil, mercredi dernier.

«Hugh Lynn, votre père était mon ami; je lui ai amené Lennie pour qu'il puisse le rencontrer et il nous donna à son sujet une étude de vie qui comportait de nombreux avertissements. Je vous écris maintenant pour vous demander, pour vous supplier, de faire intervenir un de vos groupes de prière en notre faveur...»

Quatrième extrait, août 1951 :

«Lennie se trouve maintenant à l'hôpital de l'État. Là-bas, les médecins, comme tous ceux des autres établissements où il a été soigné, ont bien sûr diagnostiqué une démence précoce, de la schizophrénie, et d'autres maladies de ce genre; mais vous, comme moi, vous savez qu'il s'agit d'un mauvais karma. Grâce à Dieu, son intellect semble intact : il écrit dans l'idée de faire des livres et il collabore à deux journaux...»

Cinquième extrait, octobre 1951 :

«Mon mari et moi nous sommes arrangés pour l'envoyer chez un psychiatre, le Dr Baker. Il est très doué; c'est un des pionniers dans le domaine des traitements à l'insuline et des électro-chocs. Il n'y a pas de raison que Lennie ne bénéficie pas d'un traitement ostéopathique pendant qu'il est sous la surveillance du Dr Baker. Il m'a fait savoir qu'il garderait Lennie un mois complet en observation avant de commencer un quelconque traitement et je vais m'arranger pour que, ce mois déjà, on lui fasse de l'ostéopathie. En vous remerciant encore…»

Sixième extrait, novembre 1951 :

« (Ceci est la dernière lettre de Lennie ; s'il vous plaît, veuillez me la renvoyer.)

«Chère mère : j'ai été vraiment très heureux d'avoir des nouvelles de ton voyage au Moyen-Orient, mais je n'en connais pas encore les résultats.

«Je puis t'assurer que je me sens mieux depuis que le père Lindsay prie pour moi ; je suis moins nerveux, moins inquiet maintenant quant à l'avenir.

«Feras-tu ton possible pour m'emmener suivre un traitement de «retour à la vie»? Je pense que j'en tirerais un meilleur profit que de n'importe quelle autre sorte de traitement. Essaie de trouver un endroit où l'on pratique cette thérapie et allons-y.

«Pourrais-tu m'envoyer mes deux costumes de tweed et cette nouvelle paire de chaussures que je n'étais pas autorisé à porter là où je me trouvais avant? Je pourrai certainement les mettre, car certains règlements sont bien moins sévères ici.

«J'aimerais aussi ma montre-bracelet, ce qui est également autorisé. Dis à mon père de m'acheter quelques boîtes de nourriture et des friandises. Tout cela me sera très utile et on les appréciera beaucoup ici.

«Tu n'as probablement pas encore senti les effets de l'augmentation des impôts cette année, mais la taxe sur ton revenu en 52 sera plus élevée ; tu te retrouveras donc avec moins d'argent pour vivre si tu ne parviens pas à faire certaines déductions. Finalement, pour tout investissement, c'est encore la propriété commerciale qui rapporte le plus, toutes déductions fiscales faites.

«Je t'aime, Lennie.»

Septième extrat, juin1956 :

«Mademoiselle Gladys Davis nous a recommandé le sanatorium Hildreth comme étant l'un de ceux qui avait l'approbation d'Edgar Cayce. Lennie a donc passé là-bas ces deux dernières années. C'est le seul endroit où il se sente bien et nous estimons que c'est la meilleure place où il puisse être, sans considération du prix que cela nous coûte. Lennie, qui n'a fait qu'une rechute, n'a cessé de faire des progrès et nous espérons toujours qu'il finira par guérir...»

Les cas que nous venons de considérer, plus que tout autre, montre bien qu'Edgar Cayce voyait le futur de deux manières bien différentes. Même si la destinée individuelle qui attendait une âme comportait des conséquences inéluctables de ses propres actions passées (conduisant ainsi à la prédétermination psychologique), l'avenir ne pouvait jamais être entièrement préétabli. Par exemple, un pays donné a la possibilité de modifier et de restructurer son avenir en parfait accord avec les modèles de comportement de sa population qui, eux, changent également. Une détermination plus farouche et des efforts redoublés de la part des dirigeants responsables de la majorité en Allemagne auraient aisément pu prévenir l'avènement de Hitler au pouvoir. L'Europe aurait alors pu suivre une évolution plus sereine. Les tremblements de terre qui menacent la Californie et l'Amérique du Sud ne feraient pas autant de dégâts, lorsqu'ils se produisent, si les habitants de ces régions ne faisaient pas preuve d'autant de matérialisme et d'indifférence sociale.

Jamais Edgar Cayce ne fut plus clair que le jour où il donna une conférence, dans son état de conscience normale, pour un groupe de prière de l'ARE.

«Un jour, Dieu avertit un homme qu'une certaine ville allait être détruite. Mais cet homme parla avec son Dieu face à face et Dieu promit alors que, s'il y avait au moins cinquante hommes justes et droits dans la cité, il l'épargnerait... et finalement, même s'il n'y avait eu que dix hommes justes et droits, il aurait épargné la ville.

«Je pense que la terre continue de tourner, que le monde est toujours monde grâce aux hommes justes et droits. Ces gens justes et droits sont ceux qui ont fait preuve de compréhension vis-à-vis d'autrui... en patience, en souffrance, en amour fraternel, ceux qui préfèrent leur prochain à eux-mêmes.

«Lorsqu'il y en aura peut-être cinquante comme eux — ou cent, ou mille, ou un million — alors la voie pourrait bien être ouverte pour Sa venue.

«Mais tous ces hommes justes et droits devront être unis dans leur désir de voir à nouveau le Christ marcher en chair et en os parmi eux, parmi les hommes.»

Chapitre 8

L'homme — un étranger sur la terre

À ce point, il serait bon de faire une sorte de halte, pour passer en revue les différentes raisons qui font qu'Edgar Cayce voyait en Dieu la seule possibilité d'alléger les mortifications de l'âme lorsque celle-ci atteint un désespoir tel que l'homme lui-même ne peut plus lui être d'une aide quelconque.

Alors que l'esprit subconscient d'Edgar, lorsqu'il était hypnotisé, demeurait assez «orthodoxe» pour toujours considérer l'âme comme une création de Dieu, contenant en son sein une infime partie de Lui, le lecteur aura amplement eu l'occasion de se rendre compte que, pour lui, toute peine mortelle provient de l'âme elle-même, qui fait mauvais usage du libre arbitre que le Créateur lui a confié.

En d'autres termes, Dieu ne peut ni dénoncer, condamner, punir ou être corrompu, ni accorder des faveurs spéciales à certains élus. Il a renoncé à tous ces privilèges lorsqu'il a donné à chaque âme la liberté d'agir, de choisir et de décider comme elle l'entendait. Maintenant, il ne peut qu'attendre patiemment, avec une certaine compassion, que l'âme décide du moment où elle va faire usage de sa volonté pour retourner à Lui, après avoir réalisé qu'Il était en fin de compte un meilleur Créateur qu'elle ne pouvait l'être elle-même.

Le lecteur pourra toujours dire qu'en tant que théorie, tout cela est très bien, et même acceptable au niveau du subconscient; mais cela n'empêche pas la conscience de l'homme de se trouver dans une position plutôt inconfortable, ne sachant pas à quel moment elle doit renoncer à ses responsabilités.

Si nous retournons maintenant à la première séance qui réunit, en 1923, Edgar Cayce et Lammers, il devient dès lors plus facile de repérer la logique fondamentale qui sous-tend la philosophie de Cayce.

Lammers : «Qu'est-ce que l'âme d'un corps?»

Cayce : «C'est ce que le Créateur a donné au commencement à chaque individu et qui est maintenant à la recherche de la demeure — ou de l'endroit — du Créateur.»

Lammers : «L'âme meurt-elle une fois?»

Cayce : «Elle peut être bannie par le Créateur. Mais ce n'est pas la mort.»

Lammers : «Comment et pourquoi l'âme peut-elle être bannie par son propre Créateur?»

Cayce : «En recherchant son propre salut — appelez cela comme vous voulez — l'individu la bannit lui-même.»

Lammers : «Qu'entendez-vous par la personnalité?»

Cayce : «La personnalité, c'est ce que nous connaissons sous le terme de conscience, dans le domaine physique. Lorsque c'est le subconscient qui contrôle l'être (par exemple en cas d'hypnose), la personnalité est éloignée de l'individu et se trouve à ce moment au-dessus du corps physique. C'est exactement mon cas en ce moment.

« Ainsi, la modification de ces conditions ne manquerait pas de troubler les autres « parties » de l'individu. »

Ce cas fut illustré de manière fort éloquente quelques années plus tard, lorsque Hugh Lynn Cayce, le fils d'Edgar, conduisait une séance politique. Un des hommes qui assistait à cette séance griffonna quelques mots sur un bout de papier et le tendit à Hugh Lynn en passant son bras au-dessus du corps hypnotisé de son père ; celui-ci cessa immédiatement de parler et tomba dans un profond silence cataleptique, qui ne manqua pas de déconcerter son fils. Cette situation n'avait aucun précédent et il ne savait comment la résoudre. Quelques heures plus tard, Edgar quitta brusquement sa position allongée pour se « catapulter » sur ses pieds, au pied du divan sur lequel il reposait. Tout cela fut fait avec une rapidité incroyable, plus rapidement encore que dans un film que l'on aurait passé en accéléré. Alors que Hugh Lynn était encore sous le coup de l'émotion, son père demanda d'une voix parfaitement naturelle quelque chose à boire et à manger. Il avait extrêmement faim et soif.

Au cours d'une étude qui suivit de peu cet événement, Edgar devait expliquer que sa « personnalité » — évincée de son corps physique par le procédé de l'auto-hypnotisation — s'était élevée à quelque 50 centimètres au-dessus de son corps. Au moment où l'homme tendit son morceau de papier à Hugh Lynn, il avait fait passer son poignet au travers de l'équivalent astral de la cage thoracique d'Edgar. Pour lui, l'impact fut aussi fort que celui d'un sabot de cheval en pleine ruade.

La capacité qu'a le corps de se diviser en au moins trois niveaux distincts de vibrations électriques — un peu comme les physiciens nucléaires ont divisé l'atome en différents types d'énergies, distincts les uns des autres, mais qui coexistent — ne peut se manifester que dans des cas exceptionnels, comme celui d'Edgar Cayce. Il peut se mouvoir entre les différents niveaux de la conscience avec la facilité d'un homme qui passe des ondes moyennes aux ondes courtes, puis à la télévision, tout cela sur une même console.

La logique de base de ce principe est très simple : la partie la moins efficace de chaque unité — spirituelle, humaine ou mécanique — en est sa composante la plus éphémère. Dans la constitution de l'homme, le corps physique — l'enveloppe charnelle ou encore «l'abri temporaire» de l'âme éternelle — est celui qui se consume le plus rapidement.

Le lézard qui voit sa queue repousser sans cesse (pour autant qu'il ne la perde pas par sa propre faute) n'attache aucune importance particulière à cette partie de son anatomie. Il est rassuré parce qu'il sait que, pendant qu'une nouvelle queue va lui pousser, celle qu'il a perdue ne donnera pas naissance à un double de lui-même.

Malheureusement, l'ego de l'homme n'est pas capable de raisonner avec autant de lucidité. Pour retourner la métaphore et la mener à sa conclusion logique : pour le psychisme humain, la queue s'obstine à faire remuer le chien! C'est là que réside le commencement et l'aboutissement de la misère humaine. C'est ce qui a conduit les existentialistes sartriens à s'embourber dans des sciences inexactes et les théologiens d'avant-garde à s'éloigner toujours davantage de leur responsabilité spirituelle, pour créer une sorte de religion instantanée en partant de l'adage : «Dieu est mort.»

Une même loi pour toutes les planètes

«L'instabilité de la vérité, son inconstance, ne gêne aucunement ni l'âme, ni le physique,» dit Edgar Cayce à

Lammers. «Chaque individu doit mener sa propre existence, que ce soit dans cette sphère ou à d'autres niveaux.»

On pourrait parfaitement considérer cela comme une loi éternelle de cause à effet, de laquelle chaque âme répond, qui est valable sur toutes les autres planètes de notre système, exactement comme elle l'est sur terre, même si notre planète est la seule où existe une vie physique telle que nous la connaissons.

Les composantes des autres planètes peuvent être aussi diversifiés que les atomes le sont au regard de la physique nucléaire. Leur structure peut aller de l'unidimensionnel à la racine cubique de x dimensions. Mais chacun y va de sa propre contribution à l'évolution éventuelle de l'âme.

«Tout ce qui est insuffisant, déficient, est rejeté sur Saturne,» disait Cayce à l'époque, en laissant sous-entendre que la planète en question remplissait la fonction d'une espèce de four, qui consumait lentement toutes les scories accumulées par les âmes qui avaient trop régressé, empêchant du même coup leur retour immédiat sur terre : celles des fanatiques de l'histoire, depuis Hérode jusqu'aux dictateurs de ce siècle, en passant par les Romains et les Byzantins.

Ainsi, si Edgar Cayce a raison en suggérant que l'environnement de chaque planète a sa particularité, la réception de l'âme sur notre planète est toujours fonction des conditions dans lesquelles elle arrive ; ceci est valable quelle que soit sa provenance, que ce soit d'une autre planète du système solaire ou d'autres domaines astraux proches du nôtre.

Lammers : «D'où vient l'âme, et comment pénètre-t-elle dans l'enveloppe charnelle du corps?»

Cayce : «Elle se trouve déjà en lui. Au moment où le corps de l'homme naît, au moment où il respire pour la première fois, il devient aussitôt une âme vivante, pour

139

autant qu'il ait atteint ce stade de développement où l'âme peut entrer directement et trouver un endroit où loger. »

Lammers : « Est-il possible pour ce corps, dans l'état où il se trouve, d'entrer en communication avec quelqu'un qui aurait déjà passé dans le monde spirituel ? »

Cayce : « L'esprit de tous ceux qui ont dépassé notre plan physique reste dans les alentours de celui-ci jusqu'à ce que son développement lui permettre d'aller plus loin, ou jusqu'à ce qu'il revienne dans notre monde pour un développement ultérieur sur terre. Pendant que ces esprits restent dans le plan de la communication de notre sphère, chacun peut entrer en contact avec eux. Il y en a pour l'instant des milliers, tout proches de nous… »

Les influences des planètes

Lammers : « Citez des noms des principales planètes et quelles sont leurs incidences sur la vie des gens ? »

Cayce : « Mercure, Mars, Jupiter, Vénus, Saturne, Neptune, Uranus et Septimus. »

Lammers : « Est-ce que certaines de ces planètes, autres que la terre, sont habitées par des êtres humains ou y trouve-t-on une vie animale d'une forme quelconque ? »

Cayce : « Non. »

Lammers : « Donnez-moi la description de la planète qui se trouve actuellement le plus proche de la Terre, ainsi que ses effets sur les gens. »

Cayce : La planète qui approche maintenant rapidement de la Terre et sous l'influence de laquelle les êtres humains seront placés ces prochaines années, c'est Mars, qui ne sera qu'à 56 millions de kilomètres de la Terre en 1924.

« Son influence se fera surtout sentir lorsqu'elle s'éloignera à nouveau de la Terre ; quant à ceux qui ont séjourné sur Mars, ils ressentiront, lors de leur vie terrestre, la période troublée qui va suivre avec plus de force que les autres. Cette tendance ne sera compensée que par la présence de ceux qui viennent de Jupiter, de Vénus et d'Uranus.

Les influences astrologiques

Lammers : «S'il vous plaît, veuillez définir l'astrologie.» Cayce : «Les inclinations de l'homme sont régies par la planète sous laquelle il est né, car la destinée de l'homme réside dans la sphère, ou dans l'espace des planètes.

«Au commencement, notre planète, la Terre, fut mise en mouvement. C'est avec la combinaison des autres planètes que commença à prendre forme la destinée de toute matière créée.

«La force la plus puissante qui affecte la destinée de l'homme est le Soleil; puis viennent ensuite les planètes les plus proches de la Terre, ou celles qui étaient en train de monter à l'époque de l'apparition de l'homme.

«Exactement comme les marées sont réglées par l'orbite de la Lune autour de la Terre, les actions de l'homme sont fonction de son comportement en conjonction avec les planètes qui gravitent autour de la Terre.

«MAIS QUE CECI SOIT BIEN CLAIR : AUCUNE ACTION D'AUCUNE PLANÈTE, NI LES PHASES DU SOLEIL, DE LA LUNE OU DE N'IMPORTE QUEL CORPS CÉLESTE NE PEUT TRANSGRESSER LA RÈGLE DU LIBRE-ARBITRE DE L'HOMME : ce pouvoir que le Créateur a donné à l'homme dès le commencement, lorsqu'il devint une âme vivante douée de la capacité de choisir librement, pour son propre compte...

«Dans la sphère de plusieurs planètes du système solaire, nous trouvons des âmes qui reviennent, toujours et encore, ou qui vont de l'une à l'autre, jusqu'à ce qu'elles soient prêtes à rencontrer le Créateur immortel de notre Univers, dont notre système n'est qu'une infime partie. Mais ce n'est que sur notre planète, pour l'instant, que nous trouvons des hommes faits de chair et d'os. Sur les autres, il n'y a que Ses propres créatures, qui préparent Son propre développement. »

L'âme est immortelle

À quoi ressemble notre monde pour une âme qui se trouve provisoirement libérée de son enveloppe terrestre? Le cadre de référence le plus simple consisterait à comparer le poids et la densité d'un astronaute sur terre avec son poids et sa densité lorsqu'il est en orbite.

Il est maintenant évident qu'un astronaute, une fois libéré du champ de gravitation terrestre, relié à sa capsule par une mince corde de nylon, passe par des moments d'euphorie et de joie intense; il ne ressent plus aucun lien avec la Terre qui se trouve en-dessous de lui; il éprouve le désir de rester «suspendu» dans l'espace.

Supposons maintenant que la différence entre l'âme, libérée par la mort, et l'âme emprisonnée dans son enveloppe charnelle ne soit qu'une différence de densité et de vibration, pas plus complexe que la différence entre l'astronaute flottant dans l'espace et ce même astronaute occupé à faire ses contrôles avant la mise à feu. Avant le décollage, il n'a que très peu de liberté de mouvement, si ce n'est aucune; par contre, une fois dans l'espace, il en a bien plus qu'il ne lui en faut. Et pourtant, par essence, c'est toujours le même homme.

S'il vous est possible de faire, et d'accepter ce raisonnement, il devient dès lors plus aisé de remonter jusqu'à la Création et de s'imaginer les âmes lorsqu'elles prirent, pour la première fois, conscience de leur existence.

La Terre était encore en train de se refroidir après sa

naissance dans le feu ; la séparation de l'eau et de la terre avait suivi de peu. Puis apparut la vie animale, qui se développa de ses origines amibiennes ; l'unique matière solide que les âmes aient jamais connue était en train de se manifester maintenant sur la surface du globe. En d'autres termes, seule la planète Terre se conformait aux lois de la densité et de la gravitation telles que nous les connaissons actuellement.

Planant au-dessus de la Terre, les âmes avaient suivi cette lente évolution avec fascination. Maintenant, avec la division du règne animal en espèces mâles et femelles, leur curiosité allait les pousser à s'éloigner de leur propre type d'évolution pour tenter l'expérience de l'incarnation dans une forme mortelle. Mais souvenez-vous : à cette époque, leurs corps ne disposaient encore que d'une texture spirituelle raréfiée. Pour en revenir à l'exemple de l'astronaute, elles étaient « sans poids ».

Cayce utilise constamment le terme de « formes de pensée » lorsqu'il parle de leurs conditions à ce stade de leur développement. Une forme de pensée est exactement ce que le mot lui-même suggère : une forme créée par une concentration de pensée, qui manque encore toutefois de matière solide. À tous les niveaux mentaux autres que celui de l'esprit conscient, « les pensées sont des choses » et ainsi, une forme de pensée, une fois créée, est-elle aussi réelle et tangible que l'esprit qui l'a créée.

Cette forme de pensée ne peut se manifester à l'esprit conscient que sous la forme d'une vision ou d'une hallucination. Des doses inconsidérées d'acide lysique font tomber les barrières de protection et font entrer alors l'individu en contact direct avec les formes de pensée, généralement les siennes ; mais il peut aussi bien entrer en contact avec les formes de pensée des autres. Lorsque ces contacts externes sont avec les forces du mal, ces ren-

143

contres peuvent avoir des conséquences désastreuses sur la santé et l'équilibre de la personne.

Lorsqu'un bon hypnotiseur dit à l'un de ses sujets en transe qu'il tient une orange dans sa main vide et que le sujet commence docilement à manger cette orange, il est, au niveau de ses intentions, réellement en train de consommer le fruit. Le sujet a créé une forme de pensée de cette orange au niveau de son subconscient, là où la pensée EST matière.

Cayce a expliqué que toute âme intègre pouvait entrer et sortir de la matière comme elle le voulait, qu'elle était capable de s'adapter aux conditions qui avaient déjà pris forme dans sa pensée, « un peu de la même manière que les amibes qui se maintiennent dans l'eau stagnante d'un lac ou d'une baie. » Parce qu'il n'avait jamais été dans l'intention de Dieu de laisser les âmes se manifester sur terre sous la forme de corps humains, il n'y avait aucune division de ces âmes entre mâles et femelles. Pour cette raison, elles étaient parfaitement incapables de se reproduire de la même façon que les animaux. Leur seule alternative consistait donc à « occuper » le corps de cet animal, exactement comme un bernard-l'ermite occupe le coquillage vide d'un autre crustacé ; la seule différence est que, dans le cas de l'âme, le corps est déjà occupé !

De cette manière, deux formes de vie parfaitement étrangères l'une à l'autre tentèrent de partager un héritage physique commun. Les risques étaient évidents. Néanmoins, certaines parmi les plus audacieuses des âmes eurent recours à leur libre volonté pour s'introduire dans cette « vibration » plus dense de matière animale. Quant aux âmes plus sages et plus prudentes, elles hésitèrent et elles firent bien ainsi.

Les âmes qui se trouvèrent alors enfermées dans leur prison de chair furent incapables de s'en sortir. Cette enveloppe étrangère du monde matériel agissait sur elles comme les dents d'une machine infernale, implacable. Elle dévora ces âmes pour ne jamais les relâcher. Ces âmes se trouvèrent inéluctablement engagées dans le processus de la procréation. Sur la Terre apparut alors une espèce hybride et angoissée, ni homme ni animal — ou plutôt mi-homme, mi-bête — incapable de se conformer entièrement aux lois du monde, et incapable d'en réchapper.

«Nous retrouvons ces enfants des Forces Créatrices,» dit Cayce, «considérant ces formes modifiées, les Filles des Hommes. Elles sont là, qui s'insinuent dans ces pollutions; ou plutôt qui se polluent elles-mêmes au contact de ces mélanges. Tout cela n'amena que mépris, haine, effusion de sang, ainsi que les tentations de l'égoïsme et de l'autosatisfaction, sans considération pour la liberté d'autrui.»

Les âmes qui avaient conservé leur liberté furent incapables de venir au secours des autres. Elles ne pouvaient que regarder, impuissantes et déroutées.

C'est pour cette raison que Dieu décida de créer un moule physique parfait, ou un corps de chair et d'os, dans lequel les «âmes sauvées» pourraient s'incarner en toute sécurité. Symbolisé dans la Genèse par la création d'Adam, l'homme fit son apparition, sous sa forme actuelle, simultanément à cinq endroits différents de la planète; chacun de ces cinq groupes nouvellement créés était ethniquement distinct des autres.

Cayce se réfère à ces âmes ainsi pûrement incarnées comme aux «Fils de Dieu», pour les distinguer des âmes emprisonnées dans des formes animales. C'est celles-là qu'il appela les Fils de l'Homme.

L'avertissement figurant dans la Bible, «maintenez pures les races», tire son origine de cette première apparition d'âmes non contaminées sur la Terre. Pour elles, les âmes hybrides, avec leur lot de difformités, étaient assimilées aux intouchables des Indes.

Les fils de Dieu, dans leurs cinq catégories raciales distinctes, avec une pigmentation de la peau blanche, noire, brune, rouge ou jaune, construisirent chacun leur propre civillisation, sur des continents maintenant disparus, ou tellement modifiés à cause d'accidents géologiques qu'ils ne sont plus reconnaissables. L'Océan Atlantique recouvre maintenant le continent de l'Atlantide (berceau de la race rouge), comme l'Océan Pacifique recouvre le continent submergé de Lémuris (berceau de la race noire).

Parce que jamais personne ne posa beaucoup de questions à Edgar Cayce, ses études ne contiennent que très peu d'informations relatives à cette Lémurie. Elles contiennent par contre des informations généreuses consacrées à l'Atlantide (200 000 à 10 700 avant Jésus-Christ). Selon les renseignements qui figurent dans ces études, il y a fort à parier que ce continent fut également le berceau de notre civilisation actuelle.

Le vaste groupe d'âmes qui le peuplait fut à la fois le plus agressif et le plus riche que le monde eût jamais connu depuis qu'il est monde.

En grande partie, l'influence de l'Atlantide est encore aussi forte qu'elle le fut autrefois. Elle se fait sentir surtout dans ce groupe d'âmes qui a choisi de ne pas se réincarner à un certain stade de sa progression. À l'apogée de leur civilisation, les habitants de l'Atlantide connaissaient la télépathie, utilisaient le courant électrique, maîtrisaient la propulsion mécanique de vaisseaux maritimes et aériens, avaient un système de communications par ondes courtes, avaient considérablement allongé leur espérance de vie grâce à une médecine très sophistiquée et utilisaient comme principale source d'énergie la Pierre Tuaoi de « Crystal Terrible, » qui se trouve être le précurseur du rayon laser. C'est une mauvaise utilisation de cette énergie qui devait détruire le continent sur lequel ils habitaient, anéantissant du même coup leur civilisation.

146

Ils étaient l'expression même de la vie humaine, infatigables, pathétiques même, s'acharnant inlassablement à utiliser et à améliorer les lois de la nature. Ils finirent par acquérir un pouvoir fantastique ; malheureusement, ils en abusèrent.

De leurs balbutiements spirituels en tant que civilisation qui reconnaissait l'existence d'un Dieu unique, ils en arrivèrent finalement à le rejeter et à le remplacer par un dieu totalitaire et brutal, ce qui revient à dire qu'ils adoraient en fait leurs propres vices.

Les habitants de l'Atlantide réduirent à l'esclavage les âmes hybrides, ou mutants, les soumettant à toutes les formes de dégradation et d'abus.

Ils étaient parfaitement conscients de l'existence des lois de karma, mais ils commirent l'erreur impardonnable de penser que les dettes ainsi accumulées pourraient facilement être acquittées à n'importe quel moment du futur. C'était sans compter avec un facteur capital : le chemin de l'évolution peut soudainement modifier son cours et les faire revenir en arrière pour qu'ils payent leurs dettes, en les réincarnant dans des corps privés de toute la science et du pouvoir qu'ils avaient accumulés.

C'est exactement ce qui leur arriva. Lorsque les sens de l'homme furent réduits en cinq sens minimaux qu'il possède aujourd'hui, le misérable habitant de l'Atlantide se retrouva aussi démuni et impuissant qu'un bernard-l'ermite dépourvu de son coquillage.

Les dettes karmiques dont on devait si facilement s'acquitter dans une vie ou deux se multipliaient soudain à l'infini. Au lieu de deux vies, certaines des offenses à Dieu demandaient maintenant des milliers de vies de rédemption. Plutôt que de supporter éternellement un tel fardeau, ils choisirent finalement la déroute spirituelle. Cependant, cette immense accumulation de dettes subsista ; elles ne sont toujours pas payées.

Dès le début de ce siècle, Edgar Cayce commença à

147

annoncer le retour des deux types d'habitants de l'Atlantide, en très grand nombre. Il lança un avertissement en affirmant que, pour chaque progrès de la science, pour chaque amélioration des conditions matérielles que pourraient réaliser les Fils du Dieu Unique, les Fils de l'Homme pourraient bien apporter la corruption et le chaos.

«Les âmes de l'Atlantide sont extrémistes : elles ne connaissent pas de juste milieu,» affirmait Cayce péremptoirement, ajoutant que l'on retrouverait les habitants de l'Atlantide parmi les leaders de toutes les nations impliquées dans les deux guerres mondiales. Ainsi, pour faire une comparaison grossière, on pourrait situer Roosevelt et Churchill à une extrémité de l'échelle des valeurs, Hitler et Staline à l'autre. De la même manière, on peut opposer le pape Jean XXIII à Mao.

Les avances que peut effectuer une civilisation, de la barbarie à une démocratie plus ou moins praticable, n'impressionnent absolument pas l'homme impénitent de l'Atlantide, sauf lorsque la constatation qu'il fait que «son monde n'est plus ce qu'il était» se transforme en stupéfaction et fait de lui un individu psychotique. Il se drogue alors au LSD, ou grimpe dans la tour d'un collège, armé d'une carabine, et tire sur tous les «usurpateurs qui ont transformé le monde.» À un autre niveau, s'il dispose d'un instinct de conservation plus manifeste, il se contentera d'être un hors-la-loi qui mine les fondements de la société dans laquelle il vit. On le retrouvera derrière le politicien corrompu, le semeur de troubles, l'extrémiste lunatique qui fera preuve de discrimination raciale ou religieuse ou encore le fraudeur de tout acabit, derrière tous ceux qui se complaisent à réduire les cultures populaires en fadaises.

«Comme nous l'avons dit, les habitants de l'Atlantide avaient fait des progrès considérables et s'étaient familiarisés avec les activités divines sur terre, mais ils omirent le Dieu Unique par Lequel tous vivent. C'est ainsi qu'ils en arrivèrent à la destruction de leur corps, mais pas de leur âme. Il y a beaucoup, énormément de rescapés de l'Atlantide maintenant sur notre planète. »

À l'opposé des extrémistes de l'Atlantide qui adorent encore la luxure, la violence et la mort, il y a leurs âmes-sœurs plus expérimentées et modérées, qui ont acquis une saine expérience de leurs diverses réincarnations tout au long de leur histoire — « ces forces nobles et puissantes, tempérées par l'amour et la rigueur. » C'est avec celles-ci que va le Christ. C'est sur elles que nos descendants devront prendre exemple pour éviter que ne se répète un cataclysme semblable à la disparition de l'Atlantide.

Cette conception prit toute sa valeur lorsqu'une étude de vie pour un jeune enfant permit d'avertir ses parents qu'au cours de sa vie sur l'Atlantide, il avait adoré le Dieu Unique.

À l'époque de la troisième et dernière inondation du continent, les usurpateurs du pouvoir étaient les Fils de Bélial, dont le dieu du mal était destiné à survivre au Déluge sous les traits corrompus de l'idole biblique Baal. L'enfant en question avait été persécuté par ces Fils de Bélial, « comme il le sera encore au cours de sa vie présente. Que l'entité se considère donc comme avertie et prenne garde à tous ceux qui pourraient lui vouloir du mal. »

« Admettant la réincarnation comme un fait, » dit par ailleurs Edgar Cayce, « admettant que des âmes aient occupé un continent comme l'Atlantide, et en admettant que ces âmes pénètrent maintenant dans notre sphère terrestre — si elles modifièrent à ce point le cours de la vie terrestre pour en arriver à leur propre destruction — n'est-on pas dès lors en droit de se demander si elles ne vont pas à nouveau modifier le cours de la vie des gens aujourd'hui ? »

149

Dans l'une des études qu'il fit pour le compte d'un enfant, Edgar Cayce conseilla aux parents d'aiguiller leur fils vers une profession technique ayant trait «à la radio, à la télévision ou à quelque chose de semblable» à cause de l'expérience qu'il avait acquise dans les communications électriques lors de sa vie dans l'Atlantide; il était alors devenu expert dans l'utilisation des ondes sonores sous-marines, ainsi que «dans la manière d'utiliser la lumière à des fins de communication. Au moment de cette expérience, les traits et les points du morse étaient déjà passés de mode.»

Ailleurs encore, il conseilla à un jeune homme de faire carrière dans l'électronique parce qu'«aucune des applications modernes dans ce domaine n'étaient étrangères à l'entité, même si elle ne les comprenait pas immédiatement. Car l'entité s'attendait toujours à les retrouver une fois ou l'autre.»

Tous les progrès technologiques que les scientifiques de l'Atlantide ont amenés avec eux dans notre siècle ont permis de vaincre la maladie, de conquérir l'espace et de diviser l'atome, mais ils ont également donné naissance à la bombe H — le même type d'exploitation de l'énergie nucléaire qui a provoqué la destruction de ses inventeurs et l'ensevelissement de leurs ramparts arrogants dans les profondeurs de l'océan...

Pourquoi cette race, qui fut une fois au firmament, n'a-t-elle rien appris de ses erreurs; pourquoi n'a-t-elle tiré aucune leçon de son expérience totalitaire? Parce qu'elle a toujours refusé de suivre l'évolution spirituelle du monde et de se réincarner dans le cycle de ses âmes. Mais sa plus grande erreur fut certainement son ignorance du Christ. Le dernier souvenir qu'ils aient de lui précède de deux cents siècles la rédemption de l'âme humaine par le Maître. Ne se rappelant rien du Christ, ils n'ont aucune raison d'abandonner leur ancienne croyance en la suprématie du plus fort. Aujourd'hui encore, ils seraient tout aussi enclins à réduire à l'esclavage les nations les plus faibles, comme ils l'avaient fait avec les mutants du temps de leur grandeur — ces «choses» ou ces «monstruosités» que les Fils du Dieu Unique ont emmenées avec eux de l'Atlantide en Égypte, où les prêtres-médecins les ont soignés pour faire disparaître de leur aspect physique leurs caractéristiques animales et faire d'eux des hommes.

«Tel est le projet de l'entité sur la Terre,» disait Cayce, «pour être un exemple vivant de ce qu'Il nous a donné : «Laissez venir à Moi les faibles et les miséreux ; prenez Ma croix sur vous et vous apprendrez à Me connaître.» Tels sont les objectifs sur la Terre, que tu vas faire valoir de manière éclatante — sinon ce sera un autre misérable échec, comme tu l'as fait dans l'Atlantide, et comme nombre d'autres âmes le font encore maintenant»

L'Armageddon final, prédit Cayce, ne se jouera pas sur la Terre. Cela se passera entre les âmes qui quittent la Terre et celles qui tentent d'y revenir — les âmes qui s'en retournent vers le Dieu qu'elles avaient autrefois abandonné, et les âmes perdues qui espèrent Le rejeter pour l'éternité en se raccrochant, à tout prix, à cette planète perdue.

En termes de dogmatique orthodoxe, il s'agira d'une guerre entre les morts, non d'une guerre entre les vivants.

Mais Edgar Cayce ne fait pas davantage de différence entre les morts et les vivants qu'il ne fait entre la chenille, le cocon et le papillon. Ainsi, les âmes qui se retrouveront impliquées dans l'Armageddon final seront les mêmes âmes que celles qui étaient au Commencement. Rien n'aura changé, excepté le niveau de conscience qu'elles occuperont. Elles n'auront fait que se transposer du domaine fini de la matière dans le plan éternel de leur origine.

Chapitre 9

Edgar Cayce : ce que
je crois.

En 1941, Edgar Cayce eut l'occasion de faire une étude
pour deux membres de l'Association pour la Recherche
et l'Éclaircissement, dans laquelle il leur recommanda de
résoudre leurs propres différences karmiques au niveau
du travail qu'ils effectuaient pour l'Association. Suite à
cela, ils avaient sagement enterré la hache de guerre et
travaillaient côte à côte de manière si harmonieuse que
l'écrivain Thomas Sugrue fut à même d'assembler tous
les documents biographiques concernant Edgar — pour
son livre « There is a River » — à partir du matériau que
tous deux avaient patiemment collecté dans les études.

L'étude les concernant avait expliqué que les deux
membres de l'Association s'étaient mutuellement pardonnés, « car chacun avait appris à bien se reconnaître.
Rappelle-toi de l'avertissement qu'il a donné : 'Lorsque

tu es converti, emploie-toi à fortifier autrui!' Ne perds jamais de vue que Lui, le Maître, Jésus, marchera avec toi — pour autant que tu désires marcher avec lui. »

Dans un passé éloigné, les deux membres de l'ARE avaient été l'ennemi l'un de l'autre dans plus d'une vie — non pas tant à cause du conflit de leurs idéaux, mais bien parce qu'ils servaient le même idéal de façon différente. Plutôt que de se haïr l'un l'autre, ils étaient jaloux de leur gloire et de leurs succès réciproques. Le conflit entre leurs egos avait pris le pas sur leur dévouement pour leurs semblables et avait ainsi retardé leur progrès spirituel au cours des siècles.

C'est dans cette même étude qu'Edgar Cayce fit part de son immense préoccupation pour les âmes ignorantes, dans la période qui suivait immédiatement la mort physique. Si une âme avait vécu sans prendre conscience du flot interrompu de la vie qui va d'un niveau de conscience à un autre, elle pouvait «passer au travers des différentes étapes de sa vie sans en comprendre le sens, jusqu'à ce que la chance pour elle de comprendre soit passée»

Il dit l'espoir qu'il avait de voir l'ARE réussir à faire ressortir la vérité «lors de chaque phase de l'expérience d'un individu pendant sa vie terrestre — grâce à des livres, des brochures, des conférences, des discussions — de manière à ce que la connaissance, et la sagesse qui allait de pair, soit accessible à tous ceux qui avaient choisi de chercher à l'atteindre. »

La confiance totale qu'il faisait au pouvoir du Christ de préserver et d'éclairer l'âme humaine est sousjacente à chacune de ses pensées. En 1932, alors qu'on lui demandait quelle était la raison principale pour ne pas croire à la réincarnation, il répondit : «Une loi de cause à effet devrait exister ici pour les choses matérielles. Pourtant, l'argument principal contre la réincarnation est également l'argument principal en sa faveur, comme c'est la cas pour tout principe réduit à son essence. Car la loi est établie, les choses se passent en fonction d'elle — même si une âme ne veut jamais se réincarner et préfère souffrir, souffrir et encore souffrir — car le paradis comme l'enfer ont été construits par l'âme elle-même.

« Mais une âme doit-elle crucifier sa chair, comme Lui l'a fait, au moment de découvrir qu'elle doit mériter son salut dans le monde matériel par ses propres efforts, en y revenant sans cesse jusqu'à ce qu'elle parvienne au niveau de conscience qui ferait d'elle le compagnon du Créateur?... « Mieux vaut recourir à la loi du pardon tout au long de ton expérience, grâce au Fils qui se mettra à ta place ».

Lorsqu'il était conscient, Cayce n'a jamais prétendu être un homme de lettres ; ce qu'il a écrit dénote cependant une étonnante lucidité et sa pensée n'a jamais été obscurcie par une quelconque prétention. Nous en voulons pour preuve cette conférence qu'il a donnée pour l'ARE en 1933, au cours de laquelle il expliqua sa propre attitude vis-à-vis de ses pouvoirs parapsychologiques en des termes qu'il serait difficile d'améliorer.

« Quelle validité accorder aux informations qui me parviennent lorsque je suis hypnotisé? C'est une question, naturellement, que chacun est en droit de se poser. Personnellement, je pense que cette validité dépend largement de la foi et de la confiance de celui qui fait appel à pareille source d'information.

« De cette source d'information, et bien que je fasse ce travail depuis 31 ans, je ne sais en fait pas grand chose. Quoi que je puisse dire, cela sera largement une question de conjecture. Je ne peux en aucun cas affirmer que je possède une vaste connaissance, car souvent je ne fais que tâtonner.

« Mais alors, n'apprenons-nous pas beaucoup par expérience? Nous n'aurons la foi et ne parviendrons à comprendre qu'en faisant un pas à la fois. La plupart

154

d'entre nous n'ont pas la révélation de la religion comme cela, d'un seul coup, comme cela était arrivé à un homme qui se trouvait à mi-chemin entre le fond et la margelle d'un puits et qui fut soufflé par l'explosion d'une charge de dynamite! Généralement, pour ce qui nous concerne, nous devons parvenir à nos conclusions en accordant toute évidence avec nos aspirations les plus profondes.

«En fait, il me semble qu'il n'y a pas une, mais plusieurs sources d'information auxquelles je puise lorsque je me trouve dans ce sommeil hypnotique.

«L'une de ces sources, apparemment, est la mémoire dont dispose un individu de toutes les expériences qu'il a vécues au cours de ce que nous appelons le temps. La somme globale des expériences de cette âme se trouve inscrite, si l'on ose dire, dans le subconscient de cet individu aussi bien que dans ce que nous appelons les souvenirs akashiques. N'importe qui peut avoir accès à ces souvenirs, pour autant qu'il soit capable de se mettre sur la bonne longueur d'ondes. Apparemment, il semble que je sois l'un des rares individus qui puisse s'approcher suffisamment d'une personnalité pour permettre à son âme de se «brancher» sur cette source universelle de connaissance. Je dis cela, cependant, de manière un peu arrogante; en fait, je ne prétends pas posséder un pouvoir que n'importe qui d'autre ne posséderait pas. Je crois sincèrement qu'il n'y a aucune personne, nulle part, qui ne dispose pas de cette capacité. Je suis certain que tous les êtres humains disposent de pouvoirs largement plus étendus que ceux dont ils croient disposer — pour autant autant qu'ils soient prêts à payer le prix, à se détourner de leurs intérêts égoïstes; c'est la principale condition qui est requise pour pouvoir développer ce genre de pouvoirs, Désiriez-vous, ne serait-ce qu'une fois par année, mettre de côté votre propre personnalité, vous situer complètement en dehors d'elle?

«De nombreuses pesonnes m'ont demandé comment je parvenais à prévenir des influences néfastes d'entraver mon travail. Pour répondre à cette question, laissez-moi vous conter une expérience que j'ai vécue lorsque j'étais encore un enfant. Lorsque j'avais entre 11 et 12 ans, j'avais déjà lu la Bible trois fois. Maintenant, je l'ai lue cinquante-six fois. Il n'y a aucun doute que d'autres personnes l'ont lue encore plus souvent que moi. Mais j'ai essayé de la lire une fois au moins dans chaque année de ma vie.

«Quand j'étais enfant, je priais pour pouvoir par la suite faire quelque chose pour mon prochain, pour les aider à se comprendre eux-mêmes et surtout pour venir au secours des enfants malades. Un jour, j'ai eu une vision qui m'a convaincu que mes prières avaient été entendues et que mes vœux seraient exaucés.

«Alors j'espère que mes prières continueront d'être entendues. Et, chaque fois que je suis en état d'hypnose, je le fais avec foi. Je crois aussi que la source d'information vient de l'Univers, pour autant que la connection ne soit pas faite dans le but de faire vaciller les désirs et les aspirations de la personne qui demande l'étude.

«Maintenant, certaines personnes pensent que les informations me parviennent par une personnalité disparue qui désire communiquer avec une autre : une sorte d'esprit bienveillant ou de guide venu de «l'autre côté» Parfois, cela peut se révéler vrai, mais, en général, je ne suis pas cette sorte de «médium» dans le sens où l'on entend ce mot. Toutefois, si une personne vient me voir pour une étude et me demande ce genre de contact ou d'information, je pense qu'elle le recevra.

«Par exemple, si le désir de cette personne est très intense d'entrer en communication avec son grand-père, avec un oncle ou avec quelque grande âme, alors les contacts seront établis dans ce sens et ce sont eux qui deviendront la source.

«Mais n'allez surtout pas croire que je jette le discrédit sur ceux qui se dirigent dans cette direction. Si vous voulez entendre ce qu'a à dire votre vieil oncle Joe, vous pourrez le savoir. Si vous avez l'intention de dépendre d'une source universelle, vous pourrez également l'entendre.

«Vous recevrez ce que vous demandez : c'est comme une épée à deux tranchants ; elle coupe des deux côtés.»

Deux ans plus tôt, Edgar Cayce avait dit au public de l'ARE auquel il s'adressait : «Maintenant, qui sera le juge pour décider de quelle manière doit être conduite la recherche dans le domaine des mystères de la vie? Avec les connaissances dont nous disposons, il ne nous est possible de juger qu'en fonction des résultats de cette recherche, en fonction de ce que les gens obtiennent lorsqu'ils sondent ces mystères de la vie.

«Constamment, des gens qui viennent de faire ma connaissance me demandent : «Êtes-vous un spiritualiste? Comment vous êtes-vous intéressé aux phénomènes psychiques et parapsychologiques? Ou êtes-vous un médium? Qu'êtes-vous au juste?

Mon plus vif désir a toujours été de pouvoir leur répondre en fonction de la foi qui m'habite. Il me semble que, si l'on est incapale de répondre selon la foi qui nous fait vivre, on n'est pas en règle avec soi-même. Car c'est la foi qui nous fait vivre, jour après jour. Si nous ne savons pas ce que nous croyons, ni pourquoi nous y croyons, nous nous éloignons alors terriblement de ce que la Source de Vie voulait faire de nous.

«Qu'est-ce que la vie? Que recèle le phénomène de notre propre vie? Où et comment ces différents phénomènes se manifestent-ils?

«Nous disposons d'un corps physique; nous disposons d'un corps mental; nous disposons d'un corps spirituel, en d'autres mots d'une âme. Chacune de ces trois

157

parties de notre être possède ses propres attributs. Exactement comme le corps physique a ses subdivisions — toutes dépendantes les unes des autres, et certaines encore plus que d'autres — l'esprit bénéficie de sa propre source d'activité qui se manifeste de diverses manières au travers du corps de l'individu.

« L'âme aussi dispose de ses propres attributs, tous capables de réaliser des gains, de rester stationnaires ou de se manifester parmi les hommes. La force psychique est l'une des manifestations de l'esprit de l'âme.

« Mais revenons à l'histoire sacrée. Savez-vous où furent consignées les premières lignes jamais écrites au sujet des phénomènes parapsychologiques? Où furent écrits les premiers mots expliquant ce qu'était un phénomène parapsychologique — la division entre ce qui est réel et ce qui ne l'est pas?

« Cela remonte à l'époque où Moïse fut envoyé en Égypte pour délivrer le peuple des élus; on lui dit de prendre avec lui le bâton de pèlerin qu'il avait à la main et — avec Aaron, son frère — de se rendre devant le Pharaon. Par son intermédiaire, Dieu allait faire des miracles pour les gens. Moïse alla donc au devant du Pharaon, il laissa tomber son bâton sur le sol; celui-ci se transforma aussitôt en serpent. Les magiciens laissèrent aussi tomber leurs bâtons, qui se transformèrent également en serpents. Mais le bâton d'Aaron lui aussi métamorphosé en serpent, mangea tous les autres!

« Puis commencèrent alors ce que nous appelons les plaies de l'Égypte. Pour l'une, Aaron effleure de son bâton la surface de l'eau, qui se transforma aussitôt en sang. Les magiciens en firent de même avec leurs bâtons et, pour eux aussi, les eaux se transformèrent en sang. Vint ensuite la plaie des grenouilles, que les magiciens parvinrent également à imiter grâce à leurs enchantements. Puis vint la plaie des poux, au moment où le bâton frappa la poussière de la terre; cette plaie fut le premier exemple où du sang fut retiré de leur corps. Les magiciens tentèrent de faire la même chose, mais rien ne se passa. Ils s'en retournèrent vers le Pharaon et lui dirent : «C'est la main de Dieu qui est derrière ces miracles!» (Ex. 8:18, 19)

«À ce stade, il est possible de tracer une ligne de démarcation entre les enchantements et les miracles de Dieu. Lorsque nous savons, lorsque nous sommes convaincus et lorsque nous en voyons les résultats, que la main de Dieu est à l'origine de ce qui se passe, il nous est alors possible de savoir si le phénomène que nous voyons et dont nous faisons l'expérience est réellement d'origine divine ou non!

«Comment pourrait-il en être autrement? Nous disons que toute force, que tout pouvoir, provient d'une seule source. Soit, je suis d'accord avec cela! Mais s'il y a un abus, ou une mauvaise application de cette force de vie, le phénomène ne manque pas de se produire tout de même — même s'il est incontrôlé. Exactement comme nous voyons des gens parmi nous qui sont déficients mentaux ou handicapés physiques. Apparemment, de telles afflictions n'ont rien à voir avec les individus, (je dis bien : apparemment). Pourtant, les phénomènes de la vie s'enchaînent, toujours de la même façon. À un moment donné, on s'est écarté des desseins du Tout-Puissant; pourtant, le cours de la vie se poursuit normalement.

«Probablement n'y a-t-il pas de meilleure parabole que celle du bon grain et de l'ivraie qui poussent ensemble. L'ivraie ne pouvait pas être arrachée tout de suite, sous peine de détruire en même temps le bon grain. Mais le temps viendrait de toute manière où le grain serait amassé et engrangé et l'ivraie ramassée pour être brûlée.

«Si l'âme est en accord avec la source de vie, les phénomènes ne pourraient-ils alors pas être dérivés par le même que Celui qui conduisait Aaron, plutôt que par

159

les magiciens? Dans les plaies d'Égypte, les magiciens ont finalement échoué. Ainsi, si des phénomènes psychiques devaient provenir d'une autre source que la Source divine, ils finiraient eux aussi par échouer inmanquablement.

« Le Maître était en accord avec la Source unique du bien. Je pense que bien d'autres l'étaient aussi, à différentes époques, lorsqu'ils firent le sacrifice de leur vie, en accord avec Lui. Ainsi, il doit être possible pour chacun de nous d'être en accord avec la Source divine unique de toute information, si nous sommes prêts à en payer le prix.

« Plusieurs fois, je me suis présenté comme un « sacrifice vivant », quelle que fût la source qui essayât de se manifester au travers de moi. Dans ce sens, je pense que je peux être considéré comme un médium. Mais j'espère être, plutôt, un canal par lequel la grâce peut toucher d'autres personnes, au lieu d'un médium par lequel toutes sortes de forces pourraient se manifester. Car si cela vient de Dieu, cela doit être bien; ou, si c'est bien, cela doit venir de Dieu. Ce bien, j'en suis sûr, c'est le type de phénomène psychique qui se manifeste en moi. »

Cette déclaration est la manifestation d'une foi parfaite, rédigée dans une simplicité qui confine à la beauté. L'amour personnel et la confiance que Cayce met en le Christ sont encore plus sincères, si cela se peut, dans cette déclaration qu'il fit, pour le même groupe, en 1934 :

« Dans St-Jean, 14 :1-3, Jésus dit : « Ne laisse pas ton cœur se troubler ; tu crois en Dieu, crois aussi en Moi... Si je m'en vais pour te préparer une place, je reviendrai et je t'accueillerai ; car là où je suis, il y a aussi de la place pour toi. »

« Lorsque nous considérons l'histoire du monde telle que nous la connaissons aujourd'hui, combien de fois un grand prophète ou un grand dirigeant religieux s'est-il élevé? Platon a dit que la cadence de nos arrivées était d'environ mille ans. À en juger par l'histoire elle-même, le temps qu'il fallait attendre entre chaque chef religieux d'importance venu sur Terre varie entre 625 et 1200 ans.

«Vous ne manquerez alors pas de me demander : «Cela signifie-t-il que le Christ est venu aussi souvent?»

«Non, ce n'est pas ce que je dis. Je ne sais pas combien de fois il est venu. Cependant, si nous considérons quelques instants les passages suivants de l'Écriture, une idée intéressante peut être lancée : «Au commencement était le Verbe, et le Verbe était avec Dieu, et le Verbe était Dieu. Il était au commencement avec Dieu. Toutes choses ont été faites par lui et rien de ce qui a été fait n'a été fait sans lui... Le Verbe a été fait chair, il a habité parmi nous... Le Verbe était dans le monde, et le monde a été fait par Lui; mais le monde ne l'a pas connu.» (Jean 1 :1-14)

«Nombreux sont ceux qui nous disent que ce sont là choses spirituelles. Il n'appartient qu'à vous de répondre. Mais si le Verbe fut fait chair et a habité parmi nous, comment pouvons-nous être sûrs que ce ne sont pas choses matérielles, également?

«En s'adressant à ceux qui auraient dû être, et qui furent les juges d'Israël à cette époque, le Maître dit : «Abraham, votre père, a tressailli de joie à la pensée de voir mon jour; il l'a vu et il a été rempli de joie.» Puis les Juifs lui dirent : «Tu n'as pas encore cinquante ans et tu as vu Abraham!» Jésus leur dit : «En vérité, en vérité, je vous le dis : avant qu'Abraham fût, j'étais.» (Jean B :56-58

«Jésus dit-il cela dans un sens spirituel ou dans un sens littéral — ou les deux? Qu'en pensez-vous? Je n'en sais rien. Mais ce que l'on nous a dit, psychiquement, c'est cela : prenez le pour ce que cela vaut et tenez en compte dans votre propre expérience.

«Retournez maintenant au quatorzième chapitre de

161

la Genèse et lisez le paragraphe où un certain prêtre royal, Melchisédek, qui avait apporté du pain et du vin, paya son tribut à Abraham. «Ce Melchisédek, roi de Salem, était prêtre du Dieu très haut; il fit la rencontre d'Abraham, qui s'en revenait du massacre des Rois, et il le bénit... Sans père ni mère, sans descendant, ne connaissant ni le commencement des jours, ni la fin de la vie, il avait été fait à l'image du Fils de Dieu; tu demeureras prêtre toute ta vie.» (Hébreux, 7 :1-3)

«Était-il le Maître, ce Melchisédek? Je n'en sais rien. Lisez vous-mêmes. Peut-être ai-je tort de penser qu'il était le Maître, l'homme que nous avons connu plus tard comme Jésus.

«Considérez maintenant le livre de Josué. Qui allait guider Josué lorsqu'il devint le chef d'Israël? Qui apparut pour conduire Josué, après qu'il eut traversé le Jourdain? Le Bible dit que le Fils de l'Homme vint pour conduire les armées du Seigneur. Après cette expérience de Josué, qui fit donc la rencontre de l'homme de Dieu, tous les enfants d'Israël eurent peur de lui. (Josué 5 :13-15)

«Des références que nous venons de citer, il est possible de tirer quelques conclusions et de les compléter par quelques informations d'ordre psychique. L'Esprit du Christ s'est manifesté sur la Terre plusieurs fois avant l'arrivée de Jésus, à une période où il se manifestait sous les traits d'un Melchisédek, ou à d'autres moments où il fit sentir son influence spirituelle grâce à certains prophètes qui enseignaient l'adoration du Dieu Unique.

«D'autre part, en considérant les conditions qui ont rendu son apparition possible à différentes époques — ou, si vous préférez, la seule fois en tant que Jésus — on peut en déduire certains faits relatifs au retour du Messie.

«Comment se fait-il qu'il naquit en tant que Jésus de Nazareth? Il ne restait aucune trace d'une quelconque révélation à l'homme depuis plus de quatre cents ans. Les ténèbres et la dissipation dans lesquels vivait

162

l'homme avaient-ils fait revenir le Christ sur la Terre? S'il en avait été ainsi, ç'aurait été un renversement des lois de la nature. Les lois de Dieu ne sont réversibles à aucun moment et on ne les trouvera jamais ainsi déformées. Elles sont immuables et restent vraies dans quelque royaume terrestre que ce soit.

«Alors, quelles circonstances amenèrent-elles à l'arrivée de Jésus? L'existence d'un peuple composé de chercheurs sincères : un petit groupe de gens qui avaient décidé de réunir les conditions pour préparer sa venue. Qui étaient ces gens? Ils étaient les plus haïs de tous ceux dont il est fait mention dans l'histoire profane; on y fait à peine référence dans la Bible; ce sont les Essènes, ceux que tous détestaient, les plus misérables des Juifs...

«À cette époque, les Essènes consacraient leur vie à ménager un lieu de rencontre possible entre Dieu et les hommes, de façon à ce que Jésus-Christ puisse venir sur Terre. Il y eut ainsi une PRÉPARATION; si nous, nous voulons également préparer un lieu de rencontre — dans notre cœur, notre demeure, notre église, ou un groupe même — alors pour nous aussi le Christ reviendra, et Il viendra tel qu'Il est. Son esprit est toujours là. Il demeurera avec nous, toujours.

«Nous croyons tous qu'il est descendu aux Enfers. Nous l'avons lu dans la Bible et nous disons que cela est vrai. Mais en réalité, nous avons de la peine à y croire. Si c'était le cas, nous ne trouverions jamais une âme qui ait fauté en ce bas monde — jamais! Car si nous croyons qu'Il est descendu aux Enfers pour faire la leçon à ceux qui s'y trouvaient, comment pourrions-nous attribuer une faute quelconque à notre voisin parce qu'il a laissé ses poules venir dans notre jardin, ou parce qu'il ne croit pas aux mêmes choses que nous?

«Pour nous sauver, Il s'est fait homme. Combien de fois? À vous de répondre. Quand va-t-il revenir? Lorsque nous vivrons la vie qu'il a menée pour nous, les conditions seront alors réunies pour Lui, le Seigneur et le Messie pourront revenir.

« Je ne vais pas vous laisser sans secours ; je reviendrai, et je vous recevrai chez moi ; car là où je suis, vous serez aussi. »

Ainsi, comme on le voit, Edgar Cayce lorsqu'il était « conscient » se révélait être un pratiquant tolérant et sincère à la fois, avec des antécédents orthodoxes, qui ne ressentait nullement le besoin de forcer les autres à accepter ses propres convictions... comme il n'acceptait pas que d'autres lui en imposent. Néanmoins, il serait difficile de donner une explication valable de la réincarnation telle qu'il la considérait sans comprendre son insistance à considérer le Christ comme une Divinité qui se manifestait au travers d'une âme humaine hautement développée, nommée Jésus. De plus, cette Divinité avait dû se manifester à plusieurs reprises sur Terre avant que d'être capable de préparer un coprs humain suffisamment développé au niveau spirituel pour le soutenir dans son ultime tâche de rédemption.

Mais que le lecteur se rassure : il n'existe aucune étude dans laquelle Edgar Cayce soutienne que certaines sections de la Bible aient été rééditées avec une malice préméditée. Lorsqu'on lui demandait si tel pouvait être le cas, il ne manquait pas de répondre que l'esprit de la Bible était toujours intact et que la puissance du texte résidait dans sa force spirituelle, qu'elle n'était en aucune manière dépendante de son contexte littéral. En bref, elle représentait toujours l'assurance divine que Dieu n'allait jamais abandonner la race humaine.

D'autre part, lorsqu'il se trouvait en état second, Edgar Cayce ne démentit pas que certains passages de la Bible avaient perdu de leur clarté originale en raison de ses traductions successives de l'Hébreu en Grec, en Latin puis en Anglais. Un examen attentif des études de Cayce concernant la Palestine à l'époque du Christ laisse voir que les Essènes avaient joué un bien plus grand rôle dans la conservation des anciennes écritures que l'Église hébraïque officielle qui était en effet en train de traverser une période que le pape Pie XII devait qualifier d'« hérésie de l'action ».

Lorsque le Christ prêchait dans les synagogues, il n'introduisit rien de nouveau ou d'inhabituel dans ses sermons mais, de manière plus éloquente, il réactualisa ces anciens enseignements qui étaient tombés en complète désuétude, ou qui avaient été réinterprétés de manière à s'adapter aux exigences politiques de l'époque.

Il peut être intéressant de relever ici que les manuscrits de la Mer Morte, même dans la phase très prudente des balbutiements de leur déchiffrage, ont permis d'établir qu'une grande partie des enseignements du Christ se retrouvaient, sous la même forme, pour ne pas dire avec les mêmes mots, dans les écritures des Essènes, qui datent d'au moins une centaine d'années avant sa naissance.

Cela tend à prouver que le Christ était en parfait accord avec la doctrine des Essènes, bien que, du temps de son vivant, ils fussent en tel conflit avec les Juifs orthodoxes qu'aucune référence à eux ne fut faite dans les Écritures hébraïques.

Malheureusement, cette secte devait compter avec sa part de rebelles et de têtes brûlées qui estimaient que la fin justifiait les moyens, même si cela devait se traduire dans les faits par l'attaque des caravanes des Saducéens et des Pharisiens. Ce groupe de gens se trouvait de toute évidence en opposition avec les exhortations du Christ à rérister à toute forme de violence et même les deux ou trois Essènes qui figuraient au nombre de ses disciples se laissèrent parfois aller au point de provoquer des incidents qui n'eurent d'autre conséquence que d'aggraver encore l'antagonisme qui L'opposait à ses ennemis et à ses détracteurs.

À cette époque, Jérusalem était occupée par les Romains exactement comme la Frane fut occupée il y a quelques décennies par les Nazis — mais les Essènes faisaient partie d'une secte qui avait vécu depuis si longtemps dans la clandestinité qu'ils ne furent quasiment pas affectés par la persécution des Romains, qui venait s'ajouter à celle des sanhédrins. Néanmoins, la secte fut presque anéantie par l'armée romaine, qui agissait à l'instigation des sanhédrins, les mêmes que ceux qui furent à l'origine de la crucifixion du Christ.

Pour certains, les manuscrits de la Mer Morte tendent à établir que les croyances des Essènes étaient fermement ancrées dans les principes de la réincarnation.

De plus, ce fut la seule secte qui prédit avec exactitude l'arrivée du Christ. De même que les livres de l'Apocryphe et de la Révélation étaient teintés d'un symbolisme obscur de manière à préserver la vérité qu'ils contenaient, de même la prophétie des Essènes est écrite au temps présent au lieu du futur et il y est fait référence au Christ comme à l'Homme du Bien, au Messie, au Fils de la Lumière ; jamais il n'y est appelé par son vrai nom ; quant aux sanhédrins, ils sont appelés les prêtres pervers. Autrement, sous tous leurs autres aspects, les manuscrits sont l'exacte prédiction des événements qui allaient se passer au siècle suivant.

Cayce affirme catégoriquement que les Essènes, étant la seule secte à être préparée pour l'arrivée du Christ sur Terre, ne se contentèrent de l'assister au moment de sa naissance dans la crèche ou lors de la fuite en Égypte, mais qu'ils enseignèrent également à Jésus alors qu'il était encore un enfant. Cayce reconnut plusieurs de ces enseignements dans le présent :

« Alors, l'entité fut élevée selon les principes de l'école de pensée qui tenta de reconstituer la première secte fondée par Élie sur le Mont Carmel…

« À cause des divisions qui avaient donné naissance

aux sectes des Pharisiens, des Saducéens et d'autres encore, les Essènes firent également leur apparition, qui n'appréciaient pas seulement les traditions transmises de bouche à oreille, mais qui avaient aussi conservé le souvenir de toutes sortes d'expériences supranaturelles — que ce soit des rêves, des visions ou des voix — qu'ils avaient vécues au cours de leur existence...

« Cela se rapproche cependant de ce que l'on appellerait aujourd'hui des prévisions astrologiques, de même que les allusions se rattachant à la venue du Messie. Cela constitua également une partie de ce qu'annonça Élie sur le Mont Carmel, Élie qui fut aussi le précurseur, le cousin et Jean le Baptiste...

« Ainsi, le groupe que nous considérons comme les Essènes fut la résultante des enseignements de Melchisédek, propagés par Élie, Élisée et Samuel. Cette secte n'était pas d'origine égyptienne, bien que les Égyptiens l'assimilèrent à un moment donné à leur propre civilisation. Ils considérèrent bien de la même manière les Juifs et d'autres tribus païennes... de manière à se trouver parmi ceux qui allaient être en mesure d'accueillir Celui qui était d'origine divine...

« Les Essènes prirent une part importante de l'éducation du jeune Jésus, de même que de celle de Jean. Car Jean était davantage que Jésus un Essène. Car Jésus s'en tenait davantage à l'esprit de la loi et Jean à sa lettre » Grâce aux références détaillées et exhaustives qui figurent dans les études de Cayce à propos de Jésus, on ne manque pas d'être frappé par la véracité de ces textes. Edgar Cayce se réfère constamment à lui comme à une force vivante, immédiate, qui n'est jamais plus éloignée de l'homme que son propre coude...

Le Christ, un messager; Jésus, un homme

Si, comme le pense Cayce, le Christ s'est manifesté dans le corps de Jésus pour parfaire le développement de son âme sur Terre, cela nous donnerait la preuve de la véracité des affirmations qu'il faisait à ses disciples; il leur disait en effet qu'ils étaient capables de faire toutes choses que Lui avait faites. Mais c'était évidemment impossible s'ils restaient spirituellement aussi imparfaits qu'ils l'étaient à cette époque. Cela présupposait qu'ils allaient revenir plusieurs fois sur Terre avant d'atteindre le stade d'illumination auquel Il était parvenu.

Si ce n''était pas le cas, nous serions amenés à croire que le Christ demandait à Ses disciples un exercice de foi quasiment surhumain. Il leur faisait don d'une sorte de quitte-ou-double, d'une seule chance de salut... Les portes du paradis ne s'ouvriraient que si nous ne péchions plus. Est-il possible de concevoir qu'Il eût pu être aussi perfectionniste et irréaliste? Tous ses autres enseignements sont au contraire empreints de réalisme et de sens pratique.

Cayce trouva bien plus conforme qu'Il définisse la rédemption possible de l'âme comme un long et pénible sentier, plutôt que comme une «apothéose instantanée». Dans ce contexte, la réincarnation apprend à celui qui doute à ne pas désespérer en regardant ses frères plus habiles qui semblent le prendre de vitesse. Elle lui enseigne que sa libre volonté peut servir ses propres intérêts aussi facilement quelle peut aller à leur encontre. On lui montre le chemin — après cela, c'est à lui de décider. Il doit se lever tout seul et marcher; il ne sert à rien de transporter son corps dans une espèce de pseudo-paradis, où il ne pourrait que rencontrer un rédempteur par trop mortel.

On lui apprend aussi que si un innocent prend une «juste» revanche sur un ennemi puissant qui lui avait fait souffrir toutes les injustices, il va lui-même s'enchaîner à cet ennemi, sans aucun profit pour lui; tous deux, ils se retrouveront pour poursuivre leur lutte néfaste et lugubre, jusqu'à ce qu'ils fassent preuve de suffisamment de bon sens pour enterrer les motifs de leur conflit et en rester quittes. L'âme la plus avancée des deux est contrainte de retarder sa propre progression spirituelle, car elle s'est elle-même liée à un tel point à l'autre qu'elle est obligée de suivre le rythme plus lent de l'âme qu'elle a blessée.

Si, par contre, celui qui a été la victime est capable de «tendre l'autre joue» plutôt que de tenter de prendre une revanche futile, il se libère de tout engagement ultérieur vis-à-vis de son ennemi. Le poids du fardeau se retrouve alors entièrement sur les épaules de son ennemi, qui doit s'en retourner seul, le moment venu, pour réparer les dommages qu'il a laissés dans son sillage.

Qui n'a jamais péché?

Pourquoi le Christ n'a-t-il fait aucune distinction sociale entre les Pharisiens et les prostituées, entre les publicains et les disciples sérieux? Certainement parce que leur parure était temporaire et éphémère, et parce qu'Il était finalement le seul concerné par le bien-être ultime de l'âme qui se trouvait à l'intérieur, qui se battait tout au long de son pénible exil.

Que dit-il d'autre, le Christ, lorsqu'il nous ordonne d'aimer notre prochain, si ce n'est : «Ne soyez pas idiot au point de le haïr et de vous encombrer du poids mort d'un autre ennemi!»

Le Christ n'a jamais été plus tolérant et indulgent qu'avec la femme adultère. Là, réellement, il mit en pratique la loi de l'amour d'une manière que bien peu d'églises, se réclamant de son nom, s'empressent d'appliquer. Et pourtant, tout ce qu'il dit se résumait à cela : «Comme

169

tu jugeras, tu seras jugé de la même façon!» Il avertissait ainsi les bourreaux de la femme qu'ils couraient le risque, dans leurs vies ultérieures, de se voir pris en flagrant délit, ne serait-ce que pour leur apprendre à fuir la persécution et l'hypocrisie, les deux pires cancers de l'âme.

La parabole de l'enfant prodigue replace Dieu dans la perspective de l'Ancien Testament, au moment où les tribus nomades éparpillées dans le désert prenaient ombrage de la vengeance de Jéhovah pour empêcher leurs guerriers en mal de violence d'exterminer les membres de leur propre tribu.

Ainsi donc, la parabole de l'enfant prodigue prend toute la valeur de sa dimension universelle au moment où Dieu devient le Père qui pardonne et où le Fils devient l'âme errante sur la Terre, effrayée à l'idée de retourner auprès de son père.

Le décret chaldéen, de 451 qui sépare le Christ en deux natures distinctes, humaine et divine, se trouve confirmé par la réponse d'Edgar Cayce à la même question :

«Le Christ n'est pas un homme! Jésus était un homme! Le Christ était un messager!... Le Christ est de tous les âges, Jésus d'un seulement!»

À moins qu'Il ne se préparât à retourner auprès de ses disciples dans un corps ressemblant à la forme purifiée qu'ils prendraient eux-mêmes un jour, au moment de retourner auprès de leur Père, pourquoi le Christ, sur la croix, se serait-il retiré de sa forme mortelle assez longtemps pour que Jésus L'interpelle avec effarement : «Élie, Élie, pourquoi m'as-tu abandonné?» C'est parfaitement contraire à tous les enseignements du Christ que d'avoir laissé planer de pareils doutes à la onzième heure et d'avoir interpellé Dieu de cette façon. Cela n'aurait eu aucune autre conséquence que de troubler et de démoraliser ceux de ses disciples qui, jusqu'à cet instant, avaient une foi absolue en lui.

Certainement que l'intention logique du Christ en se soumettant à la crucifixion était non seulement de montrer à ses disciples avec quelle facilité il était possible de se libérer des liens de la chair, mais également de faire prendre conscience de la futilité du corps aussitôt que celui-ci n'est plus la maison de l'âme.

C'est dans ce sens qu'Edgar Cayce jette les bases d'une théorie que l'on ne retrouve nulle part ailleurs dans les controverses dogmatiques, et qui semble pourtant la plus logique de toutes.

(Il convient de préciser ici que Cayce fait référence au corps vivant comme étant le corps matérel et au corps après la mort comme étant le corps physique.)

«Exactement comme une entité, se trouvant dans l'un des divers royaumes composant le système solaire, se pare, non d'une forme terrestre, mais d'un modèle se conformant aux éléments particuliers de cette planète ou de son espace, le Prince de la Paix est venu sur Terre sous une forme humaine pour parachever son propre développement. Il résista à la chair et à toutes les tentations. Il devint ainsi le premier à vaincre la mort du corps, ce qui Lui permit justement de le revivifier et de le faire se relever, malgré que tout son sang se soit écoulé par les trous dans ses mains et ses pieds, ainsi que par la blessure de son flanc...»

Cayce affirmait que le Christ avait déjà commencé à assumer sa propre forme immortelle lorsque Marie-Madeleine le vit accompagné de deux anges : «Comme il le dit à Madeleine : 'Ne me touche pas, car je ne suis pas encore monté jusque chez mon Père'... L'œil matériel de Marie-Madeleine voyait son corps de telle façon qu'elle ne pouvait le toucher avant qu'il n'y ait eu une union consciente avec la Source de tous les pouvoirs...'»

Cayce procéda ensuite à l'analyse des versets dix-neuf à vingt-neuf du vingtième chapitre de St-Jean :

«Comme cela est indiqué dans la manière dont le

corps physique (le corps de l'esprit) est entré dans la chambre supérieure alors que toutes les portes étaient closes, sans faire partie du bois au travers duquel le corps passa, mais en se formant à partir des vagues d'éther qui se trouvaient à l'intérieur de la pièce, il se retrouva en leur présence... 'Mes enfants, avez-vous quelque chose à manger ici?' Il indiqua ainsi aux disciples présents que ce n'était pas une transmutation, mais bien la régénération des atomes et des cellules de son corps... »

Il peut sembler étonnant au premier coup d'œil que l'on accorde tant d'importance à ce concept du Christ, qui ne semble jouer qu'un rôle minime dans l'attitude des églises occidentales vis-à-vis de la réincarnation. Mais c'est à ce propos que se déchaînèrent les controverses plus vives au début de l'ère chrétienne et l'une de ses conséquences les plus importantes fut le rejet de la notion de réincarnation par la foi occidentale.

Avant que de commencer à retracer cette évolution depuis sa source jusqu'à ses effets sur l'orthodoxie actuelle — qui servit à son tour à augmenter la charge qui pesait sur les épaules de Cayce — comparons l'interprétation qu'a faite des mêmes passages de la Bible, les fameux ministres de l'Église anglaise, Leslie D. Weatherhead, de Londres :

«Tous ceux qui se sont penchés sur l'étude du phénomène de la résurrection m'ont toujours semblé ne pas accorder suffisamment d'importance aux détails minutieux du suaire dont il est fait mention dans les quatres évangiles. Cette narration — à l'opposé d'autres parties des évangiles — me semble être basée sur le témoigne d'un témoin occulaire.

«Il est clairement établi que le suaire, qui recouvrait le corps jusqu'aux aisselles, a glissé de côté, comme si le corps s'était évaporé. On nous dit que la couronne d'épines qui ceignait sa tête se trouvait sur le bord de la tombe, aussi comme si la tête s'était évaporée. Si l'on consulte maintenant le vingtième chapitre du quatrième évangile pour en lire les vingt premiers versets, on se rend compte que c'est la manière dont le suaire était placé qui convainquit Pierre et Jean que le Christ avait disposé de son corps physique d'une façon qu'ils ne parvenaient pas à comprendre, mais qui suggérait un phénomène d'«évaporation» ou d'«évanescence».»

La différence pourrait sembler énorme entre l'interprétation et le témoignage d'un clairvoyant et ceux d'un des piliers du méthodisme anglican orthodoxe; cependant, presque nulle part ailleurs la philosophie religieuse d'Edgar Cayce ne se trouve mieux corroborée que par la prose claire et nette du Dr Weatherhead.

Le christianisme de Constantin

Dans son ouvrage «Psychologie, religion et guérison» paru chez Abingdon Press («Psychology, Religion and Healing»), le Dr Weatherhead fait la constation suivante : «La conversion au christianisme de l'empereur romain Constantin, en 325 après Jésus-Christ, fut loin de servir la cause du Christ. Il peut bien avoir vu une croix dans le ciel, autour de laquelle s'étaient inscrits les mots 'In hoc signo vinces' ('ce signe te fera vaincre'), il contribua à établir un christianisme qui se passa fort bien de cette croix et qui aurait tout aussi bien pu utiliser un matelas comme symbole.

«Le Nom au-dessus de chaque nom s'est inscrit une fois sur les fronts pâles des jeunes chevaliers du Christ qui étaient morts pour Lui au premier siècle de notre ère, ou qui s'en étaient allés annoncer la bonne nouvelle de l'évangile au monde moqueur et indifférent. C'en était terminé pour l'instant. Mais la «conversion» de Constantin fut un désastre...

«Le christianisme devint, en fait, une façade de

bonne conscience sans aucun pouvoir ni beauté. Tous les sujets de la cour étaient chrétiens. Les sycophantes qui passaient leurs journées à ricaner, vautrés dans la luxure de la cour romaine, les parasites doucereux et rusés qui vivaient de son énergie et de sa puissance, furent tous « convertis » en une nuit...

« Le paganisme gardait toute sa force, mais dorénavant, on allait l'appeler christianisme. La religion du Christ ne s'en est jamais remise, excepté pour de brèves périodes de rémission, et, sans l'existence de quelques saints, elle n'aurait certainement pas survécu. »

Voltaire.

Si nous nous tournons maintenant vers le génial Voltaire (1694 - 1778), l'un des plus grands penseurs de l'histoire aussi bien qu'un des pères fondateurs de la démocratie, on remarque que les quelques extraits de son « Dictionnaire philosophique » que nous reproduisons ci-dessous anticipaient les arguments du Dr Weatherhead avec une acuité admirable.

« À la fin du premier siècle, il existait déjà quelque trente évangiles, chacun appartenant à une société différente et une trentaine de sectes chrétiennes avaient vu le jour en Asie Mineure, en Syrie, à Alexandrie et même à Rome » ; c'est ce qu'affirmait Voltaire. « Deux ou trois historiens, des mercenaires ou des fanatiques, enfermèrent Constantin le barbare et l'efféminé et considérèrent le sage et juste empereur Julien comme un mécréant. Par la suite, les chroniqueurs ne firent que les recopier et perpétuèrent à la fois leurs calomnies et leurs flatteries. Finalement, après 1400 ans, on entreprit une critique fondamentale de cette interprétation, des hommes plus éclairés révisèrent le jugement des ignorants.

« Constantin fut considéré comme un opportuniste

174

qui se moqua de Dieu et des hommes. Voici comment il raisonnait : 'Le baptême purifie tout. De cette façon, je peux tuer ma femme, mon fils et tous mes parents. Après cela, je n'ai qu'à me faire baptiser pour gagner ma place au paradis.' Et il agit en fonction de ces principes. Mais Constantin était chrétien et il fut canonisé… »

Le concile de Nice (325 après Jésus-Christ)

Un courant de pensée affirme que la réincarnation a été condamnée lors du concile de Nice ; si c'est le cas, l'analyse de Voltaire mérite d'être mentionnée :

« Alexandre, évêque d'Alexandrie, considérait que Dieu était nécessairement individuel et indivisible — qu'il était une monade (une unité simple) dans le sens le plus strict du terme et que cette monade était triple (trois en une). La monade d'Alexandre scandalisa le prêtre Arius, qui ne manqua pas de dénoncer cette théorie. Alexandre convoqua alors rapidement ses sympathisants à un concile extraordinaire et fit excommunier le prêtre…

« L'empereur Constantin fut assez misérable pour déléguer le vénérable évêque Osius avec des lettres de conciliation pour les deux factions opposées ; alors qu'Osius fut accueilli avec une méfiance justifiée, le concile de Nice fut covoqué.

« La question à étudier était la suivante : Jésus est-il le Verbe ? S'Il est le Verbe, émanait-Il de Dieu ? S'Il émanait de Dieu, était-Il comme Lui éternel et cosubstantiel avec Lui ? Ou était-Il de la même substance que Lui ? A-t-Il été créé ou engendré ? Et comment cela se fait-il que, s'Il est exactement de la même nature et de la même essence que le Père et le Fils, il ne puisse faire les mêmes choses que ces deux êtres qui sont lui-même ?

« Je ne puis comprendre cela. Personne ne l'a jamais

compris, Et c'est pour cette raison que tant de gens ont été massacrés. »

«Le concile de Nice décida finalement que le Fils était aussi âgé que le Père et cosubstantiel avec le Père... et la guerre fit rage dans tout l'Empire romain. Cette guerre civile en engendra d'autres et, au travers des siècles jusqu'à nos jours, les persécutions se sont poursuivies...

«Pourtant Jésus n'enseigna aucun dogme métaphysique. Il n'écrivit aucun traité de théologie. Jamais il ne dit : 'Je suis cosubstantiel; j'ai deux volontés et deux natures pour une seule personne.' Aux Cordeliers et aux Jacobins, qui devaient apparaître 1200 après Lui, Il laissa la tâche délicate et ardue de décider si Sa mère avait été conçue dans le péché originel.

«Les sociniens, ou unitairiens, appellent cette acceptation de la doctrine du péché originel, le péché originel de la chrétienté. C'est un outrage envers Dieu, affirment-ils...

«Les sociniens accordent beaucoup d'importance à la foi des premiers «hérétiques» qui moururent à cause des évangiles apocryphes et refusent pour cela de considérer les quatre évangiles comme quelque chose d'autre que des œuvres clandestines.

«Pour oser dire qu'Il créa les générations successives de l'humanité uniquement pour les assujettir à une punition éternelle, sous le seul prétexte que le premier de leurs ancêtres avait mangé une pomme, cela reviendrait à L'accuser de la barbarie la plus absurde.

«Cette accusation sacrilège est encore plus inexcusable de la part des chrétiens, dans la mesure où il n'est fait mention du péché originel ni dans le pentateuque, ni dans les évangiles, ni même dans aucun des écrits de ceux que l'on a appelés les Premiers Pères de l'Église.

«Soit les âmes ont été créées éternelles (avec la conséquence qu'elles sont infiniment plus vieilles que le péché d'Adam et n'ont donc aucune relation avec lui), soit qu'elles ont été formées au moment de la conception. Auquel cas Dieu doit créer, dans chaque cas, un nouvel esprit qu'Il doit ensuite rendre éternellement misérable, ou Dieu est Lui-même l'âme de l'humanité, avec la conséquence qu'Il est damné avec Son propre système... »

Finalement, Voltaire touche au cœur du problème : « Aucun des Premiers Pères de l'Église n'a fait mention d'un seul passage des quatre évangiles tels que nous les acceptons aujourd'hui.

« Non seulement, ils manquèrent de citer les quatre évangiles, mais ils adhérèrent à certains passages que l'on ne retrouve maintenant que dans les évangiles apocryphes, rejetés par le droit canon.

« Puisque de nombreux évangiles erronnés furent tout d'abord considérés comme véridiques, ceux qui sont aujourd'hui à la base de notre propre foi peuvent tout aussi bien avoir été falsifiés. »

Origène.

Cela nous mène logiquement aux enseignements d'Origène (185 - 254 après Jésus-Christ), autour desquels toute la controverse allait maintenant se centrer.

Les enseignements d'Origène furent d'une importance capitale pour la préservation des évangiles originaux. À ce sujet, il fut aussi prolifique que Voltaire mais, à en croire l'Encyclopedia Britannica, une dizaine de livres de « Stromata », son œuvre la plus provoquante, auraient disparu sans laisser de trace. Cela a une signification extrêmement importante, dans la mesure où Origène s'y attachait à faire la corrélation entre les enseignements bien établis du christianisme et les dogmes « chrétiens » de Platon, d'Aristote, de Numénius et de Corru-

177

tus. Il consacra sa vie entière à la préservation des évangiles originaux.

« Ce n'était pas tant la relation entre la foi et la connaissance qui offensait, mais plutôt des propositions isolées telles que sa doctrine de la préexistence des âmes... Origène fut capable d'expliquer la méchanceté de tous les hommes en recourant à l'hypothèse théologique de la préexistence de chaque âme et de sa déchéance antérieure à l'existence du monde. »

Origène affirme dans « Contra Celsum » : « N'est-il pas plus conforme à la raison de penser que chaque âme, pour quelque motif mystérieux, (je parle maintenant en fonction de l'avis de Pythagore et de Platon, ainsi que d'Empédocles que Celsius cite souvent) est introduite dans un corps en fonction de ses mérites et de ses actes antérieurs? N'est-il pas rationnel de penser que les âmes qui ont usé de leur corps pour faire le plus de bien possible ont par la suite droit à des corps bénéficiant de qualités supérieures à celles d'autres?

« L'âme, dont la nature est immatérielle et invisible, n'existe en aucun lieu matériel sans disposer d'un corps adapté à la nature de cet endroit. De la même manière, elle se débarrasse d'un corps à la fois — un corps qui lui était nécessaire auparavant, mais qui ne correspond plus à rien lorsqu'elle change d'état — et l'échange pour un deuxième, plus approprié. »

Et, dans son « De principiis » : « Chaque âme vient dans ce monde renforcée par les victoires ou affaiblie par les défaites de ses vies précédentes. Sa place dans ce monde, celle de quelqu'un qu'on honorera ou qu'on méprisera, est déterminée par ses mérites et ses démérites antérieurs. Son action dans ce monde détermine de la même façon sa place dans le monde qui suivra celui-ci ».

Pythagore et Platon.

De quelle manière les philosophies «païennes» de Pythagore et de Platon constituèrent-elles un complément aux croyances des Pères des premiers chrétiens? Avant de répondre à cette question, il convient de préciser que les deux philosophes grecs souscrivaient tous deux à la théorie de la réincarnation.

Sur ce sujet, on ne trouve l'avis de Pythagore (528 - 507 avant Jésus-Christ) que dans les biographies que lui ont consacrées Diogène Laërce et Iamblichus; à en croire le premier, Pythagore aurait affirmé avoir reçu «le souvenir de toutes ses transmigrations comme un cadeau de Mercure, en même temps que le don de se rappeler ce que son âme, de même que celle des autres, avait vécu entre le moment de sa mort et celui de sa renaissance».

De Platon (427 - 347 avant Jésus-Christ), il est possible d'avoir un témoignage direct : «L'âme est plus ancienne que le corps. Les âmes renaissent continuellement dans cette vie.

«L'âme du vrai philosophe s'abstient autant que possible des plaisirs et de ses désirs, des douleurs comme des craintes... mais comme elle se forge les mêmes opinions que le corps, qu'elle apprécie les mêmes plaisirs terrestes, elle ne peut jamais parvenir sous une forme pure dans le domaine des idées; elle s'en éloigne toujours, polluée qu'elle est par le corps; elle se retrouve ainsi rapidement dans un autre corps et est de la sorte privée de toute association possible avec ce qui est divin, pur et uniforme.

«Sache que plus tu deviens mauvais, plus tu iras à la rencontre des âmes mauvaises et que, si tu t'améliores, tu iras vers des âmes meilleures; à la succession de chaque vie et de chaque mort, tu feras et tu souffriras la même chose».

Il faut également relever le fait que St-Jérôme(340 -

400 après Jésus-Christ) considéra hâtivement Origène comme «le plus grand maître de l'Église depuis les apôtres». Cela paraît peu propable si le Nouveau Testament était alors déjà aussi ambigu à propos de la réincarnation qu'il ne l'est actuellement. Et si Origène a pu tirer une fierté quelconque de se trouver parmi les Premiers Pères de l'Église pendant presque quatre siècles, sa doctrine devait reposer sur les bases solides de ce que l'on prenait à l'époque pour les vrais évangiles.

St-Clément d'Alexandrie (150 - 220 après Jésus-Christ) dans son «Exhortation aux païens» est aussi très clairement influencé par Platon : «Nous étions des êtres bien avant la création du monde ; nous existions dans le projet de Dieu, car c'est notre destinée que de vivre en Lui ; nous sommes les créatures raisonnables du Verbe divin. Pour cette raison, nous existons depuis le commencement, car au commencement était le Verbe... Ce n'est pas la première fois qu'Il fait preuve de pitié face à nos égarements. Il a eu pitié de nous dès le commencement».

Aux considérations de St-Jérome et de St-Augustin sur Platon, il convient d'ajouter celles de St-Grégoire (257 - 332), qui affirmait que «il est absolument nécessaire pour l'âme d'être guérie et purifiée ; si cela ne peut s'accomplir durant la vie terrestre, cela doit alors se faire à l'occasion de vies ultérieures».

Quant à St-Augustin (354-430), il considérait Platon avec une telle admiration qu'il écrivit dans «Contra academicos» : «Le message de Platon, le plus pur et le plus lumineux de toute philosophie, a finalement dissipé les brumes de l'erreur et continue de briller dans les textes de Plotinus, un platonicien à ce point semblable à son maître qu'on pourrait penser qu'ils avaient vécu ensemble, ou plutôt — puisqu'un tel laps de temps les sépare — que Platon s'était réincarné sous les traits de Plotinus.»

Pour fermer la boucle, Plotinus (205-270) fut, avec

Origène, un disciple d'Ammonius, qui fonda la fameuse École de néoplatonisme d'Alexandrie, en 193 après Jésus-Christ, en Égypte.

Plotinus, dans «La descendance de l'âme», est peut-être le plus précis et le plus expressif de tous lorsqu'il dit : «Ainsi l'âme, bien que d'essence divine, tirant son origine des sphères les plus élevées, se retrouve dans le sombre réceptacle du corps ; étant naturellement une sorte de divinité postdiluvienne, elle descend sur Terre par l'effet d'une certaine inclination volontaire, par amour du pouvoir et pour embellir des motifs plus vils...

«Pourtant, nos âmes sont capables, par moments, de se relever et de se sortir de cette situation emportant avec elles l'expérience de ce qu'elles ont vécu et souffert lors de leur déchéance ; de là, elles apprendront combien il est réjouissant de vivre dans le monde de l'intelligible et, par contraste, elles percevront de manière plus sensible l'excellence d'un état supérieur.

«Car l'expérience du mal procure une meilleure connaissance du bien... Ce n'est pas la totalité de notre âme qui pénètre dans le corps ; quelque chose lui appartenant demeurera toujours dans le monde de l'intelligible, quelque chose de différent de notre monde sensible ; et ce que nous subissons dans ce monde des sens ne nous permet pas de percevoir ce que la partie suprême de notre âme est en mesure de contempler.»

Nous avons ici les témoignages de quatre saints qui vécurent les balbutiements de l'Église. Il est impensable qu'ils aient pu TOUS perdre la raison et ils n'auraient pas tous accordé tant de crédit à des croyances qui étaient en contradiction avec les principes de leur propre Église à ce moment. Le fait qu'ils aient adhéré sans restriction aux dogmes «chrétiens» de Platon indique clairement leur conviction que le Christ lui-même avait repris certains de ces dogmes dans sa philosophie.

À quel moment exact ces versions originales des

évangiles furent-elles réinterprétées de manière aussi drastique? Dans tout le matériel de recherche dont nous disposons, aucune information ne permet de trancher avec exactitude et il ne semble pas possible de donner de réponse définitive; seule l'Encyclopédie catholique suggère indirectement une information précise.

Chapitre 10

La Bible condamne-t-elle la réincarnation ?

« J'ai trouvé des allusions à la réincarnation dans la Bible — et vous aussi vous pouvez les trouver » dit un jour Edgar Cayce, avec son habituel sens de l'humour à froid. Bien qu'il ait lu la Bible une fois chaque année de sa vie, sa première réaction à Dayton fut de la lire entièrement d'une seule traite pour voir si elle condamnait explicitement une fois au moins la réincarnation. Ce ne fut pas le cas. Nulle part non plus elle ne prenait pour son compte cette théorie. Toutefois, dans les Proverbes (8:22-31), il trouva une référence étrange à propos de la Création : « L'Éternel m'avait auprès de lui quand il commença son œuvre, avant même ses créations les plus anciennes.

« J'ai été formée dès l'éternité, dès le commencement, dès le début de la terre.

« J'ai été engendrée lorsqu'il n'y avait point encore d'abîmes… quand il disposait les cieux, j'étais là.

« Quand il posait les fondements de la terre, j'étais auprès de lui, son ouvrière. J'étais ses délices, tous les jours. Et sans cesse je me réjouissais en sa présence. Je me réjouissais sur la terre, sa création. Et je faisais mes délices des enfants des hommes. »

Sommes-nous contraints de considérer cette prose comme l'imagerie abstraite de quelque obscur poète ? Ou osons-nous demander qui était ce « je » ? De toute évidence, il ne s'agissait pas d'une créature mortelle avec une espérance de vie de soixante-dix ans ; peu importe la manière obscure dans laquelle s'exprimait sa poésie. Si l'on admet que le « je » puisse être une âme humaine, parlant de sa propre origine à partir de sa mémoire subconsciente, chaque ligne prend alors toute sa valeur. Sa compassion nostalgique pour le bonheur encore pur de son commencement, sa passion pour le Dieu rejeté, tout cela laisse parfaitement transparaître le désenchantement lassé de l'âme qui se retrouve dans le cycle de ses vies matérielles sur terre, qui a coupé elle-même les liens qui l'unissaient à son Père, comme l'avait fait l'enfant prodigue.

Cela ne correspond pas à la sévère « prédestination et au péché originel » de l'humanoïde malchanceux de Calvin, damné avant que de respirer son premier souffle, destiné à brûler dans les flammes éternelles avant même d'avoir quitté le sein maternel. Ce n'est pas le désespoir du damné ; ce n'est que le cri de la brebis égarée.

En prenant cela comme modèle, comment faut-il dès lors interpréter ce passage de Salomon : « Maintenant, j'étais par nature un bon enfant et une bonne âme s'empara de mon destin. Bien plus encore, étant bon, je me retrouvai dans un corps immaculé. »

La version du roi Jacques, avec de curieuses circonlocutions, prend cette liberté : « J'étais un enfant sarcastique, avec un esprit vif. En vérité, plutôt bon, je me retrouvai dans un corps immaculé,» modifiant ainsi le sens du passage. Mais dans les deux versions, qui demeure l'arbitre du bien et du mal? De toute évidence, l'âme elle-même, utilisant comme mesure le modèle de sa propre conduite antérieure, en ne demandant aucunement d'être désignée comme «bonne» selon des modèles différents du sien. Et assurément cela n'a-t-il aucun sens de savoir ce que le «bien» était, à moins qu'elle ne soit tout aussi familière avec son opposé...

Que les âmes aient été à la fois bonnes et mauvaises lors des différentes étapes de leurs manifestations sur terre est à nouveau implicite dans les Romains (9:11-14) : «En effet, lorsque les enfants n'étaient pas encore nés et qu'ils n'avaient fait ni bien, ni mal,... il fut dit à leur mère (Rebecca) : «L'aîné sera assujetti au plus jeune» — conformément à ce qui est écrit : «J'ai aimé Jacob et j'ai haï Esaü.! Que dirons-nous donc? Y a-t-il en Dieu de l'injustice? Dieu se l'interdirait!»

Si Dieu ne fait pas preuve d'injustice, pourquoi a-t-il tant de préjugés pour aimer Jacob sans raison et pour haïr Esaü sans raison? Quelle était la chance de chacun d'eux, avant leur création, de choisir des natures à ce point divergentes? S'ils étaient allés directement du Créateur aux entrailles de leur mère, où donc Esaü aurait-il bien pu commettre ses crimes, si ce n'est au paradis? Et si çavait été le cas, pourquoi n'aurait-il pas été rejeté avec les autres anges déchus et envoyé directement en enfer? Il est bien plus probable qu'il ait appris le péché sur terre, dans un corps mortel, et son retour en tant que serviteur de son jeune frère était une action de rémission.

«Même d'éternité en éternité, tu es Dieu», dit le quatre-vingt-dixième psaume. «Tu réduis l'homme en poussière et tu dis : «Fils d'Adam, retournez à la terre!»... Tu les emportes, ils sont comme un songe; ils sont comme une herbe qui naît le matin : elle fleurit le matin et elle pousse; le soir, on la coupe et elle sèche». Mais on se trouve aussitôt confronté à l'ambiguité du mot «réduis»; il s'agirait plutôt de lire : «Tu as manqué de détourner l'homme de la poussière qu'il était.» Mais même de cette façon, le concept de paradis, à cette époque, était un état éternel de perfection statique. Au cas où : «Fils d'Adam, retournez à la terre!» signifie «retournez au paradis», alors les trois transpositions du déluge (tu les emportes avec le déluge...) au songe et à l'herbe naissante ne sont pas qu'une mauvaise figure de rhétorique mais sont disjointes l'une de l'autre. Même si l'on considère le déluge comme signifiant littéralement la mort par noyade (le déluge, après tout, était de l'histoire assez récente) et le songe pour symboliser une sorte de période transitoire entre la mort et la résurrection au paradis, l'herbe qui naît le matin est un autre symbole pour parler d'une vie paradisiaque où tout serait parfait et où rien changerait. D'un autre côté, ce cycle des saisons, sur terre, change. À chaque printemps, l'herbe pousse pour mourir à nouveau à chaque hiver; l'âme qui se réincarne suit le même cycle.»

On retrouve cette même suggestion dans Job 1:20-21: «Alors Job se leva : il déchira son manteau et rasa sa tête, puis il se jeta à terre et se prosterna pour dire : «Nu je suis sorti du sein de ma mère et nu j'y retournerai!»

De toute évidence, si Job fait une référence littérale à la même mère, le brave homme a perdu la tête. Mais dès lors que nous acceptons le fait que Job ne soit pas un personnage historique mais un symbole désignant l'âme, la parabole est faite pour encourager l'homme à ne jamais désespérer, même lorsque tout semble perdu et la portée symbolique du sein de la mère devient aussitôt évidente. L'âme ne peut en aucun cas s'embarquer pour sa vie terrestre suivante sans tout d'abord «retourner nue dans le sein.»

Quelle est la récompense pour l'âme, au moment où elle termine son cycle terrestre et où elle peut s'en revenir, telle l'enfant prodigue, auprès du Père qu'elle avait rejeté et qu'elle a finalement choisi de glorifier? «Celui qui vaincra, je ferai de lui un pilier du Temple du Seigneur, et il n'en sortira plus.» (Révélation 3:12)

Dans Malachie 4:5, on trouve certainement l'exemple le plus convaincant de tous, Élisée et Élie n'étant qu'une variation phonétique; tous deux se réfèrent au même prophète. «Je vais vous envoyer Élie, le prophète, avant que vienne le grand et redoutable jour de l'Éternel,» disait Malachie au Ve siècle avant Jésus-Christ.

Cinq cents ans plus tard, a en croire Mathieu 16:13, «Arrivé sur le territoire de Césarée de Philippe, Jésus interrogea ses disciples en disant : «Qui est le fils de l'homme, au dires des gens?» Ils lui répondirent : 'Les uns disent Jean-Baptiste; les autres, Élie; d'autres Jérémie, ou l'un des prophètes.'» Et de continuer au chapitre 17, verset 10 : «Et ses disciples l'interrogèrent, en disant : «Pourquoi donc les scribes disent-ils qu'il faut qu'Élie vienne le premier?»

«Jésus leur répondit : «Il est vrai qu'Élie doit venir et rétablir toutes choses. Mais je vous dis qu'Élie est déjà venu et ils ne l'ont pas reconnu; mais ils lui ont fait tout ce qu'ils ont voulu. C'est ainsi qu'à son tour le Fils de l'homme doit souffrir par eux.» Alors les disciples comprirent que c'était de Jean-Baptiste qu'il leur parlait.»

Quel processus de pensée logique a permis aux disciples de tirer des conclusions si rapides? À moins que Jésus lui-même ne les ait rendus attentifs aux lois de la réincarnation? Jean-Baptiste avait été décapité par Hérode du temps de leur propre vie et Élie était mort depuis cinq cents ans.

Le principe de la réincarnation de l'âme devait être familier à Hérode également, car, dans Luc 9:7-8, il est dit : «Cependant Hérode le tétrarque apprit tout ce qui se passait, et il ne savait que penser parce que les uns disaient : «Jean est ressuscité des morts»; d'autres :

«Élie est apparu!»; d'autres : «Un des anciens prophètes est ressuscité». Mais Hérode disait : «J'ai fait décapiter Jean; qui donc est celui-ci, au sujet duquel j'entends dire de telles choses?» Et il cherchait à le voir.»

La curiosité d'un monarque orthodoxe aurait été à peine excitée par de simples rumeurs. Il aurait écarté sans sourciller de sa cour tous les idiots et autres supersticieux qui entretenaient de tels bruits et n'attachaient pas d'autre importance à Jésus.

À la lumière de ce qui précède, que penser de ce passage de Jean, 9:1-3? «Jésus, en passant, vit un homme aveugle de naissance. Et ses disciples lui demandèrent : «Maître, qui a péché, cet homme ou ses parents, pour qu'il soit né aveugle?» Jésus répondit : 'Ce n'est pas que lui ou ses parents aient péché, mais c'est afin que les œuvres de Dieu soient manifestées en lui.'»

Si la réincarnation avait été une théorie entièrement rejetée, la réponse de Jésus aurait été à coup sûr un reproche à une question idiote. Il est évident qu'un nouveau-né est incapable de commettre aucun péché; si le péché avait été la cause de la cécité, la question se serait alors posée en d'autres termes : «Maître, est-ce là le péché du père qui se reporte sur l'enfant, ou les parents sont-ils innocents du péché?» Pour toutes choses, Jésus était miséricordieux. Même lorsqu'il «maudit» le figuier (dans le sens de le flétrir). De toute évidence, il avait deviné que ses racines plongeaient à une profondeur suffisante pour que les fruits soient contaminés. Jamais il n'aurait suggéré une image aussi rebutante de son Père au point de le rendre capable d'affliger de cécité un enfant sans défense uniquement pour «que les œuvres de Dieu soient manifestées en lui.» Mais si l'âme qui se trouvait dans le corps de cet homme avait choisi volontairement d'être aveugle, pour progresser plus sûrement sur la voie de la patience et de la compréhension, alors les œuvres de Dieu se seraient certainement manifestées au travers de lui.

Interprétée du point de vue du karma, la doctrine restrictive de Jésus du «ce que tu sèmes, tu le récoltes,» est parfaitement sensée. Détachée de son lien fondamental avec le principe de la réincarnation, elle devient d'une banalité évidente. Bien peu nombreux sont ceux, chanceux, qui peuvent récolter ce qu'ils ont semé au cours d'une même vie.

Les disciples étaient de simples pêcheurs et des hommes de la terre; les paroles de Jésus sont différentes s'il s'adresse à un homme du monde bien éduqué, comme Nicodème.

Les passages suivants de Jean 3:3-14 sont généralement interprétés comme étant les arguments pour et contre le baptême; mais le texte lui même ne le laisse pas supposer et l'on ne peut que difficilement imaginer Jésus s'abaissant à une dispute futile avec un membre important des sanhédrins. Ces passages prennent bien plus de sens si l'on suppose que Jésus réprimande un homme qui devrait être capable d'interpréter ses paroles symboliques autrement que de manière parfaitement littérale.

À peine semble-t-il prescrire la solution du baptême pour dissiper la confusion dans laquelle se trouve Nicodème lorsqu'il fait cette déclaration sans aucune équivoque : «En vérité, en vérité, je te le dis, à moins de naître de nouveau, personne ne peut entrer dans le Royaume de Dieu. Nicodème lui dit : «Mais comment peut-on naître quand on est vieux? Peut-on rentrer dans le sein de sa mère et naître une seconde fois?» Jésus répondit : «En vérité, en vérité, je te le dis, à moins de naître d'eau et d'Esprit, personne ne peut entrer dans le Royaume de Dieu. Ce qui est né de la chair est chair et ce qui est né de l'Esprit est esprit. Ne t'étonne pas de ce que je t'ai dit : il faut que vous naissiez de nouveau. Le vent souffle où il veut et tu en entends le bruit; mais tu ne sais ni d'où il vient, ni où il va. Il en est de même de tout homme qui est né de l'Esprit.»

«Nicodème reprit : «Comment cela peut-il se faire?» Jésus lui répondit : «Toi qui enseignes à Israël, tu ne sais pas cela? En vérité, en vérité, je te le déclare, nous disons ce que nous savons et nous attestons ce que nous avons vu; et vous ne recevez pour notre témoignage. Si vous ne croyez pas quand je vous parle des choses terrestres, comment croirez-vous quand je vous parlerai des choses célestes? Personne n'est monté au ciel, sinon celui qui est descendu du ciel, le Fils de l'homme, qui est dans le ciel.»

Si l'on passe maintenant au chapitre 8, verset 34 du même évangile, on trouve Jésus discutant dans le temple avec les Juifs orthodoxes; il fait alors si peu de cas de leurs préjugés qu'il manque d'être lapidé. Si l'on suppose toujours que la discussion était encore axée sur la manière de procéder à un baptême, il est difficile de comprendre pourquoi Jésus se permit de gaspiller tant de patience et d'énergie pour quelque chose d'aussi trivial. Cependant, si l'enjeu de la discussion était le rejet du principe de la réincarnation, les paroles qu'il prononça et la tempête qu'elles soulevèrent se placent dans une perspective beaucoup plus logique.

«En vérité, en vérité, je vous le déclare, quiconque commet le péché est esclave du péché. Or, l'esclave ne demeure pas pour toujours dans la maison; mais le fils y demeure pour toujours. Si donc le Fils vous affranchit, vous serez réellement libres... Je dis ce que j'ai vu auprès de mon Père et vous, vous faites ce que vous avez appris de votre père.»

«Ils lui répondirent : «Notre père à nous, c'est Abraham!» Jésus leur dit : «Si vous étiez les enfants d'Abraham, vous feriez les œuvres d'Abraham. Mais maintenant, vous cherchez à me faire mourir... Abraham n'a pas fait cela!... Abraham, votre père, a tressailli de joie à la pensée de voir mon jour; il l'a vu et a été rempli de joie.»

«Les Juifs lui dirent : «Tu n'as pas encore 50 ans et tu as vu Abraham?» Jésus leur répondit : «En vérité, en vérité, je vous le déclare, avant qu'Abraham fût, j'étais.»

Pourquoi ces allusions à la réincarnation sont-elles si isolées et fragmentaires dans la Bible? Est-il possible que celles qui subsistent aient été oubliées accidentellement au moment de la révision des textes à partir des versions grecque et hébreuse originales?

En fait, pour l'instant, il suffit d'établir qu'Edgar Cayce a pu se contenter de découvrir que la réincarnation n'allait en aucun cas à l'encontre de l'Écriture sainte. Celle-ci lui permit même de corroborer certains de ses arguments.

Sans aucun doute, cela ajoute de la valeur à cet avertissement : «Celui qui a tué par l'épée doit mourir par l'épée et celui qui a conduit en captivité doit être conduit en captivité.» (Révélation 13:10)

«On te fera alors comme tu as fait toi-même tes actes retomberont sur ta tête.» (Abdias 1:15)

Mais l'avertissement le plus clair de tous, pour ceux qui pourraient être tentés de s'éloigner de la juste interprétation des évangiles dans un but exclusivement égoïste, est certainement celui donné par Jésus dans Luc 11:52 : «Malheur à vous, docteurs de la loi! parce qu'ayant pris la clé de la science, vous n'êtes point entrés vous-mêmes, et ceux qui voulaient entrer, vous les en avez empêchés!»

Dans l'évangile copte récemment découvert et selon St-Thomas*, cela concerne directement l'église : «Les Pharisiens et les Scribes avaient reçu les clés de la connaissance et les avaient cachées. Ils n'entrèrent pas et ne laissèrent point entrer ceux qui le désiraient.»

---

* Harper and Row (New-York 1959) p. 25

191

Chapitre 11

Pourquoi la réincarnation ne figure-t-elle pas dans la Bible?

L'histoire secrète de la réincarnation

Nos versions orthodoxes de l'Ancien et du Nouveau Testaments ne remontent pas plus loin qu'au sixième siècle, à l'époque où l'empereur Justinien, en 553 après Jésus-Christ, ordonna au Cinquième Congrès Oecuménique de Constantinople de condamner les écrits d'inspiration platonicienne d'Origène. Contrairement à la croyance bien établie dans nos Églises actuelles, ce congrès fut de type séculier. On interdit aiu pape d'y assister et on se moqua bien de la dénonciation qu'il en fit. En fait, le congrès avait été organisé par une équipe du même genre que celle des barbares qui s'étaient «convertis» au christianisme sous le règle de Constantin.

Si le lecteur s'étonne que l'on accorde tant d'importance à cette réunion dans les pages qui suivent, c'est uniquement parce que les événements qui ont conduit à l'organisation de ce Cinquième Congrès repréentent pour ainsi dire les seules traces qui nous restent des raisons qui ont fait supprimer quasiment toutes les allusions à la réincarnation dans la Bible.

L'empereur de Bysance Justinien (483-565), très tôt orphelin de père, fut élevé dans une atmosphère d'austère obscurantisme par sa mère et son oncle, l'empereur «paysan» Justin, qui l'éduquèrent pour lui faire hériter du trône de Constantinople. La sévérité de son éducation fut à l'origine de son caractère excentrique et rude. Très tôt cependant, il développa une passion intellectuelle pour le droit et les lois, parfaitement peu commune chez un adolescent de son âge et, bien qu'il se considérât lui-même comme un homme de qualité, on pouvait facilement l'influencer en le flattant; le jugement qu'il portait sur ses semblables restait superficiel et laissait transparaître un manque de maturité certain.

Il n'excellait en fait que grâce à son instinct de la stratégie militaire. Un de ses jeunes généraux, Belisarius, soumit les Ostrogoth d'Italie et les Vandales d'Afrique, restaurant ainsi une bonne partie de l'Empire romain tel qu'il était au moment de son apogée.

L'architecture bysantine fut florissante sous le règne de Justinien, qui s'attacha à réviser complètement le droit romain de telle sorte qu'il devint par la suite la base de la plupart du droit civil occidental. En considérant tout cela, Justinien aurait logiquement dû atteindre l'importance de Charlemagne. Il n'y parvint pas en partie à cause de son tempérament — un mélange incompatible de dévotion fanatique et d'ambition limitée — et en partie à cause d'une femme impitoyable qui ne contribua pas pour peu à sa déchéance.

Théodora (508-547), une roturière qui devint impératrice, disposait d'assez de pouvoir pour faire disparaître toute trace de son passé douteux dans les écrits historiques de l'époque. Le seul biographe qui vécut en même temps qu'elle, Procopius, la détestait à tel point que son «Histoire secrète» est rejetée comme verbiage académique par certains et acceptée sans hésitation par d'autres.

Toutefois, les historiens s'accordent pour dire de Théodora qu'elle fut la fille d'un gardien d'ours de l'amphithéâtre de Constantinople et qu'elle fit ses débuts en tant qu'actrice alors qu'elle n'était encore qu'une enfant, à une époque où cette profession figurait parmi les plus viles, proche du plus vieux métier de monde. De cela aussi d'ailleurs elle devint rapidement un membre à part entière et son ambition insatiable lui permit de surmonter tous les obstacles auxquels elle était confrontée.

La stratégie de Théodora était simple : elle consistait à créer une sorte de confusion organisée dans laquelle chaque homme se trouvait en conflit direct avec son voisin, ce qui lui permettait de les diviser pour ensuite les conquérir à sa guise. Lorsqu'elle devint la maîtresse de Justinien, elle fixa la mise encore plus haut. Elle décida qu'elle allait devenir impératrice et, bien que la mère de Justinien s'opposât à ce projet avec tout le pouvoir dont elle disposait, l'empereur ne fit pas preuve de suffisamment de force pour résister aux assauts de sa maîtresse.

Là où la connaissance de ses semblables était erronnée et partielle, Théodora était experte et devinait leur personnalité. Là où sa raison vacillait, elle était aussi inflexible que le fer. Bien que la loi interdît formellement aux hommes d'un rang supérieur à celui de sénateur d'épouser des actrices, Justinien fit pûrement et simplement abolir cette loi sitôt après la mort de sa mère ; Théodora prit immédiatement sa place aux côtés de l'empereur, avec qui elle partagea le trône.

Dans les anales de l'histoire, il n'est pas rare de trouver des monarques réduits à l'esclavage par une courtisane implacable ; mais dans l'histoire, bien peu de courtisanes furent aussi diaboliques que Théodora.

Pour preuve cet extrait de l'Encyclopedia britannica : « Les officiels firent serment d'allégeance aussi bien à elle qu'à l'empereur. La cité était quadrillée par des espions qui travaillaient pour elle, qui ne manquaient pas de la tenir au courant de tout ce qui se disait contre elle ou contre l'administration. Elle s'entoura d'un cérémonial fastueux et alla même jusqu'à exiger de ceux qui l'approchaient qu'ils se prosternent d'une façon encore jamais vue même dans une cour moyen-orientale.

« À en croire Procopius, elle donna naissance à un fils avant d'être mariée ; celui-ci, une fois adulte, revint d'Arabie pour la voir, se fit reconnaître d'elle et disparut à nouveau à jamais. »

À bien des égards, Théodora fut un tyran, à la manière des plus psychotiques des Césars.

Ceux qui étaient ses favoris furent catapultés aux postes de commande et ses ennemis moururent en si grand nombre que même l'opinion publique finit par s'en offusquer et se retourner contre le couple impérial. Confronté aux insurrections de Nika, en 532, Justinien, à la fois terrorisé et démoralisé, aurait bien voulu fuir ; mais l'indomptable Théodora préféra la mort à l'exil. Elle le poussa dans ses derniers retranchements et les insurgés furent finalement soumis.

Après cela, Justinien ne fut rien de plus qu'une marionnette manipulée par sa femme à la poigne de fer ; dorénavant, elle avait toute liberté de concentrer son énergie sur le plus redoutable de ses ennemis, l'Église de Rome.

Théodora considérait l'Église chrétienne un peu comme la Grande Pyramide d'Égypte — comme un monument éternel dédié à sa personne — et, pour en assurer la permanence, elle s'occupa à en reconstituer toutes les croyances; celles qui étaient alors en vigueur étaient bien trop sublimes pour servir ses desseins. Elle parvint à ses fins grâce au fait que le Vatican avait à peine eu le temps de se remettre de son invasion par les Ostrogoths de Théodoric, cela juste avant de se retrouver sous la «protection policière» des armées d'occupation de Belisarius

Un de ses professeurs les plus influents, Eutyches, un fidèle serviteur de l'Église d'Orient, fit son apparition lorsque Théodora était encore la maîtresse de Hecebolus, le gouverneur de Pentapolis, en Afrique du Nord. Hecebolus la fit jeter hors de la cité — Théodora et Eutyches se rendirent tout d'abord dans la région d'Alexandrie — puis ensuite de Constantinople, elle en tant qu'une des premières sur les listes des amours profanes, lui en tant que doyen des écoles religieuses de Monophysite.

La doctrine monophysite

La doctrine monophysite est, en quelque sorte, le méchant de l'histoire. Les monophysites étaient les membres de la secte qui se chargea de discréditer toutes les allusions à la réincarnation qui se trouvaient dans les premières versions des évangiles et qui divisa l'Église en deux factions rivales.

Il convient de rappeler que le christianisme a vécu une série ininterrompue de schismes et de conflits qui faillit briser son unité à plusieurs reprises depuis l'an 300 environ; il dut également faire face à la résistance active des religions païennes qui avaient subsisté et qui présentaient l'avantage d'être plus attrayantes et «divertissantes».

Les monophysites ajoutèrent encore à la confusion qui régnait en affirmant que le corps physique de Jésus était d'essence entièrement divine et qu'à aucun moment il n'avait combiné les attributs de l'homme à ceux de Dieu. (Ils ne semblaient alors pas le moins du monde embarrassés par les déclarations de Jésus lui-même, qui affirmait qu'il y avait un peu de la lumière divine dans chaque âme humaine. Ils tenaient fermement à leur con- fiction que de conférer à Jésus la moindre parcelle d'un corps humain aurait trahi ses origines véritables.)

Malheureusement, sous l'influence d'Eutyches, Théodora se convertit à la doctrine controversée des monophysites. Ce qui l'attira le plus dans cette doctrine, c'était le rejet fondamental des enseignements d'Origène, qui avaient tant influencés les premiers Pères de l'Église. Origène ne se contentait pas de croire à la métempsy- cose, mais encore affirmait-il que le Christ Verbe, ou la Parole, habitait le corps humain de Jésus, pour pouvoir ainsi le sanctifier.

Et plus de cela, on peut légitimement penser que Théodora sous l'instance d'Eutyches, entraîna dans sa conversion deux de ses diacres qui lui étaient le plus dévoués, Virgilius et Anthimus.

De nos jours, lorsque l'on passe laborieusement d'un argument à un autre relatifs à la conception de la divinité du Christ dans les branches orientale ou occidentale de l'Église chrétienne, il devient difficile de concevoir à quel point les deux courants de pensée étaient opposés. Les monophysites continuèrent à semer la discorde jusqu'en l'an 451, date à laquelle fut convoqué un Concile d'Église extraordinaire ; celui-ci, fidèle aux enseignements d'Ori- gène, divisa le Christ en deux natures distinctes, l'une humaine, l'autre divine.

Le décret chalcédonien
(451 après Jésus-Christ).

Tout empli de bonnes intentions qu'il était, le décret chalcédonien, édicté pour préserver les enseignements d'Origène, constitua en réalité la base de départ d'une vaste campagne de dénigrement et de malentendus qui suivit de peu sa signature.

En fait, le fossé entre les monophysites et le Vatican ne fit que s'accentuer et atteignit des proportions telles « qu'un des premiers actes publics de Justinien fut de contraindre le Patriarche de Constantinople à déclarer son entière adhésion à la foide Chalcédoine. » (Encyclopedia Britannica) Cela tend à prouver de manière irréfutable que, avant l'entrée en scène de Théodora, l'empereur Justinien était en parfait accord avec la tendance origéniste de l'Église de Rome. Pourtant, en 543, à la demande pressante de Théodora, il autorisa un synode local à jeter le discrédit et à condamner les écrits d'Origène.

Un peu comme le héros d'Orwell, dans « 1984 », purifie les dossiers publics des journaux en réécrivant l'histoire politique et en éliminant toutes les références antérieures aux « Grands Frères », Théodora a mené une campagne destinée à supprimer tous les passages de la Bible qui pouvaient réduire à néant ses espoirs d'apothéose immédiate, avant que de quitter cette vie.

Anthimus

La première manœuvre dans la stratégie de Théodora fut de soumettre et de réunifier les différentes factions de l'Église orientale jusqu'à ce qu'elles fussent entièrement sous sa domination. Défiant ouvertement le protocole du

Vatican, elle nomma son valet Anthimus, Patriarche de Constantinople.

Maintenant, Anthimus n'est plus qu'un personnage de moindre importance au vu de l'histoire, mais à l'époque, sa mission allait provoquer des dommages irréparables. Théodora l'avait nommé à ce poste dans le seul but de révoquer le décret de Chalcédoine. Le rôle de Justinien, comme d'habitude dans ce genre d'histoire, consista à feindre une parfaite ignorance de tout ce qui se tramait autour de lui et, comme Pilate, de s'en laver les mains.

Le pape Agapet

Le vieux dignitaire de l'Église romaine fit le voyage de Rome à Constantinople par un mois de février glacial ; une fois sur place, lorsqu'il découvrit l'énormité des intentions de Théodora, il fut le seul prélat à jamais dénoncer ses agissements en présence de l'empereur.

«Non sans empressement,» dit-il à Justinien, qui ne s'était jamais senti pareillement outragé, «je suis venu pour voir Justinien, le plus chrétien des empereurs. À sa place, j'ai trouvé un Dioclétien* dont les menaces, pourtant, ne m'effrayent nullement!»

Ce coup inattendu décoché sur la personne de l'empereur prit Justinien de court et, «étant entièrement convaincu que la foi d'Anthimus n'était pas sincère, il ne fit aucune entrave à l'action du pape, qui fit recours à son pouvoir discrétionnaire pour déposer Anthimus et le suspendre de ses fonctions; et pour la première fois dans l'histoire de l'Église, il consacra personnellement son successeur légalement élu, Mennas.» (Encyclopédie catholique, p. 203)

---

* Un des tyrans de l'Empire romain.

Malheureusement pour la destinée spirituelle de l'Europe, Agapet, le saint et l'incorruptible, mourut en cette même année 536, mais il devait laisser derrière lui un souvenir plus noble et plus honorable que tous ceux qui furent impliqués dans cette triste affaire.

Son décès, avantageux pour certains, suivit de si près son triomphe que l'on peut raisonnablement penser que Théodora s'arrangea d'une manière ou d'une autre pour accélérer son départ dans un monde meilleur.

Agapet mort, ce fut un jeu d'enfant que de convertir Mennas et de l'amener à condamner en bloc le diocèse d'origénisme, au nom de l'empereur.

À partir de ce moment, Justinien se contenta d'obéir et de sanctionner toutes les purges ultérieures de Théodora, dirrigées contre les disciples d'Origène.

Le pape Silvère

Il peut être judicieux maintenant de recourir à une source parfaitement indépendante, le «Vita Silveri» (Gesta Pont. Rom. I.146) pour montrer à quel point de méchanceté Théodora en était arrivée, dans le seul but de satisfaire son orgueil :

«Parce que l'impératrice était affligée par le sort réservé au Patriarche Anthimus, le saint pape Agapet l'ayant déposé pour motifs d'hérésie et remplacé par Virgilius, elle envoya ce message au pape Silvère (successeur d'Agapet) à Rome : «Ne tardez point à venir chez nous, ou si ce n'est pas possible, ne manquez pas de rappeler Anthimus à sa place!»

«Aussitôt après avoir lu cette lettre, Silvère grogna et dit : «Je sais pertinemment que cette histoire mettra un terme à ma vie,» mais il répondit par lettre à l'impératrice : « Auguste Maîtresse, jamais je ne consentirai à faire pareille chose et n'accepterai de réinstaller un homme que l'on considère comme hérétique, qui de plus a été condamné pour sa méchanceté »

« Alors l'impératrice, furieuse, fit envoyer des ordres au général Belisarius par l'entremise du diacre Virgilius : « Trouvez des motifs de plainte contre la personne du pape Silvère qui lui feront perdre son poste d'évêque, ou au moins arrangez-vous pour qu'il vienne ici. Vous avez avec vous l'archidiacre Virgilius, notre délégué le plus apprécié, qui nous a promis de faire rappeler le Patriarche Anthimus. »

« Le général Belisarium se chargea de la commission et, conformément aux ordres reçus, on fit mander quelques faux témoins qui devaient déclarer avoir découvert des échanges de lettres entre le pape Silvère et le roi des Goths. En entendant cela, Belisarius refusa tout d'abord d'y croire, sachant que ces déclarations étaient motivées par la jalousie. Mais, alors que ces rumeurs allaient en s'accentuant et que les accusations se précisaient, il prit peur.

« Pour cette raison, il convoqua le Saint-Père Silvère à venir le voir dans son palace ; il fit attendre tous les membres du clergé aux entrées de sa demeure et, lorsque Silvère et Virgilius firent seuls leur entrée dans le salon, ils trouvèrent la patricienne Antonina allongée sur un divan, son mari Belisarius assis à ses pieds. Antonina dit sans plus tarder : « Dites-moi, Maître Silvère, pape ; qu'avons-nous donc fait, aux Romains et à vous-même, pour que vous désiriez nous trahir et nous livrer aux mains des Goths ? »

« Au moment où elle prononçait ces paroles, Jean fit son entrée, le sous-diacre régional de la première garde, qui saisit le Saint-Père par le col de son habit et le conduisit dans une chambre. Là, il le fit se déshabiller, lui fit enfiler la robe d'un moine et le congédia.

«Virgilius le prit sous sa protection personnelle, si l'on ose s'exprimer ainsi, et l'envoya en exil à Pontus, où il subsista avec le pain de ses tribulations et l'eau de la nécessité. Il s'affaiblit rapidement et mourut.» Théodora se révélait maintenant sous son vrai jour et ce qu'elle entreprit ensuite fut de loin son action la plus féroce. Elle parvint à être l'unique impératrice de l'histoire à réussir à faire couronner son propre pape, Virgilius, à Rome, en 538.

En effet, elle était montée personnellement sur le trône papal et c'est vraisemblablement de là que date la légende de la mythique «papesse Joanne.» Avant de prêter davantage d'attention aux récits des témoins rapportés par Procopius, il convient de les préfacer avec un dernier extrait d'une autre source indépendante.

Parmi les historiens reconnus de l'histoire byzantine, trois sont d'importance — Agathius (530-582), John Lydus (490-565) et Evagrius (536-594). Dans son «Histoire ecclésiastique», Evagrius fait le commentaire suivant :«Il y avait aussi dans le caractère de Justinien une caractéristique latente — une dépravation qui dépassait les bornes de la pire bestialité que l'on puisse imaginer. Que cela fût un défaut de son caractère naturel ou que cela fût la conséquence de sa lâcheté et de sa peur, je suis incapable de trancher ; mais en tout cas, cela se manifesta comme une résultante de l'insurrection populaire de Nika.»

Voici un aspect de l'empereur que Procopius analyse en détail et qui est pourtant discrètement ignoré dans les références habituelles au personnage ; la plupart d'entre elles tendent en effet à discréditer Procopius et à atténuer grandement le diabolisme de Théodora.

L'histoire secrète de Procopius

La version de «Anecdota», ou de l'«Histoire secrète» dont nous allons traiter maintenant est l'un des sept volumes qui comprennent l'«Histoire des guerres» et l'«Histoire des bâtiments», publiées chez Havard University Press en 1935.

Selon Dewing, le traducteur de ces œuvres en Anglais, l'estimé Procopius, un homme de bonne éducation, est arrivé à Constantinople venant de Césarée, en Palestine, alors qu'il n'était encore qu'un jeune homme. Aussitôt après son arrivée, il fut nommé conseiller légal et secrétaire privé du patricien Belisarius, alors le plus jeune et le plus illustre des généraux de Justinien. Il s'agissait presque d'un privilège, à en croire un scribe anonyme spécialisé dans ce genre de commérages.

Immédiatement, on se trouve, avec Procopius, en présence d'un personnage à la stature imposante et jouant un rôle clé, celui de l'historien officiel de Justinien lors des trois guerres qu'il mena respectivement contre les Perses, les Vandales et les Goths; à ces occasions, Procopius voyagea avec ceux qui constituaient l'entourage immédiat de Belisarium; il était ainsi aux premières loges pour observer l'évolution de la situation.

«En plus de l'intimité qu'il partageait avec Belisarius,» devait écrire Dewing, «il faut ajouter que sa position fut un avantage certain pour occuper par la suite un poste important à la cour impériale de Constantinople et lui permit de faire la connaissance de nombre des dirigeants de l'époque. C'est ainsi que nous disposons du témoignage d'une personne étroitement liée aux membres de l'administration.

«Il faut admettre... qu'il ne gagna pas les faveurs impériales par son franc parlé; néanmoins, nous nous trouvons en présence d'un homme qui refusa de s'abaisser au point de toujours recourir à d'abjectes flatteries; il

203

fut même capable de nous montrer exactement le contraire dans les brillants récits des «Anecdota» ou de l'«Histoire secrète. » Là, il montra qu'il était à même de se libérer de toutes les contraintes imposées soit par le respect, soit par la peur et parla sans scrupule aucun de tout ce qu'il avait été amené à taire ou à interpréter dans l'«Histoire des guerres» pour des motifs de politique.

«Ces deux ouvrages ne sont que le compte-rendu de crimes licencieux, de débauches effrénées, d'intrigues et de scandales, à la fois dans la vie publique et dans la vie privée des dignitaires de l'époque... On se trouve confronté au récit de quelqu'un qui sembla parler du plus profond de l'amertume de son cœur. Mais il faut également dire que l'on n'y trouve que très peu de contradictions dans les faits.

«L'intention de Procopius était d'écrire un livre sur la doctrine du christianisme (et sur les longs débats, souvent stériles, qui précèdent à la formulation de celle-ci), comme il l'affirme clairement dans le chapitre XI 33 de son «Histoire secrète» — une promesse qu'il renouvelle dans le huitième livre des Histoires XXV 13.

«Il est fort regrettable qu'il fût empêché de tenir sa promesse, car son avis était celui d'un libéral intrigué par le sérieux et le zèle que ses contemporains mettaient à discuter ces sujets. »

Même une étude minutieuse de l'«Histoire des guerres» montre que Procopius n'était pas qu'un chroniqueur méticuleux et attentif, mais qu'il était consciencieux au point d'être prêt à assumer la colère de Justinien en créditant à juste titre Belisarius du succès des trois campagnes militaires.

S'il fit la promesse d'écrire un traité sur la confusion religieuse qui caractérisait son époque, il est fort probable qu'il l'ait fait. Le fait qu'il nous manque actuellement n'est pas forcément la conséquence de la perfidie de ses ennemis; il suffit pour cela de se rappeler de la veuve Lady

Burton, qui brûla les traductions exotiques que son mari avait faites de l'Arabe pour «préserver la pureté de son souvenir.» Même ainsi, il ne nous est pas possible d'ignorer le fait que l'«Histoire de l'Église» de Procopius ait pu disposer d'un contenu si explosif qu'un bibliophile timoré, découvrant l'ouvrage sur quelque étagère oubliée, l'ait confié aux autorités plutôt que de le vendre à bon prix à un collectionneur privé.

Et c'est, finalement, un collectionneur privé qui découvrit le manuscrit des «Anecdota» à Rome, au milieu du XIXᵉ siècle. Écrit en grec, encore intact, il avait de toute évidence été l'objet de soins tout particuliers pendant plus de 1400 ans. Mais pour autant qu'on le sache, l'«Histoire de l'Église» disparut sans laisser davantage de traces que les archives de la cour impériale de Constantinople, qui ne survécurent pas à la sénilité et aux remords de Justinien.

Ceux qui ont la patience de supporter les archaïsmes et la vétusté du style de Procopius trouveront toute une série de portraits, réels et convaincants, qui émergent de l'«Histoire secrète», bien distincts des effigies que l'on retrouve dans les références habituelles. Il devint même apparent par la suite que les références qu'il fit aux insomnies et aux éclats quasi-schyzophréniques de Justinien allaient se retrouver ultérieurement. Ils correspondaient en cela au même modèle de comportement que celui d'Hitler — un fait alors inaccessible à Dewing en 1935, l'année où il termina sa traduction.

Un portrait de Théodora

Procopius fournit des renseignements si précis sur les pratiques sexuelles de Théodora que l'on oserait pas même envisager d'en parler ici, même si, lorsqu'on les compare aux agissements et aux excès des plus dégénérés des empereurs, elles paraissent parfaitement crédibles. Ensuite, Procopius fait une description du personnage, après sa nomination au rang d'impératrice :

« Les traits du visage de Théodora étaient plutôt fins et elle était attirante, bien que petite et manquant de couleurs ; cependant, elle n'était pas vraiment pâle, on aurait plutôt dit de son teint qu'il était maladif ; son regard était toujours intense ; souvent, elle faisait cligner ses yeux. Elle prenait davantage soin de son corps qu'il ne le fallait, mais jamais autant qu'elle aurait désiré. Par exemple, elle avait l'habitude de rester très longtemps dans son bain, le matin, avant d'aller prendre son petit-déjeuner. Après le petit-déjeuner, elle se reposait. À l'heure du déjeuner et du dîner, elle engloutissait de telles quantités de nourriture et de boisson que le sommeil la gagnait à nouveau ; ce qui faisait qu'elle dormait ou sommeillait pendant de longues heures, de jour comme de nuit ; et bien qu'elle se laissât aller à de tels excès quasiment toute la journée, elle prétendait encore avoir le droit, et être capable, d'administrer tout l'Empire romain.

« Et s'il prenait à l'empereur l'envie de faire des faveurs à quelqu'un sans son consentement, les affaires de cette personne allaient alors subir de tels revers qu'elle ne tardait généralement pas à être éjectée de son poste, couverte des pires indignités et malédictions, si ce n'était même la mort qui l'attendait. »

Pareilles déclarations constituent à coup sûr un témoignage de première main et montrent bien le degré de responsabilité et le soin de Procopius.

Un portrait de Justinien

Procopius fait ensuite état, de façon détaillée, de sa théorie selon laquelle Théodora et Justinien étaient tous deux «possédés par des démons». Les mêmes troubles maniaques qui allaient caractériser le personnage d'Hitler sont alors mis en évidence, même si le langage utilisé à cette époque manquait singulièrement de termes pour décrire les phénomènes d'ordre psychiatrique : «Je pense qu'il n'est pas en dehors de mon propos ici de décrire les apparences de cet homme. Il n'était ni grand, ni petit, mais de taille moyenne; il n'était pas mince mais légèrement gras; son visage était rond mais non point disgrâcieux; son teint restait rougeaud même après deux jours de jeûne. Mais je serais incapable de décrire avec précision son caractère, car cet homme faisait à la fois du mal tout en y étant amené par d'autres; il était un parfait artiste capable de professer une opinion qu'il prétendait avoir. Il pouvait même aller jusqu'à pleurer... pas de joie ou de tristesse, mais en recourant à cet effet de manière occasionnelle, suivant les besoins du moment... Il jouait toujours un jeu, parfaitement consciemment; il ajoutait sa signature et donnait sa parole pour donner plus de poids à ses engagements, et cela même lorsqu'il traitait avec ses propres sujets...

«Certains racontent même une anecdote : un moine qui vivait conformément aux enseignements de Dieu se mit en chemin pour Byzance, afin d'aller y plaider la cause des pauvres gens qui demeuraient dans les environs du monastère, qui étaient traités de manière inacceptable. Immédiatement à son arrivée, on lui accorda une audience auprès de l'empereur. Mais alors qu'on allait l'introduire en sa présence, ayant déjà fait un pas dans la salle où se trouvait l'empereur, le moine s'arrêta brusquement et recula.

«L'eunuque qui lui servait de guide, comme ceux qui se tenaient alentour, le pria avec insistance d'avancer; mais lui, comme frappé par un coup invisible, ne dit rien, fit demi-tour et s'en retourna à l'endroit où on l'avait logé.

« Au moment où les serviteurs qui s'occupaient de lui lui demandèrent pourquoi il avait agi de la sorte, il déclara sans ambages qu'il avait vu le Seigneur des Démons assis sur le trône et qu'il n'avait pu souffrir sa présence assez longtemps pour lui demander quoi que ce fût.

Et comment cet homme n'aurait-il pas été quelque démon pervers, lui qui n'avait jamais assez à boire, à manger et à dormir, lui qui prenait un goût douteux à apprécier tout ce qu'on lui présentait, qui déambulait dans son palais à toutes les heures de la nuit et du jour, alors qu'il se passionnait pour les joies d'Aphrodite ? Généralement, il n'aimait pas aller dormir ; il n'allait jamais jusqu'à se bourrer de nourriture ou de boissons : il se contentait de prendre un peu de nourriture du bout des doigts et continuait son chemin. »

La personnalité complexe de Justinien est observée de manière très précise et prespicace dans les lignes qui suivent : « À ce sujet cependant, il n'éprouvait aucune honte face à ceux qu'il allait ruiner. En fait, jamais il ne se permettait de montrer une quelconque colère ou de l'exaspération, ne révélant ainsi pas ses sentiments vis-à-vis de ceux qui avaient osé l'offenser ou s'opposer à lui ; mais, avec son petit air gentil, le sourcil bas, d'une petite voix menue, il donnait l'ordre de mettre à mort des milliers d'innocents, dépouillant ainsi des villes entières en confisquant tous les biens de ses victimes pour son trésor personnel. On pourrait déduire de cette dernière caractéristique qu'il avait l'esprit mouton... Pourtant, si quelqu'un tentait d'intercéder en faveur de ceux qui l'avaient offensé, en le suppliant d'accorder son pardon, alors, « enragé et montrant les dents », il semblait sur le point d'éclater, de sorte que ceux que l'on supposait être ses intimes n'avaient plus aucune envie d'entreprendre à nouveau semblable démarche pour tenter d'obtenir sa clémence.

« Même s'il semblait croire fermement au Christ, ce n'était en fait que dans le but de ruiner ses sujets. Car dans son désir de rassembler tous les hommes dans la même croyance en Jésus-Christ, il continuait à détruire tout le reste de l'humanité de façon insensée, tout en prétendant agir avec piété, pour de nobles motifs. Pour Justinien, il ne s'agissait là nullement de meurtres, car ses victimes avaient commis l'erreur de ne pas être du même avis que lui.

« Et je vais encore montrer comment… de nombreuses autres calamités se sont produites, provoquées, selon les dires de certains, par la présence de ce démon — dont nous avons déjà parlé — ou, comme le disaient d'autres, par le fait que la Divinité, ayant pris en horreur les actes de Justinien, s'était détournée de l'Empire romain et avait laissé sa place à d'abominables démons qui avaient toléré que de telles choses se passent.

« Ainsi, la rivière Scirte fut-elle à l'origine, en plus de l'ensevelissement d'Edesse, d'innombrables calamités qui s'abattirent sur les populations de la région ; mais j'en reparlerai dans un autre de mes livres.

« Des tremblements de terre détruisirent alors Antioche, la première cité de l'Orient, et Séleucie, qui se trouve tout proche, ainsi que la cité bien connue de Cilicie, Anazarbus. Qui pourra jamais compter le nombre de personnes qui périrent dans ces villes ?

« Et encore faudrait-il ajouter à cette liste les noms d'Ibora et d'Amasia, qui se trouvait être la première ville du Pont, Polybotus en Phrygie, la ville que les Pisidiens appelaient Philomède, Lychnidus en Épire et enfin Corinthe. Puis il y eut encore l'épidémie de peste, comme je l'ai déjà mentionnée, qui décima encore la

209

moitié de la population qui avait survécu à ces catastrophes. »

Que l'on pense maintenant aux bombardements des Alliés au-dessus de l'Allemagne durant la deuxième guerre mondiale au lieu des catastrophes naturelles ; que l'on pense aux voix qu'entendait Hitler au lieu des démons qui possédaient Justinien, le rapprochement n'est pas fortuit ni abusif. Procopius a brossé deux portraits particulièrement réalistes et il serait inconcevable de réduire ces observations au rang de simple verbiage.

Le cinquième concile œcuménique de l'Église.

Théodora, après avoir arrangé le meurtre de deux papes, s'attendait à inculquer à leur successeur Virgilius la manie qu'elle avait de vouloir faire disparaître toute trace du décret de Chalcédoine et de la notion qui en était résultée de la division du Christ en deux natures distinctes, l'une humaine, l'autre divine. Elle n'y parvint pas.

Personne ne semble en mesure d'expliquer avec exactitude les raisons de sa mort. L'Encyclopedia britannica, mettant finalement Procopius au bénéfice du doute, la fait remonter à 547.

Une chose cependant est certaine : Justinien continua à mener ses affaires exactement comme si Théodora se trouvait toujours à ses côtés. Il était résolu à faire d'eux des divinités en faisant disparaître de la religion chrétienne toutes les notions qui pouvaient discréditer cette notion grotesque de la déification. Quelle doctrine religieuse aurait pu le troubler davantage que celle de la réincarnation et de sa loi inéluctable de cause à effet ? Quelle autre loi pouvait faire oublier son statut impérial et celui de ses courtisans au moment de leur mort, les réduire tous au même état d'âmes et les faire revenir pour d'autres vies d'abjecte expiation et rééquilibrer ainsi la balance?

L'Édit des trois chapitres.

Le coup de poker de Justinien consistait à déterrer une loi civile tombée dans l'oubli et promulguée en 531, sous le nom de l'Édit des trois chapitres. Celui-ci avait valu bien des déboires à ses trois auteurs, depuis longtemps défunts, les évêques Théodore, Théodret et Ibar. Cet édit sans grande importance n'avait soulevé l'attention de personne, à l'époque, hormis celle de Virgilius; en 553 toutefois, ses craintes allaient se voir entièrement justifiées, lorsque Justinien jugea nécessaire de faire convoquer le Cinquième Concile œcuménique de l'Église pour faire de cet édit mineur une loi canon

Lorsqu'il en arriva à exclure du concile tous les évêques occidentaux sauf six d'entre eux, alors qu'il avait autorisé cent-cinquante-neuf évêques orientaux à y assister (probablement tous fidèles aux monophysites), Justinien provoqua la réaction, tardive mais courageuse, de Virgilius. Le pape Virgilius demanda que la représentativité des évêques occidentaux et orientaux soit égale; comme on pouvait s'y attendre, Justinien ne tint aucun compte de cette requête.

Ainsi spolié des dernières brides d'autorité, toutes superficielles, dont il disposait encore, le pape Virgilius refusa d'assister au concile, même si les raisons qui le poussèrent à prendre cette décision furent à chercher davantage du côté de son instinct de conservation plutôt que de celui de sa loyauté envers le Vatican. Justinien n'était pas loin de précipiter sa fin, de la même manière qu'il l'avait fait pour Agapet et Silvère.

211

Si l'Église de Rome n'avait pas été réduite à l'impuissance face à la suprématie militaire de Byzance, Virgilius aurait certainement interdit à Justinien de convoquer le Cinquième Concile sous peine de le faire excommunier. À nouveau, s'il s'était trouvé davantage de l'étoffe du martyr dans la personnalité de Virgilius, il aurait été à même de susciter suffisamment de protestations en Occident pour faire réfléchir Justinien à deux fois ; en effet, l'empereur ne tenait aucunement à provoquer un soulèvement de l'opinion publique comme ce fut le cas lors de l'insurrection populaire de Nika en 523, qui était encore présente dans sa mémoire. Malheureusement, comme pour Becket, son passé allait se retourner contre lui. Il se retrouva pris entre les pressions de son maître et celles de sa propre conscience. Il y a quelque chose de stupéfiant dans l'étrange manque de sérieux qui a présidé à la conservation des archives de ce concile. En fait, il ne nous en reste aucune. Lorsque le concile s'acheva dans une atmosphère de confusion organisée et de vantardise non feinte, Justinien annonça officiellement que le concile n'avait été convoqué que dans le seul but de légaliser le fameux Édit des trois chapitres et que c'était maintenant chose faite.

Le pape Virgilius reçut une note officielle lui annonçant que l'Édit des trois chapitres était dorénavant une loi. Ainsi, le concile avait rempli sa mission et, tout étant rentré dans l'ordre, les évêques s'en allèrent.

En elle-même, la portée politique de cet édit était assez restreinte. Et s'il ne s'était agi que de Justinien, il l'aurait certainement fait inclure dans la loi canon sans recourir à la lourde machinerie d'un concile œcuménique. C'était comme d'aller cueillir tous les fruits d'un verger pour manger une seule pomme…

Mais d'autre part, si l'intention de l'empereur était de faire disparaître toute allusion 'a la métempsycose dans le texte original des évangiles, il aurait certainement eu besoin de la puissance considérable du Cinquième Concile pour masquer sa manœuvre. Quel était alors le but réel de ce congrès?

Il ne s'agissait pas moins que de condamner les écrits d'Origène, condamnation qui aurait pour effet immédiat, bien évidemment, de faire annuler le Décret chalcédonien de 451. Pour cette raison, il est absolument nécessaire de ne pas confondre le Décret de 451 avec le ridicule Édit des trois chapitres de 531; en effet, le tour de passe-passe du Cinquième Concile n'était destiné qu'à détourner l'attention exactement de la même façon.

Qui était réellement à l'origine du concile? Le fantôme infatigable de Théodora. C'était le coup d'état postume qu'elle avait fomenté pour détruire et briser l'autonomie de l'Église occidentale de Rome. Les monophysites se trouvèrent dès lors en mesure d'aligner les vues de l'Église sur les leurs et de les contrôler depuis leur forteresse orientale.

En bref, ce qui se trouvait dissimulé derrière tout le faste et la pompe de ce Cinquième Concile, c'était une véritable chasse aux sorcières; et la victime en fut la réincarnation sous toutes ses formes, platonique, origénique, laïque et religieuse.

Toutefois, empereur ou pas empereur, Justinien fut un laïque qui s'immisça dans les affaires de la loi ecclésiastique. Celui qui occupait le poste suprême à la tête de l'Église romaine s'était vu refuser l'entrée au concile et seuls six évêques occidentaux avaient été autorisés à voter.

Les résolutions du concile contribuèrent, bien évidemment, à la disparition de l'origénisme dans l'Église chrétienne, même si quelques sectes enragées, notamment les troubadours du Sud de la France, gagnèrent la clandestinité pendant quelques siècles.

Bien plus : les attaques dirigées contre Origène représentaient en fait autant d'assauts contre les Premiers

Pères de l'Église, dont les écrits reflétaient bien toute l'admiration qu'ils avaient pour cet homme. Les copies de leurs œuvres n'étaient pas nombreuses et cela ne représentait aucune difficulté d'en faire disparaître toute trace. Les premiers évangiles étaient en grec ou en latin et on s'arrangea alors pour qu'ils ne tombent pas entre les mains des laïques.

Fort peu nombreux, si même il y en eut, furent les monastères qui eurent le courage de défier l'empereur et de cacher les versions originales des évangiles qu'ils possédaient. Les espions de l'empereur étaient aussi efficaces et implacables que ceux de Staline ou d'Hitler ; ils disposaient de renseignements très détaillés sur toutes les bibliothèques religieuses. Tout ce que Justinien voulait faire disparaître et toutes les modifications qu'il fit apporter aux évangiles furent accomplies en un temps record ; il en fut de même pour l'élimination de toute trace évidente de vandalisme.

Même ainsi, certaines questions s'obstinent à rester encore sans réponse. À coup sûr, le pape Virgilius, s'il n'avait pas senti derrière lui toute l'influence de l'église occidentale, ne se serait jamais opposé à Justinien. Il condamna pourtant le concile.

Si l'on s'imagine que toute la sympathie des évêques occidentaux allait sans nuance aucune aux principes des monophysites, pourquoi Justinien serait-il allé jusqu'à leur barrer l'entrée de ce concile ? N'aurait-il pas dû, au contraire, leur souhaiter la bienvenue ?

Par quel processus le Vatican en est-il arrivé à la conclusion que son pape avait volontairement approuvé ces anathèmes et les avait officiellement acceptés comme faisant partie de la loi canon ?

L'absence, hormis six d'entre eux, des évêques occidentaux au concile était habilement préméditée pour inculquer au cœur même de l'Église Mère une soudaine confiance en ses ennemis les plus acharnés, Théodora et

Justinien. Le Vatican avait-il été préparé à se soumettre à ces intimidations, et ce pour l'éternité? On peut comprendre la crainte de la vengeance de Théodora, du temps de son vivant... Mais, vers la fin de sa vie, Justinien n'était plus que l'ombre de lui-même; il ne représentait plus aucun danger; il recherchait désespérément le chemin du repentir et de l'absolution. Pourquoi dès lors les conclusions de ce fameux concile n'ont-elles pas été révisées par un Concile œcuménique autorisé?

L'Encyclopédie catholique nous apprend que Virgilius et les quatre papes qui lui ont succédé ne reconnaissaient que l'Édit des trois chapitres lorsqu'ils se référaient au Cinquième Concile et qu'ils parlaient de l'origénisme comme s'ils ne savaient rien de la condamnation dont il avait ait l'objet.

Cinq cents ans plus tard, en 1054, les Églises romaine et grecque s'excommunièrent l'une l'autre. À coup sûr, aucune divergence idéologique ne peut être plus complète. Pourtant, un aspect étonnant de cette confrontation est l'ambiguïté qu'a montrée l'Église grecque lors du Concile de Florence, qui s'est tenu pendant la Renaissance. George Gemistus, qui y assistait en tant que représentant de l'Église grecque, pressa Cosimo de Medici, alors à l'apogée de sa puissance, de créer une Académie platonique à Florence. Cela aurait servi à introduire la notion de métempsycose dans la philosophie européenne, bien que l'Église y restât farouchement opposée. Le commentaire caustique de Voltaire, « de nos jours les catholiques romains ne croient qu'aux conciles approuvés par le Vatican et les catholiques orthodoxes grecs ne croient qu'à ceux qui ont été approuvés par Constantinople », dénote un renversement ironique de la fidélité aux enseignements de Platon. Rome les avait condamnés avant que les Grecs n'y reviennent, même si, eux aussi, ne les acceptaient pas entièrement dans leurs croyances.

Cela revient à dire que les conclusions réelles du Cinquième Concile, n'ayant jamais été soumises à l'approbation de l'Église de Rome, n'ont ainsi jamais été ratifiées par elle.

Ce concile n'a jamais été rien de plus qu'une supercherie élaborée pour dissimuler la réunion d'un conclave bien plus restreint qui s'était tenu quelques jours plus tôt. Au cours de cette cabale secrète, si l'on en croit l'Encyclopédie catholique, «les évêques déjà réunis à Constantinople avaient à prendre en considération, sur ordre de l'empereur, une forme d'origénisme qui n'avait pratiquement rien en commun avec Origène, mais qui était professée, nous le savons maintenant, par une des écoles origénistes de Palestine».

L'Encyclopédie termine sur cette constatation que les évêques avaient docilement souscrit aux quinze anathèmes proposés par l'empereur contre Origène et que Théodore de Scythopolin, un origéniste reconnu, fut contraint de se rétracter. Mais (et il faut accorder la plus grande importance à de ce qui suit(, «nulle part on ne trouve la preuve que l'approbation par le pape, qui était alors en train de protester contre la convocation de ce concile, ait même été demandée. On comprend aisément de quelle manière cette sentence prise hors concile ait pu être prise, par la suite, pour un décret authentique du concile œcuménique».

Pour qui est-ce donc si aisé de comprendre?

Durant les presque 1400 ans qui se sont écoulés depuis le concile, aucune autorité ecclésiastique n'a fait examiner ce problème avec l'attention qu'il mérite, ou n'a même montré le désir d'agir de la sorte.

Head et Cranston, dans leur «Réincarnation, une anthologie est-ouest» donnent cette brève explication : «Il semble clair... que les catholiques commencent à renier le rôle joué par l'Église romaine dans les anathèmes contre Origène. Ils suggèrent que, au cours des siè-

216

cles où l'Église croyait avoir condamné Origène, il s'agissait en fait d'un malentendu.

« Cependant, une conséquence désastreuse de cette erreur fait encore sentir ses effets : il s'agit de l'exclusion, par la chrétienté, de l'enseignement de la préexistence de l'âme et, de là, de la réincarnation».

Chapitre 12

Le procès des sorcières de Salem : l'«éthique puritaine» dans la psyché américaine.

On comprend parfaitement que les références aux procès des sorcières de Salem, en 1692, soient d'une importance particulière pour les études de vie d'Edgar Cayce. En effet, ce procès fut le premier exemple de persécution religieuse qui ait laissé des traces indélébiles dans le Nouveau Monde comme sur les âmes humaines qui y furent impliquées.

Quatorze hommes et quinze femmes furent pendus et un homme fut acculé à la mort pour avoir refusé de plaider coupable. Cinquante-cinq autres personnes en réchappèrent uniquement en dénonçant des innocents et lorsque les autorités se calmèrent, cent cinquante personnes croupissaient encore derrière les barreaux.

Là encore, «les cicatrices se sont transmises de siècle en siècle». L'impression générale que l'on peut avoir de ce sombre épisode de l'histoire, grâce aux études de Cayce, est que, parmi les hommes, les femmes et les enfants innocents qui furent persécutés, se trouvait une poignée de visionnaires et de clairvoyants géniaux.

De manière plus explicite, les cas que l'on trouve dans les dossiers de Cayce sont pour ainsi dire tous confrontés d'une façon ou d'une autre à des problèmes d'ordre psychique dans leur vie actuelle. Dans le premier exemple que nous mentionnons, on trouve à nouveau des karmas physique et émotionnel convergents.

La sorcière plongeante.

Il y a environ une trentaine d'années, un membre de l'ARE demanda que l'on vienne rapidement au secours de sa sœur, Moira Schaeffer. Artiste âgée de 31 ans, nature plutôt timide et introvertie, Moira avait été invitée à une soirée à Greenwich Village, au cours de laquelle elle devait faire la rencontre « d'artistes et d'hommes d'affaires qui pourraient l'aider pour l'avenir de sa carrière ». Elle revint chez elle complètement traumatisée et son état se détériora très rapidement : elle s'ingligeait de telles violences à elle-même qu'il fallut la faire enfermer dans un établissement psychiatrique.

Dans ses crises de délire, elle hurlait sans cesse que quelqu'un la terrorisait et essayait de lui faire du mal ; elle était complètement paniquée à l'idée que « l'homme avec le parapluie noir » puisse revenir la voir.

Son étude de vie la fit remonter en Nouvelle-Angleterre à l'époque de la chasse aux sorcières. Cayce la retrouva là sous les traits de Mana Smyrth, qui disposait, à un degré moindre, d'un don de clairvoyance qui ne manqua pas de la conduire dans le boxe des accusés. La sentence à laquelle elle fut condamnée fut plutôt légère : elle dut prendre part à une série de plongeons de sorcières. Mais de tels sauts étaient souvent assez brutaux pour causer la mort accidentelle des sujets, par noyade ; Mana Smyrth réchappa de cette épreuve emplie de vengeance et de fiel.

« L'entité a souffert de ces persécutions et fut souvent amenée à se soumettre à cause des plongeons qu'on l'obligeait à faire.

« Ainsi, l'entité a hérité à la fois de bonnes et de mauvaises influences dans sa vie présente. On retrouve maintenant le besoin de prendre des positions clairement définies. Et, dans un certain sens, malgré la peur que l'eau inspire à l'entité, il se trouve que cette eau — ou de l'eau et de la couleur — peut être un moyen ou une voie de meilleure expression ».

L'intensité de sa haine et de sa colère avait annihilé les gains qu'elle aurait pu réaliser autrement en pardonnant à ses ennemis. Mais en abusant de la loi de grâce, elle se trouvait une fois encore prisonnière de la loi karmique de cause à effet, à cause d'une affaire qui s'était mal terminée dans une vie antérieure, alors que l'entité était un artisan dans une lointaine contrée arabe. « De graves troubles physiques et mentaux remontent à cette période », lui apprit Cayce, « et pourtant — comme l'entité put s'en apercevoir, même à l'époque — elle avait de nombreuses possibilités pour exprimer toute la beauté grâce à l'art. Il peut en aller de même dans le présent. ».

En dépit de cette lueur d'espoir, le cas de Moira restait désespéré. Son étude physique devait révéler que sa démence était provoquée par des lésions à la moëlle épinière, mais il était difficile de convaincre les médecins de l'établissement où elle se trouvait de la laisser sortir de la section des « dangereux et incurables » ou d'autoriser un traitement ostéopathique. Elle ne pesait plus que quatre-vingt livres. Elle avait perdu la raison au point de ne reconnaître personne. Toutefois, Edgar Cayce insista tellement pour qu'on puisse lui venir en aide à tout prix que David Kahn, un membre influent de l'ARE à New-York, put faire bon usage de l'autorité dont il disposait. Après une succession laborieuse de démarches et une série de miracles, la jeune femme rcouvra et son esprit et sa santé grâce à un traitement ostéopathique.

Sa carrière d'artiste prit toute sa dimension lorsque son étude lui apprit qu'elle avait été, une fois, apprentie dans l'atelier du fameux peintre Pierre Paul Rubens (1577-1640) et que, si elle suivait attentivement les cours de son école de peinture, son propre style serait couronné de succès.

La lettre de remerciements qu'elle fit parvenir à Edgar Cayce contient ce passage émouvant : «Je me sens beaucoup plus heureuse depuis que j'ai fait cette étude. Il me semble parfaitement impossible qu'un être humain puisse voir et sentir les choses comme vous le faites! L'influence de Rubens a été remarquée dans mon œuvre, ce qui donne beaucoup de poids à votre affirmation ; je vais continuer à étudier l'œuvre et la période de Rubens, ce que j'ai déjà fait, d'une certaine manière, à Boston... Rubens était un maître de l'huile. Comme pour l'aquarelle, cela dépend de la façon dont les choses s'arrangent entre elles. J'ai en effet toujours été impressionnée par de trop grandes quantités d'eau et póurtant, comme vous le disiez dans votre étude, c'est bien de là que vient l'aquarelle».

Jamais on ne put déterminer avec exactitude la nature du mal dont Moira avait souffert, mais l'impression de sa sœur, qui l'avait écoutée pendant ses crises de délire, était qu'une sorte d'hypnotisme malveillant avait été utilisé contre elle, avant que d'être molestée plus brutalement lors de cette soirée à Greenwich Village.

Si c'est réellement le cas, pourrait-il s'agir d'une vengeance de la «sorcière» de Salem qui poursuivrait ses tourmenteurs avec davantage de pouvoir qu'elle pensait elle-même posséder? Et se serait-elle alors laissé prendre

221

à son propre piège ? Car maudire autrui, « c'est se maudire soi-même ».

Deux célébrités font une apparition dans les études de Cayce, et dont l'existence peut être confirmée ; il ne faut toutefois pas perdre de vue le fait que l'orthographe des noms est souvent arbitraire et phonétique. Il s'agit de John Dane, qui prit une part active à ces persécutions et du révérend James Allen, un pasteur qui tenta de prendre la défense des persécutés.

John Dane (ou Dain) fut « un de ceux qui furent les premiers à arriver dans une contrée que l'on connaît maintenant sous le nom de Massachusetts, et parmi ceux que l'on appelait les puritains. L'entité réalisa des gains en rendant service à autrui et en s'appliquant à améliorer spirituellement son corps et son esprit ; l'entité endura de nombreuses souffrances durant cette pédiode ».

Outre cette incarnation, l'étude de Cayce fait référence à une vie antérieure de Dane, au cours de laquelle il fut un moine anglais qui s'était laissé tenter par « les faiblesses de la chair », ce qui lui fit renoncer à ses voeux de chasteté. De toute évidence, il payait pour cela dans la vie qu'il menait actuellement.

Il existe au moins deux livres qui font des références historiques à Dane comme ayant été un membre du jury qui siégea au procès des sorcières : il s'agit de « More Wonders of the Invisible World », publié par Robert Calef en 1700 et de « Witchcraft », de Charles Williams, publié par Faber et Faber, à Londres ; ce dernier relate la manière dont « un groupe de jurés signa une déclaration dans laquelle ils demandaient à être pardonnés d'avoir participé aux persécutions ». Parmi ceux qui apposèrent leur signature au bas de cette déclaration figurait le nom de John Dane.

Le révérend James Allen était pasteur à la fois à Salem et à Providence, et « l'on peut encore trouver, dans les environs de Salem, le monument, ou plutôt la plaque commémorative dédiée à Allen, le pasteur de cette église»

L'étude affirme qu'Allen avait été persécuté pour avoir tenté de prendre la défense de ses paroissiens, qui «étaient venus dans un pays libre pour pouvoir adorer leur Dieu selon les préceptes de leur propre conscience». «L'entité réalisa plusieurs gains lors de cette expérience. Bien qu'exilée, elle était aimée et appréciée par tous ceux dont elle avait servi le corps et l'esprit durant cette vie, ce qui lui valut finalement les éloges de ceux qui savaient ce qu'il avait enduré pendant les persécutions.

«Pour l'entité, c'est là le test de la fidélité de son âme, même au cours de son expérience présente».

L'existence d'Allen se trouve confirmée dans le livre «Records of Salem Witchcraft», volume II, d'Elliot Woodward, mais la tombe où il a été enterré, par contre, est tombée en ruines. Malgré cela, à en croire l'étude, sa pierre tombale est encore intacte et on peut encore y lire l'inscription qui y figurait, même si elle fait maintenant partie d'un mur ou d'un sol de sacristie.

Ces deux hommes se portent bien dans leur vie actuelle, bénéficiant toujours de la compassion et de la tolérance dont ils avaient fait preuve durant cette période de persécutions. Même Dane, malgré qu'il ait siégé dans un jury qui avait condamné des gens à la potence, avait agi au plus proche de sa conscience et plus d'une misérable créature a eu la vie sauve grâce au vote de Dane en sa faveur.

Le retour des corbeaux.

Nous arrivons maintenant à un cas plus complexe, qui pourrait très bien avoir été écrit par la plume de Poe ou celle de Hawthorne. Au début des années 30, l'étude d'Ezra Brandon, âgé de 35 ans, marié avec une jeune famille à charge, s'entremêla avec celle de Marion Kramer, une femme célibataire âgée de quelques années de plus que lui.

Brandon souffrait de psoriasis, qui avait été provoqué par une blessure au dos ; mais son étude physique avait fait beaucoup pour le soulager de ses peines.

Quant à Marion, elle pateaugeait dans les mystères les plus épais. Elle possédait un petit don de clairvoyance qu'elle utilisait un peu à tout propos en abusant de l'écriture automatique et des séances médiumniques. Elle était infatigable et malicieuse ; elle ne tenait aucun compte des sentiments des autres. Lorsqu'elle fit la rencontre d'Ezra Brandon, elle ressentit une attirance sexuelle pour lui quasiment obsessionnelle, à laquelle il ne manqua pas de répondre. Utilisant sa concentration pour tirer profit de la faiblesse d'Ezra, elle ne tarda pas à le subjuguer avec sa personnalité dominatrice ; les séances médiumniques le convainquirent que leurs deux âmes étaient liées l'une à l'autre et qu'il devait se libérer des liens de son mariage. Ce n'était qu'une infime partie de la vérité qui motivait son tour de passe-passe, mais c'était suffisant pour faire mordre à l'hameçon le crédule Brandon.

Aucun des deux ne tint compte des avertissements implicites contenus dans leur étude respective. Brandon divorça et abandonna sa famille. Au moment où lui et Marion devinrent mari et femme, le malheur, qui ne s'était pas encore manifesté, s'abattit sur eux. Non seulement sa bonne humeur se dissipa complètement, à cause d'une série de catastrophes, mas encore il tomba malade pour ne jamais s'en remettre.

En fait, ce cas était typique des tragédies qui se nouent chaque jour, à tous les niveaux de la société. Mais celui-ci avait quelque chose en plus : c'était la répétition d'une relation malsaine qui s'était établie pour la première fois à Salem, il y avait 300 ans de cela.

À cette époque, le couple était déjà mari et femme ;

l'homme, qui s'appelait alors Jacob Bennet, persécutait les femmes accusées de sorcellerie avec un zèle tout particulier ; il ne fit même aucune exception pour sa propre femme lorsqu'elle se retrouva parmi les victimes ; «à plusieurs reprises elle fut plongée dans l'eau — et mise aux fers une fois — à cause de ses activités. »

Tant Marion Kramer qu'Ezra Brandon étaient revenus avec des possibilités intéressantes. On avait dit à Marion qu'elle pourrait utiliser ses capacités de façon constructive en se dirigeant du côté de la psychologie ou de la psychiatrie ; quant à Ezra, on lui avait dit qu'il pourrait aisément surmonter son intolérance et les remords qu'il en concevait à la suite de sa vie à Salem en exerçant des activités dans les domaines social et religieux, au cour de sa nouvelle vie.

Qu'est-ce qui les a à nouveau enchaînés l'un à l'autre et qui a contribué à briser leur vie actuelle? En ce qui concerne Marion, il s'agit clairement de son incapacité à pardonner — du désir qu'elle avait toujours de se venger de la cruauté dont avait fait preuve son époux alors qu'il était Jacob Bennet. En se retournant sur une vie qu'elle avait vécue en Grèce et qu'elle avait gaspillé pour jouir des plaisirs de la chair, alors qu'elle était d'une beauté exceptionnelle, elle avait usé d'une pression pûrement sexuelle pour le faire tomber dans son piège.

Et lui, pourquoi avait-il permis sans réagir de la laisser détruire impunément sa vie? Physiquement, il était en train de se rétablir ; il n'avait pas fait un mauvais mariage. Il s'agissait en fait presque d'une soumission passive à sa destruction inévitable. Il ne fit absolument rien de sa volonté ; vraiment, c'en était trop. Dans cette atmosphère de nihilisme aride, la loi de grâce ne pouvait se manifester : c'est pourquoi tous deux furent laissés à la merci de la loi de cause à effet.

Les bons amis

Malgré tout cela, l'expérience de Salem eut des aspects positifs et aucun exemple ne pourrait mieux illustrer cela que la relation dont nous allons parler maintenant. Il s'agit de celle unissant une femme mariée et son beau-frère; tous deux répondent au non d'Alden. Lui exerçait une profession qui lui répugnait tant qu'il décida finalement de se tourner du côté des opprimés. Quant à la femme, «elle souffrait physiquement des persécutions qui s'étaient abattues sur son ménage. Toutes sortes de maux affligeaient l'entité et elle tint rancune à tous ceux qui avaient fait souffrir ceux qu'elle aimait.

«Dans le présent, elle garde toujours une crainte innée de tous ceux qui sont professeurs, pasteurs ou qui exercent une profession en relation avec des sources invisibles,» ainsi que la peur d'être malmenée si elle venait à faire connaître ses opinions réelles.

Avait-elle été accusée de sorcellerie? Invariablement, l'innocent souffre deux fois plus cruellement que celui qui est coupable, à une époque de persécutions publiques; rares sont ceux qui s'en remettent. Quel que fût son cas, elle s'occupait d'une pension dans le Norfolk lorsqu'elle fut reçue par Edgar Cayce, en raison de l'intense sincérité qu'elle mettait à prier. En tant que membre du groupe de prière de l'ARE, elle développa le rare talent de pouvoir «soigner avec ses mains.»

Dans sa vie actuelle, son beau-frère était de nationalité allemande et, tout jeune homme, il dut servir dans l'infanterie lors de la première guerre mondiale. Lors de la défaite finale de l'Allemagne, il fut grièvement blessé et fut abandonné, mourant, sur un champ de bataille déserté. Au cours de la nuit toutefois, ses blessures se refermèrent et il dut la vie à une créature lumineuse et supranaturelle. Il crut qu'il s'agissait de son ange gardien — et il n'est de loin pas le seul à avoir vécu ce genre d'ex-

226

périence lors de la guerre 14-18 — car il fut un des premiers blessés a être découvert par les sanitaires et brancardiers à l'aube du lendemain.

Ensuite, il émigra en Amérique et le destin le conduisit directement à cette pension dans le Norfolk, où il fut accueilli chaleureusement par celle qui fut sa belle-sœur du temps de leur vie à Salem ; c'était maintenant une veuve de 58 ans. Grâce à elle, il obtint une étude d'Edgar Cayce ; il alla même étudier à l'Université d'Atlantic, qui dépendait de la même organisation que le Edgar Cayce Hospital, qui s'effondrèrent tous deux lors du crash 1929.

Cayce fut en mesure d'expliquer que l'ange gardien du jeune homme n'était pas un ange dans le sens descriptif du terme, mais un des « surveillants », ou « secouristes », qui avaient fait suffisamment de progrès spirituels pour venir en aide aux pauvres mortels, alors qu'ils étaient eux-mêmes dans une autre dimension, en attente d'une renaissance.

Cette âme évoluée avait été capable de récompenser entièrement, la pitié et la gentillesse dont Alden avait fait preuve à l'égard des victimes des persécutions de Salem. Cela illustre très clairement de quelle manière la loi de grâce peut l'emporter aisément sur toutes les lois karmiques de cause à effet.

Un autre aspect positif se retrouve dans le cas de cette femme qui s'était échappée de Salem pour s'en aller en Virginie, « Jane Dundee, la sorcière » ; bien qu'on continuât à la harceler et à la rejeter jusqu'ici, elle continua inlassablement à faire tout le bien qu'elle pouvait, jusqu'à sa mort. Son étude lui apprit qu'elle avait été l'un des enfants malades soignés par le Christ et que le désir de soigner et de guérir les autres était resté vivace au travers de ses différentes vies, allant même jusqu'à défier le nœud de son bourreau à Salem et qui se manifestait maintenant par le pouvoir qu'elle avait de soigner par imposition des mains.

L'impression générale que l'on retire des références faites à Salem dans les dossiers des études est qu'un groupe d'âmes qui s'est incarné là, à ce moment , a en fait partagé tout un cycle de réincarnations compris entre la France (depuis les Croisades jusqu'à la Révolution) et la Palestine, à l'époque du Messie ; ce fut ensuite, en remontant dans le temps, la Grèce, l'Égypte préhistorique et le continent disparu de l'Atlantide. Toutes ces âmes, qui avaient répondu instinctivement à l'appel de Jésus-Christ, firent preuve de beaucoup de courage et de force spirituelle lors des procès de Salem. Là où ils le pouvaient, à chaque occasion, ils faisaient leur possible pour restaurer la tolérance et la compréhension.

Ceux qui finirent mal à Salem furent souvent intolérants, auparavant ; cet état d'esprit se retrouvait déjà souvent dans l'Atlantide, et il menait ensuite directement aux malheurs de Salem. Mais il est suprenant de constater combien tirèrent des leçons de leurs erreurs et s'en revinrent au XXe siècle, non seulement préparés à vivre ou à se laisser vivre, mais également prêts à se mettre au service des autres.

On se rend assez bien compte des conséquences possibles d'une vie à Salem dans des références telles que celle-ci :

« ...L'entité répondait alors au nom d'une certaine Sally Dale, qui perdit la vie à cause d'un coup de froid provoqué par ces trop fameux plongeons. Pour elle, cela se traduisait dans le présent par la crainte qu'elle ressentait à laisser s'exprimer librement ses sentiments profonds, surtout lorsqu'il s'agissait de sujets tels que la sorcellerie. »

« ...Sous le nom de Marie Smith,... elle entendait des bruits et avait des visions qui résultaient de l'imagination d'un esprit qui se trouvait loin de chez lui (il s'agissait de la longue histoire d'une esclave indienne) et qui avait reconnu dans le murmure de la forêt le signe de la vie des âmes.

« Dans le présent, cela peut se traduire par une certaine forme de curiosité, par le désir de savoir — en écoutant discrètement quelques bribes de discussion — et souvent tu entendras ce que personne ne peut entendre; cela te rendra bien plus heureux! »

« …Sous le nom d'Elsie Pepper… elle se trouvait avec ceux qui avaient osé défier, comme l'avait dit le Seigneur, les loups qui se déguisaient en agneaux. D'où son intérêt, dans sa vie présente, pour toutes choses qui sont de nature semblable (à la sorcellerie) — tous ces rêves et ces visions n'étaient nullement un miracle! »

« …L'entité fut également un certain Bill Edmundson, qui guida ceux qui n'avaient pas encore trouvé la Voie. Elle s'occupait alors de tenir un magasin qui se trouvait étroitement associé aux pasteurs et à certains des conseillers municipaux… C'est ainsi que l'on retrouve des intérêts d'ordre commercial, une certaine facilité pour parler en public, ainsi que certaines affinités pour tout ce qui a trait aux forces occultes ou parapsychologiques. Il y a des possibilités dans tous ces domaines, mais l'entité ne peut pas se permettre de devenir par trop forcenée ni de laisser pour compte la considération qu'elle doit à autrui. Car la liberté de parole n'autorise aucun individu à dire du mal de son prochain. Bien plus, elle donne à celui qui en dispose le privilège d'être une influence bénéfique pour les autres, grâce à ses discours, ses pensées et ses actes. Ce n'est qu'ainsi que l'on est réellement libre et que l'on a trouvé la vérité! »

« …À l'époque des persécutions de ceux qui n'avaient que le tort d'être différents des autres, ou de ceux qui voyaient, entendaient et comprenaient davantage que le commun des mortels, on trouvait l'entité trop indulgente avec ceux du sexe opposé et elle en souffrit, tant moralement que physiquement. Dans le présent, le souvenir de telles expériences provoque des troubles au niveau de la glande pinéale, causant à leur tour des désordres au niveau mental. Toutefois, si ces dérèglements peuvent être utilisés et mis au service d'un idéal, ils peuvent alors devenir bénéfiques. »

« ...L'entité persécutait ceux qui avaient des visions ou faisaient des rêves, ou ceux qui étaient considérés comme des personnages décidément trop étranges. Pourtant, lorsque ceux de son propre entourage figuraient parmi ceux qui avaient eu des visions et avaient entendu des voix, l'entité en concevait une confusion certaine. C'est pour cela que l'on retrouve, dans le présent, un attrait pour les phénomènes d'ordre parapsychologique ou occulte, ainsi que pour tout ce qui est de nature scientifique. Toutefois, il convient de prendre garde de ne pas tout confondre. Il faut se méfier des mystères qui peuvent n'être d'aucune utilité dans la vie pratique, tout comme il faut se garder de prendre exemple sur ceux qui voudraient faire des expériences pratiques avec leur âme au point d'empêcher le développement spirituel de cette âme elle-même! »

« Une sorte de Sadducéen »

Un certain mystère entoure la vie qu'aurait passée à Salem un membre de l'ARE, « qui s'appelait alors Robert Calvert. L'entité prit part à de nombreux interrogatoires et siégea en tant que juge des dogmes qui régissaient les rapports, très orthodoxes, entre l'Église, l'État et les gens. » Celui à qui était destinée l'étude écrivit ce qui suit à Gladys Davis Turner :

« Pendant quelques mois, je me suis mis à la recherche des traces d'un certain Robert Calvert qui aurait correspondu à la description. Les seuls à porter ce nom dans le Nouveau Monde étaient ou avaient été dans le Maryland, et non dans Le Massachusetts. De plus, il n'y avait aucun Robert parmi eux et leur descendance s'arrêtait immédiatement après eux, car ils n'avaient pas eu d'héritiers.

«L'index du «Diable dans le Massachusetts» ne fait aucune mention d'un quelconque Robert Calvert, mais il cite par contre un certain Robert Calef, dont le caractère et les activités correspondaient exactement aux renseignements fournis par l'étude de Cayce.

Il était marchand à Boston, quoique certains fassent allusion à lui en tant que tisserand, et il assista à de nombreux interrogatoires tout en occupant quelque fois le poste de juge.

La différence entre les deux noms peut aisément être mise sur le compte d'une erreur de transcription, dans la mesure où la calligraphie des lettres est très ressemblante, et le fait de subsister un nom peu usité par un autre, plus courant, semble fort plausible. Je pense que personne n'hésiterait à dire que Robert Calef était bel et bien l'homme dont il était fait mention dans les dossiers des études.

«Il était né en Angleterre en 1648 et était déjà venu quelques fois à Boston avec sa famille avant 1688. Deux de ses huit enfants étaient nés après son arrivée à Boston et l'aîné de ses fils était physicien à Ipswich. En plus de ses affaires et des occupations qu'il avait en rapport avec la sorcellerie, Calef fut, de 1692 à 1710, officier de police, surveillant des récoltes, surveillant des chemins et des routes, employé au marché de la ville, administrateur de la taxe des pauvres, assesseur et collecteur de la dîme! À la fin de sa carrière, il se retira dans sa propriété, à Roxbury, dans le Massachusetts, où il mourut et fut enterré dans le vieux cimetière qui se trouvait en face de sa maison, le 13 avril 1719, à l'âge de soixante-et-onze ans.

«Il semble avoir été l'un des rares personnages sains

d'esprit de l'endroit ; tout tisserand ou marchand d'habits qu'il fut, il n'hésitait jamais à porter son propre jugement et à en tirer les conclusions qui s'imposaient. Il n'hésita pas non plus à remettre en question, régulièrement, les décisions, la théologie et le raisonnement des deux penseurs, Cotton et Increase. Lorsqu'ils ne lui donnaient pas satisfaction, il en appelait à tout le clergé. Il fit suivre le livre de Cotton, «Wonders of the Invisible World», d'un ouvrage de son crû, «More Wonders», qui fut réimprimé à cinq reprises et qui est, aujourd'hui encore, reconnu comme le travail d'un individu bien intentionné et parvenu à maturité, doué d'un esprit méthodique.

«Peut-être suis-je présomptueux et trop emporté, mais je ne crains pas d'affirmer que je suis fier de Robert Calef — il est justement le genre d'hommes, non seulement que j'aurais aimé être, mais encore celui que je vais essayer d'être pour le temps qu'il me reste à vivre !

«Cependant, il pourrait être plus difficile, pour n'importe qui d'autre, de voir quelle est la relation entre ce que dit Edgar Cayce de la vertu et les vices de Robert Calef, que l'on retrouve encore dans sa personnalité actuelle. Et pourtant, je suis sûr qu'il y en a une.

«D'où les influences que l'on sent encore dans le présent qui font que l'entité s'estime presque parvenue ; et pourtant, il y a une autre influence, ou une force, qui agit en dehors, comme au delà de son contrôle...

«L'explication exacte de toute chose est pour moi plus importante que jamais. Bien qu'aujourd'hui je ne sois par un aussi bon marchand, que mon expérience soit beaucoup moins grande et tant que surveillant, que constable ou qu'administrateur des pauvres, je suis prêt à engager la discussion avec n'importe qui. Et je désire également mettre cela sur papier, exactement de la manière dont je le vois — pas à pas — même sous peine de paraître fastidieux et bourru.

« De plus, je me suis encore endurci : je suis un libertin dans une robe de puritain — les penseurs de ce monde et moi-même sommes encore à inégalité! Mais peut-être avaient-ils raison et ne serais-je alors qu'une sorte de Sadducéen!»

Chapitre 13

Les répercussions de « Search for Bridey Murphy »

Les trois hommes qui ont le plus œuvré pour rendre populaire la théorie. de la réincarnation d'Edgar Cayce sont le regretté Thomas Sugrue, qu'il connaissait et appréciait comme un de ses propres fils ; Morey Bernstein, qui vint à Virginia Beach sitôt après la mort de Cayce avec l'intention délibérée de le faire passer pour un imposteur ; et, plus récemment, Jess Stearn.

Il n'est pas nécessaire de présenter ici Thomas Sugrue et le livre de Stearn, « The Sleeping Prophet » parle de lui-même.

Bernstein était un jeune homme particulièrement actif et doué, un esprit indépendant ; l'étude qu'il fit des phénomènes hypnotiques de manière médicale l'avait conduit à découvrir l'ouvrage « There Is a River ». À Pueblo, dans le Colorado, il fit la découverte d'une jeune ménagère,

Ruth Simmons, qui était à ce point perméable à la suggestion hypnotique qu'elle pouvait remonter à une vie qu'elle avait vécue en tant que femme d'un paysan de Belfast, au cours de la première moitié du XIXe siècle.

Ainsi donc, Bridey Murphy était condamnée à revivre une existence terne et obscure, sous les regards du grand public américain ; pendant quelques années, elle tint pourtant la une des grands journaux.

En 1956, Bernstein publia son ouvrage «The Search for Bridey Murphy», un compte rendu de séances d'hypnose. À sa décharge, il convient de préciser que Bernstein n'était absolument pas préparé (comme la plupart de ceux qui avaient pris part à cette réalisation d'ailleurs) à la célébrité instantanée que lui valut cette publication. De même n'était-il pas préparé non plus à encaisser les réactions consternées qu'un succès si vulgaire provoqua aux échelons les plus conservateurs de l'«establishment» ; enfin, l'argent que cela lui valut ne tarda pas à lui tourner la tête.

Pendant quelque temps, la fureur soulevée par la publication du livre menaça de jeter le discrédit sur tous ceux qui étaient concernés, de près ou de loin ; même sur ceux qui n'étaient engagés que dans la production de l'ouvrage. Uniquement parce que l'on parlait d'Edgar Cayce dans le premier tiers de ce livre, les visées de l'ARE auraient pu souffrir des réactions du public si la caballe menée contre toutes les formes de la réincarnation avaient abouti.

Pour cette raison, l'incident provoqué par Bridey Murphy mérite davantage qu'une simple mention dans ce volume.

Avec tout le zèle qu'il mit à obtenir tous les détails de l'histoire, l'auteur posa ses questions avec l'impartialité d'un juge de district déterminé à obtenir toute la vérité d'un témoin récalcitrant ; mais c'était sans compter avec l'intelligence de Ruth Simmons, qui n'avait vraiment aucun point commun avec le quotient intellectuel d'une servante du début des années 1800.

Bridey, tout d'abord autorisée à s'exprimer librement, fut plus que ravie de l'occasion qu'on lui donnait. Elle fut tout heureuse de pouvoir ainsi bavarder, flattée d'attirer sur elle une attention dont elle n'avait jamais bénéficié du temps de sa vie terrestre. Elle était hantée par le désir de plaire et de faire bonne impression ; tout naturellement, elle n'avait aucune envie de se faire passer pour la paysanne illettrée qu'elle était. Elle fit de son mari et de sa famille des gens de la classe moyenne-inférieure, qu'elle avait de toute évidence toujours considérés avec une envie et une crainte non dissimulées. (En fait, en tant que femme d'un cocher ou du messager d'un procureur de Belfast, elle avait dû vivre tout en bas de l'échelle sociale). Malheureusement, sa vantardise, tout humaine et pardonnable qu'elle fût, ne résista pas aux méthodes de Bernstein, qui avaient tout d'un détecteur de mensonges.

Lorsqu'on écoute les enregistrements, on prend immédiatement conscience de son étonnement croissant, puis de la crainte qu'elle éprouve d'être torturée par des membres des classes supérieures. Les petits mensonges qu'elle avait dits se retournèrent contre elle, comme si personne ne croyait ce qu'elle avait dit. Avec une certaine répugnance à s'exposer ou à se rendre ridicule, une nouvelle forme de regret commença à se manifester, à un niveau plus subtil, dans le personnage de Ruth Simmons. Elle commença à s'irriter chaque fois que des séances étaient consacrées à sa propre vie et Bernstein fut finalement contraint de la supplier de poursuivre.

Il est assez significatif de remarquer que tous les détails de moindre importance qu'une servante était censée connaître, Bridey s'en rappelait bien. Elle se souvenait bien du nom des différents magasins de la ville, des lectures populaires de l'époque (qu'elle-même n'avait certainement jamais lues), du genre de repas qu'elle servait, des noms régionaux que l'on donnait aux ustensiles domestiques ; elle parla aussi de manière très précise du respect que lui inspirait le Père Gorman, le prêtre de la paroisse, selon toute vraisemblance un jeune homme plutôt distant, qui ne s'attendait à plus grand chose d'autre qu'à la pauvreté endémique de sa paroisse. La profonde solitude et l'austérité dans lesquelles vivaient les pauvres au début de ce siècle n'apparaissent qu'en filigramme dans ces enregistrements. Bridey n'avait pour ainsi dire aucun bon souvenir à mentionner ; elle vivait presque en esclavage. Elle mourut soudainement d'épuisement, vieillie avant l'âge, accablée dans la mort comme elle le fut au cours de sa vie, incapable de faire sentir sa présence à son mari sénile, incapable également de progresser au-delà du monde astral primitif qui entoure confusément le périmètre externe de la vie. Dans ce «purgatoire des laissés-pour-compte», la vie après la mort avait pris la forme sinistre d'une usine ou d'une maison de charité dans un perpétuel crépuscule. À une des occasions où Bernstein fit preuve de moins de diplomatie, il mentionna dans son livre la référence que Bridey fit à une de ses rencontres avec le Père Gorman, qui était aussi étonné et désorienté qu'elle l'était elle-même. (Cela, bien sûr, ne manqua pas d'offenser la sensibilité des religieux actuels, qui ne manquèrent pas, par la suite, de dénoncer ce livre.)

Il faut mentionner maintenant deux événements plus troublants. Au fur et à mesure qu'augmentaient le malaise et l'embarras de Bridey, au cours de ses séances avec Bernstein, elle se laissa de plus en plus aller à de pitoyables tentatives visant à l'adoucir. Elle attrappa une sorte de grippe de circonstance qui la faisait tousser aussitôt que les questions devenaient aggressives ou embarrassantes ; ou alors, elle se plaignait parce que son pied lui faisait mal depuis qu'elle se l'était foulé en dansant une gigue irlandaise.

Puis, vers la fin des entretiens, alors que les questions se référaient toujours plus précisément aux dernières années de la vie de Bridey Murphy, une voix se fit entendre par la bouche de Ruth Simmons, que même la plus accomplie des actrices n'aurait pas pu imiter. C'était une voix faible et gémissante d'une femme de soixante ans, qui se résignait à parler avec peine à cause de l'absence de toutes ses dents, complètement résignée aussi à sa pauvreté et à la misère physique dans laquelle elle vivait. L'accent était celui, inimitable par sa régularité et la prononciation des voyelles, des bas-quartiers de Belfast — un accent qui n'avait jamais traversé l'Atlantique, qui n'avait jamais été utilisé par les acteurs américains. (Tout ceci a été conservé sur les bandes enregistrées.)

Si Ruth Simmons avait été un génie dans l'utilisation de sa voix, il faut avouer qu'elle n'a jamais été capable de parler avec cet accent si particulier lorsqu'elle était consciente. Et de toute manière, Ruth Simmons n'était même pas une bonne actrice amateur.

Le modèle de comportement de Bridey, tel qu'il ressort sur les dernières bandes enregistrées, est plus convaincant encore que cinquante preuves matérielles de l'existence de telle ou telle rue à Belfast à cette époque, ou que la référence que Bridey put faire au « lit de fer » qui était celui de son enfance.

Si Bernstein avait été le fin renard que la presse avait fait de lui, il n'aurait jamais été naïf au point de publier son livre avant d'avoir accumulé suffisamment de preuves pour certifier l'exactitude de ce qu'il avançait. Pour obtenir ces preuves, il aurait tout d'abord autorisé un psychologue habile et entraîné à interroger Bridey et il serait allé se terrer lui-même au moins six mois ou une année à Belfast, pour y écouter ce que l'on racontait à propos du XIXe siècle.

Même s'il avait fait tout cela de façon exagérée, il reviendrait encore à chacun de juger si la réception du livre eût été plus franche. Tous ces faits ont été analysés objectivement et présentée par C. J. Ducasse, professeur de philosophie à l'Université Brown de Rhode Island, dans son livre «A Critical Examination of the Belief in a Life After Death», publié par Charles Thomas à Springfield, dans l'Illinois, en 1961.

Dans cet ouvrage, le professeur Ducasse consacre treize pages objectives et impartiales à la controverse qui suivit la publication de Bridey Murphy et qui méritent d'être lues par quiconque s'est intéressé, même de loin, au grabuge et au tumulte qui se déchaînèrent les années suivantes.

Le professeur Ducasse soulève cette question avec calme et bon sens, comme personne ne l'avait encore fait auparavant. Il a pris la défense de Bernstein et est venu au secours de Ruth Simmons, dont le vrai nom était Mrs. Virginia Tighe, de Pueblo, dans le Colorado, la lavant ainsi de tout soupçon de pratique frauduleuse qui plânait sur elle.

Mrs. Tighe était née le 27 avril 1923. À l'âge de trois ans, elle fut adoptée par une de ses tantes, Mrs Myrtle Grung, et elle vécut son enfance à Chicago. Lorsqu'elle eut 20 ans, elle épousa un pilote de l'US Air Force, qui mourut au combat un an plus tard.

Virginia épousa en secondes noces Hugh Bryan Tighe, un homme d'affaires de Denver, avec qui elle eut trois enfants. Alors que son mari et ses proches parents étaient «tout à fait opposés à l'histoire de Bridey pour des motifs religieux», Virginia n'était aucunement préparée pour la vague de sensation que souleva le livre de Bernstein, ni pour les conséquences que cela entraîna pour les membres de sa famille.

Le magazine Life commença à parler de Bernstein en mars 1956 déjà, mais c'est le Chicago American qui ébruita le plus l'affaire. Cette revue commença la publication d'une série d'articles négatifs en faisant appel à l'autorité du révérend Wally White, du Chicago Gospel Tabernacle, qui avait promis de « démasquer la supercherie de la réincarnation à cause de ses assauts contre les principes bien établis de la religion. »

White prétendit connaître Mrs Tighe depuis sa plus tendre enfance ; quant à elle, elle affirma ne l'avoir jamais rencontré avant qu'il fasse son apparition, sans avoir été invité, devant sa porte, en 1956, pour l'informer qu'il était de son devoir de prier pour le salut de son âme.

Courageusement, le Denver Post prit la défense de Virginia et de Bernstein, mais il fut réduit au silence lorsque Life porta le coup de grâce le 25 juin, en publiant un résumé de l'exposé paru dans le Chicago American, ainsi qu'une photographie d'une certaine Mrs Bridie Murphy Corkell et de sa famille, prise récemment.

Mais l'exemple le plus fascinant d'interprétation freudienne à avoir jamais été publié est certainement l'ouvrage écrit conjointement par trois psychiatres de New-York, qui se proposaient d'anéantir une fois pour toutes la théorie de la réincarnation. Ce livre, intitulé « A Scientific Report on 'The Search for Bridey Murphy' », connut une fin particulièrement peu scientifique en restant sur les étagères des grands magasins, qui le proposaient à quarante-neuf sous la copie...

Le professeur Ducasse devait encore préciser ce qui suit à propos du révérend Wally White : « Il semble que l'apparition du nom de ce religieux en tête de plusieurs articles publiés dans le Chicago American n'était qu'une astuce psychologique pour accrocher l'attention de lecteurs pieux mais naïfs. De tels lecteurs, voyant la signature d'un religieux et ayant entendu dire qu'il était le pasteur d'une église à Chicago que Virginia avait fréquentée, allaient tout naturellement penser qu'il était particulièrement bien placé pour parler de son enfance et de sa jeunesse ; que ses articles s'appuyaient sur ces connaissances spécifiques ; et que, par conséquent, puisque tous les religieux étaient dignes de confiance, les articles portant la signature du révérend Wally White faisaient foi. Mais bien que le lecteur soit naturellement enclin à faire ce genre de déduction, ce fut loin d'être le cas dans cette affaire.

Cependant, le comble de la série d'articles publiés par le Chicago American fut certainement la découverte de cette Mrs Bridie Murphy Corkell, à Chicago, qui habitait en face de l'endroit où Virginia et ses parents adoptifs avaient demeuré, que Virginia connaissait... Mais bien que les articles affirment qu'elle «s'était rendue à plusieurs reprises au domicile des Corkell», Virginia n'avait jamais parlé à Mrs Corkell — et l'article ne le prétendait d'ailleurs pas.

«De plus, Virginia ne sut jamais que le prénom de Mrs Corkell était Bridie, et encore moins que son nom de jeune fille était Murphy — si c'était réellement le cas. Car, lorsque le Denver Post tenta de vérifier ces assertions, Mrs Corkell ne répondit pas au téléphone. Lorsque l'un de ses reporters, Bob Byers, se renseigna auprès du prêtre de la paroisse à Chicago, celui-ci put bien confirmer que le prénom de la femme était Bridie, mais il ne put prouver que son nom d'alliance était Murphy ; du reste, le révérend Wally White en fut également incapable.

«Mais le lecteur pouvait à peine deviner qui allait être réellement cette Mrs Corkell, que le Chicago American avait découverte. Par une de ces étranges coïncidences qui émailla cette affaire, il se trouva que cette Mrs Bridie (Murphy) Corkell était la mère du rédacteur responsable de l'édition du dimanche du Chicago American, à l'époque où ces articles étaient publiés !»

Cependant, toute la farce de cette histoire se révèle au grand jour lorsque l'on examine le sort qui fut réservé à la version filmée de cet événement, qui était déjà en cours de tournage dans les studios de la Paramount, sous la direction de Pat Duggan, lorsque l'ordre fut donné de tout laisser tomber sur le champ.

Le scénariste et réalisateur du film donnèrent les explications suivantes : «Pour le scénario, j'étais limité par le matériel que Bernstein avait publié dans son livre, alors qu'il y avait des éléments bien plus convaincants et spectaculaires dans les bandes enregistrées originales. Le moment fatidique du film devait être celui d'une scène conçue uniquement pour effrayer le public et le détourner d'une utilisation abusive et irresponsable de l'hypnose; j'en étais même arrivé à imaginer une scène pûrement fictive où un pasteur protestant et un prêtre catholique donnaient leur avis définitif sur la théorie de la réincarnation, considérée comme du paganisme subversif, et sur l'hypnose.

«Les salaires prévus pour les deux acteurs principaux étaient modestes, pour ne pas dire dérisoires; mais je pus m'arranger pour convaincre Teresa Wright d'accepter le rôle avec un tel enthousiasme qu'elle finit par l'accepter pour presque rien. Il en alla de même avec Louis Hayward qui, à cause des rôles mineurs qu'il avait joués auparavant, avait été sous-estimé de manière inexcusable et devait alors se cantonner dans des seconds rôles. Les responsables du studio, au lieu de manifester un certain plaisir pour cette entreprise, s'en désintéressèrent complètement et tournèrent résolument le dos à cette production; seul le fait que je mesure six pieds cinq me préserva d'avoir à supporter seul la charge de ce fardeau et à me battre seul dans les couloirs de la maison. Néanmoins, je ne tardai point à appeler notre plateau la «section de contamination». Mon directeur de production avait été avisé, en privé, par des gens haut placés que le film ne serait jamais achevé, mais que, par contre, Duggan et moi-même, nous l'étions! Mon monteur, un type sans aucun esprit d'initiative, passa des heures heureuses sur le plateau à découper le film, mais aucune, si mes souvenirs sont bons, dans sa salle de montage... Rien de ce que je filmais n'allait être monté.

« Nous fûmes en mesure d'empêcher le sabotage complet du film dans les studios, mais lorsqu'il devint nécessaire pour nous de recourir au laboratoire des effets spéciaux — nous avions des séquences avec des fantômes et des dissolutions matérielles du Colorado actuel jusqu'en Irlande dans les années 1860 — on nous informa que Cécil B. de Mille avait réquisitionné le laboratoire complet pour son film « Les dix commandements ». On demanda alors que ces séquences soient réalisées dans un laboratoire d'effets spéciaux privé et indépendant. On nous répondit que c'était quasiment impossible. Finalement mon caméraman, Jack Warren, fit retarder sa montre de cinquante ans et fit toutes ses doubles expositions sur le plateau, n'utilisant rien de plus sophistiqué qu'un prisme, un miroir et une plaque de verre de deux pieds de longueur, éclairée en noir à une extrémité, graissée avec de la vaseline au centre et sans rien à l'autre extrémité. Cet « appareil », lorsqu'on le faisait coulisser lentement devant l'objectif, faisait deux fois plus d'effet qu'un procédé de laboratoire moderne.

« Pourtant, le pire était encore à venir. Le magazine Life avait accordé une attention toute particulière à la folie de Bridey Murphy pendant un certain temps, en traquant ses influences pernicieuses jusque dans les soirées des jeunes adolescents ; au milieu du tournage, Life lança la rumeur selon laquelle toute cette histoire n'était qu'une mystification.

« Notre budget était limité et nous tournions entre quatre et dix minutes de film par jour (c'était alors une bonne moyenne), mais de la section de contamination, nous fûmes relégués à la colonie des lépreux. Certains voulurent alors interrompre complètement cette production et je me retrouvai alors non seulement en train de

243

diriger le tournage, mais également à soutenir tout le poids de la réalisation, tel Horace, ce qui nous permettait d'avancer quelque peu, au moins durant les heures de travail. On acheva finalement le tournage à temps, mais cinq minutes seulement du film avaient été montées. Je pus m'arranger pour faire remplacer le monteur à la onzième heure et, dans le peu de temps qui nous restait, il nous fallait sauvegarder la performance de Teresa — une fois que ce fut fait, nous allions tenter d'en faire autant pour Hayward. Il avait travaillé comme un beau diable et la performance de Teresa reflétait bien l'ambiance de toute l'équipe. Mais il nous aurait fallu une semaine supplémentaire pour donner à son rôle sa juste valeur. Malheureusement, cette semaine supplémentaire ne nous fut pas accordée.

« Même dans sa version tronquée et boiteuse, le film rencontra un franc succès lors de sa projection en avant-première dans un petit cinéma de banlieue, à Glenwood. Cela aurait dû suffisamment encourager les producteurs pour nous laisser terminer le travail, ne serait-ce que pour préserver les intérêts de ceux qui avaient participé à son financement. Mais jamais plus je n'entendis parler de ce film.

« Lorsqu'il fut dans le circuit de la distribution, la presse ne fit aucune mention de ce film, qui tomba aussitôt dans les oubliettes.

« Personne à Hollywood ne le vit jamais, la présence dans le public ayant pu être interprétée comme une espèce de subversion malfaisante ; quant à Duggan et moi-même, nous fûmes traités comme des renégats qui avaient osé bafouer sans vergogne le fier héritage des Quatre Libertés. »

Un fossé sépare les difficultés des années 50 du succès de la comédie musicale d'Alan J. Lerner, sortie sur Broadway en 1966, « On a Clear Day You Can See Forever ». Les années qui séparent ces deux événements ont vu la progression de la théorie de la réincarnation dans l'opinion publique ; elle pouvait s'exprimer maintenant parfaitement librement sur la scène de Broadway, grâce au génie et au charme de la production de Lerner.

La plupart des critiques la trouvèrent un peu trop en marge de l'orthodoxie pour l'accueillir cordialement, mais le public établit ses propres critères, comme il le fait lorsque les journaux sont en grève. En fait, le spectacle se joua à guichets fermés pendant six mois, dès la première représentation au Mark Hellinger Theater.

Brièvement, l'intrigue est centrée sur l'histoire d'une jeune femme, modèle de Brooklyn, qui est le sujet hypnotique d'un jeune et beau psychiatre. Il la fait remonter à une vie antérieure qu'elle avait vécue au XVIIIe siècle en Angleterre et l'on suppose (bien que cela ne soit jamais clairement dit) qu'il fut à cette période son amant volage.

Le psychiatre s'arrange alors pour tomber amoureux de la belle Anglaise, Melinda, pendant que son double contemporain, Daisy, tombe amoureuse de lui, se frustrant ainsi mutuellement.

Dans la vie qu'elle mena en tant que Melinda, l'héroïne périt en s'enfuyant en Amérique sur le vaisseau Trelawney. En tentant d'échapper à l'emprise de son psychiatre, Daisy va à l'encontre d'un destin presque identique en réservant une place sur un vol transatlantique, aussi appelé — pourquoi pas ?— Trelawney.

C'est le richissime armateur grec Kriakos qui représente la conception erronnée et populaire de la réincarnation : il offre une fortune au psychiatre afin que celui-ci lui dise qui il sera dans sa prochaine vie, de manière à pouvoir se léguer ses millions à lui-même par avance.

L'ESP de Daisy et l'authenticité de son amour sauveront sa vie. Finalement, elle autorise sa personnalité antérieure à faire sa réapparition et à prendre l'avantage sur sa personnalité actuelle. Mais avant cet heureux dénouement, le public est clairement mis au courant des recherches effectuées au cours de la dernière décennie concernant l'ESP. Lerner se contente de dire : tout cela sera bientôt accepté par la société ; c'est là la logique psychiatrique de demain.

Dans le numéro de novembre 1965 de la revue «Atlantic Monthly», il y a une interview de M. Lerner dans laquelle le dramaturge affirme : «Quelqu'un me demandait si je considérais la pièce comme fictive, parce qu'elle traitait des possibilités de la réincarnation ; j'ai répondu : «En fait, non, ce n'est pas le cas pour cinq cents millions d'Hindous ! »

«La seule chose qui me surprenne au sujet de cette pièce est que je ne l'aie pas écrite plus tôt. La perception extrasensorielle m'a toujours intéressé tout au long de ma vie... Je sais, bien sûr, que seulement 22% de notre cerveau est effectivement utilisé. Il doit bien s'y passer quelque chose, dans toute cette partie que nous n'utilisons pas, et dont nous ne comprenons pas le fonctionnement. Personnellement, je n'ai jamais fait d'expériences extrasensorielles, hormis une de moindre importance lorsque j'écrivais «Brigadoon».

«Le premier acte de «Brigadoon» se terminait sur un mariage, qui devait se dérouler en dehors de l'église. J'essayais de m'imaginer pourquoi, au XVIIe siècle en Écosse, les gens se mariaient hors des églises et, si c'était le cas, comment pouvait bien se dérouler la cérémonie. C'est ainsi que je m'imaginai une cérémonie et je me mis à écrire.

«Plusieurs années plus tard, je me trouvai à Londres... et je tombai par hasard sur un livre intitulé «Everyday Life in Old Scotland» — et j'y retrouvai le déroulement de ma cérémonie de mariage, mot pour mot !

«Lorsque je commençai à penser sérieusement à ce que je voulais écrire comme comédie musicale à propos de la réincarnation, je réalisai qu'au cours des mois qui venaient de s'écouler, j'avais été toujours plus excédé par toutes les explications que les psychologues et les psychanalystes donnaient pour rendre compte du comportement humain. J'étais de plus en plus dégoûté par la morale de la psychanalyse — c'est-à-dire que nous vivions dans un monde où il n'y avait plus de bien, mais que des arrangements ; qu'il n'y avait plus de mal, mais des incompatibilités. La psychanalyse s'était transformée en une espèce de religion qui ne me satisfaisait plus, qui ne laissait plus aucune place à la vie dans l'au-delà, qui ne laissait plus aucune place à la moralité d'essence divine. Et je pensai alors : «Oui, après tout, cela pourrait faire un bon sujet.» Je voudrais trouver une manière de dire que, d'après moi, il n'est pas possible de réduire notre personnalité à un raisonnement rationnel ; qu'une grande partie de notre être nous est encore inconnue ; qu'il y a en nous-mêmes de vastes mondes encore inexplorés et qu'il y a encore des choses passionnantes à contempler.»

1966 fut également l'année de la publication par le Dr Ian Stevenson de «Twenty Cases Suggestive of Reincarnation», que nous allons examiner maintenant. Avec cet ouvrage, la réincarnation se voit attribuer sa pleine dignité en étant acceptée par un professeur distingué du Département de neurologie et de psychiatrie de l'École de médecine de l'Université de Virginie.

Chapitre 14

Les travaux du Dr Ian Stevenson

Le Dr Stevenson, à la tête d'un groupe de chercheurs d'avant-garde s'étant fixé pour objectif de prouver l'évidence de la réincarnation, a voyagé aux Indes, au Sri Lanka, au Liban et en Alaska. En 1966, il publia le résultat de ses recherches sous le titre de « Twenty Cases Suggestive of Reincarnation », publié par l'American Society for Psychical Research, à New-York.

La caractéristique qui distingue les cas de réincarnation orientaux par rapport aux occidentaux est le très bref intervalle qui sépare la mort des âmes de leur renaissance. Alors que les études de Cayce mesuraient l'intervalle entre les renaissances en termes de siècles ou de demi siècles, dans les cas étudiés par le Dr Stevenson, cette moyenne était de dix ans ou même moins... c'était parfois instantané, comme dans le cas de ce jeune Hindou de 22 ans, empoisonné à mort par un de ses débiteurs, qui s'était réincarné dans le corps d'un garçon de trois ans et demi, probablement mort à cause de la petite vérole. Le petit garçon revécut donc, mais en s'identifiant complètement avec les caractéristiques et l'histoire du jeune homme de 22 ans ; il fut même capable de décrire les membres de sa famille précédente et de les reconnaître chacun individuellement lorsqu'on les lui présentait.

L'exemple le plus convaincant, que le Dr Stevenson put observer directement alors qu'il se trouvait au Liban en 1964, concernait un garçon arabe de cinq ans, Imad Elawar, qui habitait dans le village de Kornayel. Déjà avant d'avoir deux ans, il fit référence à sa vie antérieure. Imad avait la chance d'avoir des parents qui ne brimaient pas son caractère avec autant de sévérité que les autres parents ayant des enfants du même âge que lui. Né le 21 décembre 1958, il affirma avoir vécu, au cours de sa vie antérieure, dans le village de Khriby, à environ 35 kilomètres de là, sous l'identité d'Ibrahim Bouhanzy, qui était mort de la tuberculose le 18 septembre 1949. Imad fut en mesure de répéter exactement les dernières paroles d'Ibrahim avant de mourir, il identifia correctement les membres encore vivants de sa famille et il ne cessait jamais de mentionner avec beaucoup d'affection une certaine Jarmile, qui était la maîtresse d'école d'Ibrahim. De même, le village et la maison d'Ibrahim semblaient parfaitement familiers à Imad. Le Dr Stevenson fit le voyage jusqu'au village d'Ibrahim avec Imad et sa famille et parla ainsi des 57 objets que l'enfant put mentionner de mémoire : « Sur les 57 objets, Imad put m'en décrire 10 durant le trajet qui nous mena à Khriby. Sur ces 10, 3 seulement avaient été décrits de manière erronée. Pour les 47 autres objets, Imad se trompa trois fois seulement. Il est fort probable qu'avec l'excitation du voyage... il avait mélangé les souvenirs de sa vie antérieure avec ceux de sa vie actuelle. »

Le Dr Stevenson vérifia avec tout le soin possible, avec minutie même, tout ce qu'il put vérifier auprès des deux familles. La plupart des preuves s'imposèrent immédiatement d'elle-mêmes. Ni l'une, ni l'autre des familles n'avait quoi que ce soit à gagner si elles mentaient et l'évidence fut donnée que la mémoire de l'enfant avait été fidèle dans 51 cas sur les 57 qu'on lui avait soumis.

Le Dr Stevenson précise que, s'il y avait eu collusion entre les deux familles (qui ne se connaissaient pas l'une l'autre avant de se rencontrer à cause de l'enfant), la raison en aurait été difficile à établir. Aucune famille ne passerait tant de temps à accumuler tant de fausses preuves pour le seul plaisir de voir leur nom figurer dans les journaux. D'autre part, l'accueil réservé au Dr Stevenson, dans la plupart des familles hindoues où il se rendit, fut nettement hostile, du moins au premier abord.

Dans le cas de Jasbir, un jeune garçon de trois ans et demi dont le corps était «possédé» par un Hindou de 22 ans, Sobha Ram, l'embarras dans lequel il mettait sa famille était encore aggravé par le refus de l'enfant de manger autre chose que de la nourriture brahmane, qui devait être préparée et cuite spécialement pour lui par un sympathique voisin brahmane.

Quiconque est un peu familiarisé avec les lois implacables des castes hindoues comprendra aisément qu'un enfant Jat préférerait se laisser mourir de faim plutôt que de manger de la nourriture brahmane, peu importent les déséquilibres qui pourraient en résulter. Il est également difficile de concevoir qu'un enfant de l'âge de Jasbir se comporte soudainement avec l'autorité d'un jeune homme de dix-huit ans de plus que lui.

«Durant mon séjour,» écrit le Dr Stevenson, «j'ai pu remarquer à plusieurs occasions qu'il ne jouait pas avec les autres enfants, mais qu'il restait isolé, à l'écart des autres. Pourtant, il parlait volontiers avec mon interprète, malgré l'expression d'infinie tristesse qui transparaissait

250

sur son visage calme et mignon, malgré les traces qu'avaient laissé la petite vérole. »

La famille brahmane de feu Sobha Ram aurait bien voulu s'occuper charitablement du petit Jasbir, mais la famille Jat de ce dernier ne pouvait accepter cette identification avec une famille d'une caste supérieure ; de plus, leur opposition à la famille « antérieure » de leur fils atteignit son apogée dans leur refus obstiné de le laisser rencontrer sa propre « veuve ».

« Les lecteurs sont avides de savoir, comme je le fus moi-même, » conclut le Dr Stevenson, « quel récit Jasbir fit des événements qui se produisirent entre la mort de Sobha Ram et la renaissance de Jasbir (de sa mort présumée) avec les souvenirs de Sobha Ram.

« À cette question, Jasbir ne répondit qu'en 1961 : après sa mort (en tant que Sobha Ram), il fit la rencontre d'un Sadhu (une sorte de saint) qui lui conseilla de « chercher refuge » dans le corps de Jasbir.

« Bien que la mort « apparente » de Jasbir intervînt vers les mois d'avril ou mai 1954, proche de la date reconnue de la mort de Sobha Ram, il nous est impossible de savoir si le changement de la personnalité de Jasbir est intervenu immédiatement au cours de la nuit où son corps sembla mourir puis renaître aussitôt...

« Dans les semaines qui suivirent, Jasbir était encore gravement atteint par la petite vérole, à peine capable de se nourrir, et ne disposait pas encore d'une personnalité quelconque. Ainsi, le changement de personnalité a pu invervenir soit rapidement, soit graduellement durant les semaines qui ont suivi immédiatement la mort apparente de Jasbir. »

Au niveau de la documentation et des preuves accumulées, ce cas est absolument unique. Dans la plupart des exemples de ce type, l'âme reçoit le signal de départ de son corps adulte avant la conception de son corps suivant, même en cas de mort violente.

L'allusion au « saint Sadhy » qui devait diriger Sobha Ram pour aller « chercher refuge » dans le corps mort, ou mourant, de Jasbir fait penser à une urgence, à un mauvais fonctionnement des lois naturelles de la création. Edgar Cayce admettait lui-même que parfois « il y avait des erreurs, même au firmament » ; et cela même si elles sont trop rares pour être rangées dans la catégorie des hasards. Il laissait également entendre que le premier niveau astral était primitif, en cela qu'il ressemblait, sous certain aspects, au niveau terrestre et qu'il pouvait être habité par les formes de pensée d'âmes retardées ou non encore développées, capables de prendre toutes les formes menaçantes du cauchemar.

Si l'on suppose que la mort prématurée et inatendue de Sobha Ram, résultant d'un empoisonnement, n'avait pas été précédée des lois karmiques auxquelles elle devait normalement se conformer, il est alors possible qu'il ait été vulnérable aux assauts de quelque âme vengeressse et hostile, qui attendait justement une telle occasion pour lui demander des comptes.

Dans l'état de confusion et de désorganisation où il se trouvait, incapable de se défendre, un des « surveillants » ou des « anges gardiens » aurait très bien pu lui apparaître sous les traits d'un Sadhu et lui montrer ainsi le seul refuge qui lui restait — l'enveloppe charnelle inhabitée de l'enfant qui venait de mourir.

Il pouvait s'agir là d'une mesure toute provisoire, qui devait se prolonger tant qu'il y aurait un quelconque danger au premier niveau astral, jusqu'à ce que Sobha Ram puisse atteindre en toute sécurité un niveau plus élevé et plus sûr. (Là encore, nous recourons à l'argumentation de Cayce selon laquelle les forces du mal, quelle que soit leur puissance ou leur entêtement, peuvent toujours être repoussées par des prières émanant d'une source pure et responsable.)

Toutefois, il serait possible d'imaginer que Sobha

Ram, une fois réincarné dans les confins matériels de la chair humaine, fût incapable d'en resortir. Il aurait alors été contraint de rester «lié à la terre» par l'intermédiaire de Jasbir, le temps que celui-ci vive le nombre d'années que nécessitait sa propre mémoire karmique. Mais heureusement pour lui, les souvenirs de sa vie antérieure allaient graduellement s'estomper.

La réincarnation dans le Grand Nord.

Les Esquimaux du nord-ouest de l'Alaska, les Aleutes à l'ouest et les Indiens Tlingit dans le sud-est basent toutes leurs croyances religieuses sur la réincarnation. Les Tlingit vont encore plus loin dans la personnalisation en croyant que les âmes retournent presque instantanément dans leurs propres familles.

Entre 1961 et 1965, le Dr Stevenson a rendu visite quatre fois aux Tlingit, obtenant des témoignages sur trente-six cas reconnus de réincarnation. Ces renseignements ne furent pas trop difficiles à collecter, la plupart de ces Indiens parlant l'Anglais et plusieurs de ceux qui affirmaient avoir été réincarnés gardaient des traces de «sympathie», dans leur vie actuelle, qui leur permettaient de se souvenir de la manière dont ils étaient morts dans leur vie antérieure.

En 1949, un pêcheur Tlingit de soixante ans, appelé William George, dit à son fils et à sa belle-fille qu'il désirait être réincarné sous les traits de leur fils. Il leur promit qu'ils le reconnaîtraient grâce aux taches de naissance qu'il avait déjà maintenant et leur donna sa montre en or pour qu'ils la lui gardent. Quelques semaines plus tard, il disparut sans laisser de traces, alors qu'il était parti pêcher. À peine neuf mois plus tard, sa belle-fille donna naissance à un garçon «qui avait des taches de pigmentation sur le haut de l'épaule gauche et sur l'avant-bras gauche, exactement à l'endroit où le grand-père en avait lui-même.»

Au fur et à mesure qu'il grandissait, l'enfant développa un modèle de comportement semblable à celui de son grand-père; il alla même jusqu'à boiter comme lui, son grand-père s'étant blessé une fois en jouant au basketball. Avant l'âge de cinq ans, le garçon reconnut sa montre en la subtilisant de la boîte de bijoux de sa mère, où celle-ci l'avait rangé; le garçon insista pour dire que c'était sa montre. Il disait de ses oncles qu'ils étaient ses «fils» et de sa grand-tante qu'elle était une «sœur».

Le Dr Stevenson écrivit à ce sujet : «Précocement, il fit preuve de bonnes connaissances dans le domaine de la pêche et des bateaux. Il était également bien plus effrayé par l'eau que les autres enfants du même âge que lui. Il était plus grave et sensible que les autres enfants de son groupe.»

Le cas d'un autre Tlingit est encore plus frappant : il s'agit de Victor Vincent (Kahkody était son nom tribal), qui mourut en 1946.

L'année qui précéda celle de sa mort, il dit à sa nièce préférée et à son époux, Corliss Chotkin, qu'il voudrait bien renaître sous les traits de leur enfant et il leur promit qu'ils le reconnaîtraient grâce aux cicatrices qu'il avait sur le corps — une sur l'aile de son nez et l'autre sur le dos, qui avaient été provoquées par les points de suture qu'on lui avait faits après une intervention chirurgicale.

Dix-huit mois plus tard, Mrs Chotkin donna naissance à un fils, qui avait des taches de naissance aux endroits précis où Vincent avait ses cicatrices. À treize mois, il fit interrompre les efforts que faisait sa mère pour lui apprendre son nom, Corliss Chotkin junior, en demandant : «Ne me reconnais-tu donc pas? Je suis Kahkody!»

À l'âge de deux ans, il identifia correctement celle qui fut auparavant sa belle-fille, Susie, son fils William, ainsi que sa propre veuve. Il continua à se souvenir de détails aussi étonnants jusqu'à l'âge de neuf ans; à partir de là, sa mémoire commença à s'effacer, pour devenir tout à fait inactive dès l'âge de quinze ans.

Le Dr Stevenson a catalogué méticuleusement chacun des cas qu'il a étudiés, avec un soin tout académique. Il a donné son opinion et fait part de ses doutes dans les moindres détails. Néanmoins, son livre se révèle être un assemblage délibéré de faits incontestables. Dans la conclusion qu'il tire, il n'affirme pas avoir prouvé l'existence de la réincarnation; mais l'évidence de ce phénomène n'a jamais été présentée par quelqu'un de plus autorisé que lui.

Chapitre 15

La loi de grâce

Évidemment, la manière la plus simple d'illustrer le principe de la loi de grâce est de la montrer en action.

Anthony Hollis était tombé amoureux d'une jeune fille alors qu'il était encore au collège, dans le Connecticut. Il la perdit au profit de son meilleur ami, sans pour autant qu'il y ait une dispute, et l'étude que fit pour lui Edgar Cayce lui apprit que la mémoire de son subconscient n'avait pas cessé d'être en bons termes avec lui : deux fois déjà dans le passé, il avait été marié avec cette femme et les deux fois, elle lui avait été infidèle. L'étude fit même mention d'une vie passée dans l'ancienne Égypte, au cours de laquelle elle était partie avec le même ami ! Il n'y eut pas plus de détails d'une éventuelle autre vie avec elle, mais c'était suffisant pour que la violence et la tragédie ne les lâchent plus.

Hollis avait tiré parti de cette occasion pour obtenir d'autres études d'Edgar Cayce ; au moment de mettre en pratique, du mieux qu'il pouvait, la morale qu'elles lui enseignaient, il devint ce que l'on peut appeler un «bon chrétien». Il fit un bon mariage et ne tarda pas à oublier complètement son aventure au collège. En 1944, il fut appelé dans le service actif et il commença son entraînement comme officier de transports à Fort Eutis, en Virginie.

Un jour, il avala par mégarde un noyau de pruneau qui resta pris en travers de sa gorge ; il dut se rendre à l'infirmerie pour le faire enlever. Il oublia aussitôt l'incident. Mais, alors qu'il était basé en Angleterre, peu avant le jour J du débarquement sur les côtes françaises, il s'étouffa de nouveau, mais avec un morceau de cartilage. Cette fois encore, le cas fut assez sérieux pour nécessiter l'assistance d'un médecin. À ce moment, il était trop tard pour demander l'aide d'Edgar Cayce et lorsqu'Anthoni Hollis connut pour la troisième fois semblable aventure, alors qu'il était en Allemagne avec les troupes d'occupation, Edgar Cayce était déjà mort. Chaque incident fut plus grave que le précédent ; En Allemagne il s'était presque étranglé avec un morceau d'os...

Après la guerre, de retour en Amérique, il était en train de dîner avec un de ses amis, à New-York City, lorsqu'un os de poulet lui resta en travers de la gorge. On le conduisit en urgence à l'hôpital le plus proche, où un médecin inexpérimenté perdit de précieuses minutes à lui faire un test au barium «pour prouver que l'étouffement était d'origine psychosomatique. »

Lorsqu'on le conduisit finalement jusqu'à la salle d'opération, Hollis avait presque perdu connaissance ; alors que les médecins s'affairaient avec des masques à oxygène et des anesthésiants, il se trouva confronté à un visage étrange et vindicatif, entouré d'une abondante tignasse jaune et sale. Il se sentit précipité encore plus profondément dans ce niveau de conscience jusqu'à ce qu'il «émerge» à nouveau avec l'autre personnalité et qu'il découvre finalement qu'il s'agissait de lui-même. Les environs suggéraient vaguement un pays nordique, quelque neuf ou dix siècles plus tôt... Il se trouvait en face d'une jeune femme. Sa rage et sa tristesse étaient infinies, il était au bord de commettre un homicide; il savait qu'elle lui avait été infidèle. Il savait qu'elle était sa femme; mais il ne savait rien de plus.

Exactement au moment où cela se passait, un de ses amis à San-Francisco reçut comme une sorte de «photo-image» vivante de la même figure démentielle, associée au personnage de Hollis. Cependant, il n'y avait aucune femme dans cette hallucination. Hollis était enchaîné au mur d'un dongeon, parmi d'autres hommes en haillons. Cette vision fut assez vivace pour que son ami téléphone le lendemain à Hollis, considérablement perturbé. Lorsque Hollis et son ami comparèrent leurs impressions, il ne restait pas l'ombre d'un doute qu'ils avaient tous deux vus le même visage.

Hollis rechercha les transcriptions de ses études, mais nulle part il ne trouva une quelconque référence à «un homme à la chevelure jaune et sale». Les études avaient mis l'accent sur la caractéristique karmique d'un tempérament emporté, que Hollis avait grand peine à contrôler. Dans les notes, pleines de tact et de prudence d'Edgar Cayce, il y avait des allusions à des dettes karmiques qui devaient encore être acquittées. Les études suggéraient avec insistance à Hollis, au lieu de suivre à la lettre le principe «œil pour œil, dent pour dent», d'essayer une méthode plus intelligente qui consistait à passer l'éponge en pardonnant et en priant.

La tâche semblait particulièrement ardue pour un homme du XXᵉ siècle qui avait apparemment détesté une femme du temps des Vikings en Norgège, au VIIIᵉ ou IXᵉ siècle de notre ère. Mais Hollis tenait son sort dans ses mains. Moins d'une semaine plus tard, il fit à nouveau le même rêve macabre. Cette fois, la femme qui se trouvait en face de lui avait pris les traits fantomatiques de la fille qui l'avait trompé lorsqu'il était au collège et il était en train de l'étrangler jusqu'à la faire mourir. Au niveau qu'il occupait maintenant entre le rêve et le rétablissement des impulsions karmiques, Hollis commença à prier avec toute l'intensité et la foi dont il disposait. Il pria pour avoir la force spirituelle de pardonner à la femme qu'il était en train d'étrangler ; il pria pour que fût pardonné son adultère ; il pria pour lui-même, afin d'être pardonné de l'avoir étranglée et de l'avoir tuée. Quiconque s'est retrouvé une fois en train de prier sur son lit de mort et en est revenu pourra le confirmer : lorsqu'elle atteint un certain stade, une certaine intensité, la prière est source de tant d'énergie qu'elle permet de surmonter toutes les forces qui s'y opposent.

Au moment de se réveiller le lendemain matin, Hollis était conscient de se sentir soulagé d'un grand poids, de ressentir une espèce de nouvelle liberté qu'il n'avait encore jamais éprouvé auparavant ; il garda cette impression jusqu'à la fin de la semaine. Pourtant, il n'avait aucune raison de croire que ses prières l'avaient définitivement libéré du joug karmique qui avait pesé si lourdement sur ses épaules. En fait, cela dura jusqu'à ce que son téléphone sonne et qu'il entende la voix de sa victime.

Elle avait depuis longtemps divorcé de son ami et s'était remariée. Son second mariage s'était également effondré ; maintenant qu'elle était riche, elle parcourait le monde sur de luxueux paquebots, avec ses enfants, inconsolable et frustrée. Sans raison aucune, alors que le bateau sur lequel elle se trouvait avait accosté à New-York, elle repensa soudain à Hollis en regrettant ce qu'elle lui avait fait ; elle lui téléphona sur un coup de tête. « J'espère que tu m'as pardonné maintenant ? Je me suis si mal conduite avec toi ! »

Dans un élan sincère, qui venait droit du cœur, de

259

gratitude et de soulagement, Hollis lui assura avec ferveur qu'il lui avait pardonné au moins un millier de fois!

Quelle avait été l'alternative karmique de Hollis? S'il avait agi à l'opposé de ce qu'il avait fait, la fréquence et la gravité de ses étranglements se seraient certainement aggravées, jusqu'à ce qu'un l'emporte définitivement. La dette qu'il avait était envers lui-même, pour avoir une fois commis un meurtre. Le fait que, dans sa vie présente, la fille lui avait épargné de refaire avec elle un mariage malheureux et qu'il souffre une fois encore de la même trahison de sa part, n'avait pas suffi à le faire échapper aux contingences karmiques. Le meurtre avait été commis : la Loi lui demandait toujours de rendre des comptes. Ainsi, chaque fois que sa gorge était obstruée par quelque chose, les symptômes qu'il ressentait n'étaient pas ceux d'un étouffement ordinaire, mais bien ceux d'une strangulation.

Mais sa décence vis-à-vis de cette fille, ainsi que le fait que Cayce lui avait une fois expliqué le principe de la cause karmique, tout cela fit que Hollis ne lui garda aucune rancune pour ce qui s'était passé ; il ne lui voulait plus aucun mal et cela finit par œuvre en sa faveur. Aussitôt disparues la fierté et la vanité, toutes les complications disparaissaient également ; Hollis se trouva face à une situation claire et nette.

La source du pouvoir et de la concentration que Hollis put mettre dans sa prière finale de pardon se trouve exprimée dans toute sa simplicité dans les paroles suivantes : «C'est un fait que l'expérience de la vie est une manifestation d'ordre divin. L'esprit d'une entité est le créateur. Puis, comme l'entité se met à accomplir ce qui est créatif, cela dépend de la loi qui régit les rapports entre le karma et la grâce. L'entité ne se trouve dès lors plus sous l'influence de la loi de cause à effet, ou de karma, mais plutôt, par l'intermédiaire de la loi de grâce, elle peut s'élever pour aller à Sa rencontre.»

260

«On peut être certain de l'application de cette loi,» dit une fois Cayce à propos d'une situation similaire. «Car au commencement de l'homme, lorsqu'il était en train de devenir une âme vivant sur terre, les lois étaient déjà établies. Mais ne perdez jamais de vue la loi de grâce, la loi du pardon et celle de la patience. Car chacune mérite sa place — spécialement lorsque des individus désirent que Dieu puisse s'exprimer au travers d'eux.»

Le désespoir inutile d'une âme résignée

Le second cas qui nous intéresse ici est celui de Vera Aldrich, une femme de ménage âgée de 53 ans. Il nous est donné ici de constater l'erreur commise par une âme déjà avancée mais dont le cheminement a été physiquement trop pénible à supporter; c'est-à-dire qu'elle ne put pas s'acquitter des dettes karmiques qu'on lui demandait de payer et que, pour cette raison, elle était hantée par les erreurs commises dans le passé.

«Pourquoi devrais-je accepter de vivre cette vie avec un corps physiquement en si mauvais état? Il me semble avoir passé par l'enfer et je me suis souvent demandé pour quelle raison je m'étais sauvée. J'ai toujours exprimé le désir de me mettre au service de l'humanité, mais je n'en avais pas la force... des angines, une anémie chronique, et ainsi de suite depuis ma plus tendre enfance. Pourquoi ai-je été amené à vivre dans un corps aussi malade? Ai-je commis un crime impardonnable dans le passé?»

Les réponses que donna Edgar Cayce à cette femme étaient heureusement rassurantes.

«L'entité s'est trouvée associée à une autre qui ne faisait que persécuter l'Église avec virulence et qui se baguenaudait pendant que Rome brûlait à cause de

Néron. C'est la raison pour laquelle cette entité a été défigurée et transformée par les conditions structurelles de son corps actuel.

«Toutefois, cette entité peut être mise de côté! Car, grâce à l'expérience qu'elle a acquise sur terre, elle a progressé d'un niveau relativement bas à un point où une nouvelle réincarnation sur terre n'est même plus jugée nécessaire.

«Non qu'elle ait atteint la perfection, mais, rappelez-vous la matière, les besoins matériels existent à d'autres niveaux de conscience, non seulement dans nos trois dimensions... Il existe d'autres royaumes où l'on peut s'instruire, pour autant bien sûr que l'entité s'en tienne aux idéaux de ceux dont elle s'était une fois moqué (les chrétiens à Rome).

«On pourrait en dire davantage, mais alors on diminuerait l'importance des fautes pour laisser trop de place aux vertus. Mais rien, ou presque, ne pourra détourner l'entité de la voie qu'elle a choisie; car, comme Josué l'a fait vers la fin de sa vie, elle est bien déterminée à «laisser les autres faire ce qu'ils veulent, mais en ce qui me concerne — je vais servir notre Dieu vivant!»

«Quant aux capacités de l'entité : qui voudrait glorifier le soleil levant? Qui oserait dire aux étoiles comment scintiller de beauté? Garde pour toi cette foi qui t'a inspirée! Nombreux sont ceux qui réaliseront des gains grâce à ta patience, ta constance et ton amour!»

Cette femme, grâce à sa façon de vivre empreinte de générosité et de dévouement, avait obtenu la grâce sans même le réaliser consciemment. Elle était parvenue à la fin de ses longues divagations karmiques.

«On peut en être certain, les individus croissent dans la grâce, la connaissance et la compréhension; et lorsqu'ils s'appliquent à faire ce qu'ils savent, l'étape suivante leur est indiquée. Car telle est Sa promesse : «Je serai toujours avec toi, même jusqu'à la fin du monde. » Il était avec toi dès le commencement. Tu t'en es éloigné…»

Gladys Turner Davis, la secrétaire permanente d'Edgar Cayce depuis 1923 jusqu'à sa mort, a assuré la transcription de la quasi-totalité des études dans les dossiers et elle lui est toujours restée fidèle, même après sa mort. Aucun autre membre de l'ARE n'était plus familier qu'elle avec les dossiers de toutes les études et probablement personne d'autre n'illustre mieux qu'elle une application de la loi de grâce à la vie de tous les jours.

Elle estimait que ce n'était qu'à de très rares occasions qu'Edgar avait dit à quelqu'un que son âme était suffisamment avancée et développée qu'elle n'avait plus besoin de revenir sur terre.

Une des rares fois où elle se confia, elle devait rendre cet hommage à Edgar Cayce ;

«Durant la vie de M. Cayce, je ne puis me souvenir que de trois exemples d'individus qui se soient plaints de l'inexactitude de leur étude de vie — seulement trois sur quelques 2500 cas étudiés!

«Depuis la mort de M. Cayce, en assemblant les différents rapports pour tenir à jour les dossiers des études, nous n'avons rencontré qu'un seul d'entre eux qui fût défavorable — il s'agissait de celui d'une mère qui se plaignait de ne rien trouver de «personnel» dans l'étude faite pour sa fille âgée de six ans.

«Plusieurs fois le cas s'est présenté où des études de vie faites pour des enfants ont été simplement laissées pour compte par les parents, puis qui se sont révélées entièrement exactes par la suite , après qu'on les ait retrouvées. Mais revenons quelques instants sur ces études qui furent désavouées. Et même si une seulement sur vingt-quatre avait été fausse — ce serait là un pourcentage encore jamais égalé dans le domaine de la recherche psychiatrique et psychologique!

«Ceux de nous qui savent par expérience la valeur

de ces études ne sont pas seulement des privilégiés, mais sont obligés, en fait, pour suivre la voie de la perfection, de porter le flambeau de la réincarnation, non seulement pour l'avènement de cette théorie, mais aussi au nom de la façon de vivre de tous les chrétiens, comme il l'avait enseigné : « Celui, conçu à l'image de Dieu, qu'il n'était pas exagéré de considérer comme l'égal de Dieu. »

« Mais que peuvent donc bien signifier ces études pour les millions de gens qui n'en ont même jamais entendu parler et qui ne se sont pas souciés qu'un homme sacrifie sa vie pour eux ? Que vont-elles signifier pour les générations futures ?

« L'on reconnaît généralement que les témoignages de deux ou trois personnes suffisent à établir la vérité, légalement parlant. Nous disposons de plus de 2000 exemples vivants d'analyses correctes, qui donnent les capacités et le caractère de toutes ces personnes, sur la base ds souvenirs akashiques de leurs vies antérieures.

« Par une analyse minutieuse et l'étude attentive de ces cas, beaucoup seront convaincus qu'il nous est possible d'atteindre à la compréhension des facteurs de base qui gouvernent les pensées et les sentiments de l'homme. Car ces études de vie représentent autant d'interprétations des lois spirituelles fondamentales appliquées, il faut le reconnaître, aux problèmes personnels de chaque individu. En se penchant sur un certain nombre d'exemples, nous devrions être capables d'apprendre la manière d'appliquer ces mêmes lois à nos propres problèmes. »

Chapitre 16

Le karma de groupe

Les survivants de Fort Dearborn

Edgar Cayce, au cours de la vie précédente qu'il vécut sous les traits de l'éclaireur Bainbridge, avait sillonné la nation nouvellement créée d'Amérique depuis la frontière canadienne jusqu'à la Floride, à l'image de tous les pionniers qui vivaient à cette époque.

Le point de chute de ses diverses expéditions avait été Fort Dearborn, un poste de ravitaillement qui se trouvait à l'endroit de l'actuelle ville de Chicago. C'est à cet endroit qu'il noua les liens les plus étroits avec ceux qui furent ses compagnons. Fort Dearborn était un endroit où il ne faisait pas trop bon vivre, il fallait souvent subir les assauts d'Indiens hostiles, ceux qui habitaient là travaillaient dur et... jouaient en conséquence. Les puritains n'étaient pas absents de cette petite ville, qui ne manquait pourtant pas, et de loin, de tavernes, de salons de jeux et de maisons closes.

Le souvenir de cette vie était encore à ce point vivant dans l'esprit d'Edgar Cayce qu'il regrettait encore le langage particulier qu'il parlait en ce temps, le charme qu'il faisait aux dames et toutes les occasions qu'il avait laissé passer. Malgré l'ambiance qui règnait dans ce poste, Cayce ne s'était jamais laissé tenter par le démon du jeu et il ne buvait des verres qu'à de très rares occasions.

Bainbridge se lia d'une amitié tout affective avec Fran Barlowe, la fille du tenancier d'un magasin qui demeurait dans un poste de ravitaillement à quelque distance de Fort Dearborn. Elle était née dans une grande famille, quelque peu négligée et turbulente et, à l'âge de 17 ans, elle fut tout heureuse de pouvoir échapper à ce milieu en suivant un jeune tavernier peu recommandable qui alla s'établir à Fort Dearborn. Sa taverne n'était qu'une façade destinée à cacher des salles de jeux où la tricherie règnait en maître absolu. Cette taverne était le repaire favori de Bainbridge chaque fois qu'il se trouvait à Fort Dearborn.

Fran n'était pas particulièrement douée pour danser et chanter dans la taverne de son mari. Elle se prit d'amitié pour la mère maquerelle de l'établissement, par ailleurs bien intentionnée, qui se faisait un honneur de faire son travail du mieux qu'elle pouvait, «pour satisfaire à toutes les demandes qu'on pouvait être amené à lui faire». Fran croisa également l'épée avec un prêtre consciencieux qui voyait d'un mauvais œil son travail et celui de ses consœurs, tout en réservant sa désapprobation la plus farouche pour un joyeux sacristain qui priait pieusement chaque jour mais qui fréquentait assidûment les pistes de danse le soir et qui avait même trouvé le temps de courtiser la sœur du prêtre — une romance qui n'alla d'ailleurs pas bien loin, au plus grand désespoir des amants. Vers la fin, Fran commença à améliorer sa conduite et renonça à certaines de ses relations les moins recommandables, mais les « bruits de la fête » ne se turent définitivement que le jour où le Fort fut envahi et rasé par les Indiens, qui le brûlèrent complètement.

Bainbridge — en dépit du grand bien qu'il avait déjà fait en tant qu'éclaireur dans la région — porta secours à l'un des groupes les plus importants qui avait survécu à ce massacre et l'emmena sain et sauf jusqu'à la rivière Ohio, où l'on construisit un radeau de fortune avec des troncs d'arbre pour traverser le fleuve vers sa rive est.

Des tribus d'Indiens les poursuivirent encore quelque temps le long de la rivière et Bainbridge dut se résoudre à se laisser descendre au gré des flots jusqu'à ce qu'ils puisent tous accoster en toute sécurité. Dans l'impossibilité de s'arrêter pour se ravitailler, même la nuit, les occupants du radeau, exténués, ne tardèrent pas à mourir de faim ou à succomber à des accidents ; ce fut le cas de Bainbridge, qui parvint néanmoins à sauver la vie de Fran ; lorsque le radeau s'arrêta finalement et que le reste de ses occupants furent secourus par des Indiens plus pacifiques, elle prit le chemin de la Virginie, où elle recommença une nouvelle vie.

En 1812, Fran était la propriétaire d'une modeste pension ; son amabilité et sa gentillesse lui avaient valu le surnom d'« ange serviteur ». Elle mourut à l'âge de 48 ans, honorée et respectée, les écarts qu'elle avait commis dans sa jeunesse ayant été, apparemment, pardonnés et oubliés. Mais le cycle de la vie à Fort Dearborn n'avait pas eu le temps de s'accomplir normalement. La dispersion des familles qui y habitaient à la suite de l'attaque des Indiens avait laissé un certain nombre d'affaires pendantes, qui devaient se conclure d'une manière ou d'une autre.

Au bout de soixante-dix-ans, Fran retourna dans

l'État de Virginie, où certains de ses rivaux avaient déjà commencé à se rassembler. Comme par une sorte de préarrangement tacite, ceux-ci avaient choisi la péninsule de Chesapeake, qui se trouvait à une distance respectable de Virginia Beach, et cela bien que Cayce lui-même ne vînt dans cette région qu'en 1925.

Fran ne tarda pas à se rendre compte qu'elle était née sous une mauvaise étoile; c'est du moins ce qu'elle pensa. Très jeune, elle avait fait un mariage qui fut une véritable catastrophe; elle le fit suivre d'un deuxième, juste avant la grande dépression des années 30, qui allait la faire aller à New-York City, où elle se retrouva à travailler derrière le comptoir d'un café, dans un quartier qui avait tout d'un bidon-ville.

Plus engourdie qu'irritée, manquant de confiance en elle-même, elle s'était résignée à vivre au jour le jour, sans réel espoir de se faire une fois sa place au soleil dans un monde qui semblait fait de traquenards et de désillusions. Ce fut à ce moment que David Kahn la reconnut.

Kahn était l'homme qui contribua le plus à attirer l'attention sur Edgar Cayce, pour le plus grand bien de tous ceux qui firent ainsi la connaissance du parapsychologue. Ses affaires l'avaient fait voyager en long et en large dans tous les États de l'est et du centre du pays et, où qu'il allât, il vantait les pouvoirs de son meilleur ami, Cayce, avec éloquence et conviction. Les bouges n'étaient généralement pas le genre d'endroits où il se rendait, mais comme ses affaires l'avaient emmené là par hasard, il observa Fran avec insistance alors qu'elle le servait; finalement, il lui demanda quelque chose du genre : «Mais qu'est-ce qu'une jolie fille comme vous peut bien faire dans un endroit pareil?» Au moment d'apprendre qu'elle vivait près de Norfolk, en Virginie, il écrivit l'adresse d'Edgar Cayce sur un petit morceau de papier et lui conseilla d'aller le voir pour une étude, lorsqu'elle serait rentrée chez elle.

Mais Fran pensa qu'elle avait mieux à faire de son argent. Et les aléas de la vie durent lui faire se serrer la ceinture encore de quelques crans avant qu'elle se décide finalement à frapper à la porte de Cayce, environ une année après cette rencontre avec Kahn. Cayce sembla la reconnaître immédiatement; l'atmosphère de paix et de calme qui irradiait de la maison et de ses occupants lui donna l'impression de se sentir pour la première fois en 25 ans de dure existence dans une sorte de sanctuaire.

C'est ainsi que commença toute une série d'études imbriquées les unes dans les autres, car couvrant un groupe d'âmes homogènes. Pour ainsi dire chaque membre de la nombreuse famille de Fran y était représenté. Edgar eut l'impression qu'il leur devait à tous quelque chose depuis qu'il avait fait leur rencontre à Fort Dearborn et qu'il les avait laissé se débrouiller alors seuls avec leurs problèmes.

Lors de sa dernière renaissance, Fran avait été la fille de la maquerelle pour laquelle elle s'était liée d'amitié à l'époque de Fort Dearborn. Cayce soigna sa mère pour un eczéma qu'elle avait depuis longtemps et elle mourut à l'âge fort honorable de quatre-vingt-sept-ans, de rien de plus grave qu'une «faiblesse de l'âme». Son père fut également guéri par Cayce : il souffrait à cause de son foie et d'une mauvaise pression artérielle; il vécut jusqu'à l'âge de quatre-vingt-dix ans. Son frère aîné Ned fut aussi son frère à Fort Dearborn. Joël, le deuxième frère, avait été le sacristain qui courtisait la sœur du prêtre; il allait rencontrer et épouser cette même femme dans sa vie présente. Ce mariage fut une réussite pour chacun d'eux jusqu'au moment où le prêtre se réincarna sous les traits de leur premier enfant. À peine eut-il appris à parler que ses parents n'eurent plus la paix un seul instant. Même lorsqu'il était tout jeune, le garçon montrait un zèle très précoce pour dresser ses parents l'un contre l'autre; il finit par dresser une barrière insurmontable en eux. Singulièrement, lui aussi souffrait d'une maladie de la peau au troisième degré, qui fut finalement guérie par une étude physique qu'il fit chez Cayce à l'âge de vingt-et-un ans.

Une des études physiques les plus complètes et les plus avancées fut certainement celle de la sœur de Fran, Vera, qui était atteinte de tuberculose ; les médecins la disaient incurable et elle fut pourtant guérie complètement grâce aux remèdes «non orthodoxes» de Cayce. Vera, plutôt secrète et renfermée de nature, refusa de faire une étude de vie, craignant peut-être d'avoir été atteinte par la tuberculose à cause de sa fréquentation des pistes de danse à Fort Dearborn.

Le troisième frère de Fran, Hal, était celui qui aimait le plus sa sœur, qu'il protégeait et admirait. Il adorait l'encourager à danser et à chanter ; il s'asseyait, ravi de pouvoir l'écouter et l'applaudissait à la fin de chacune de ses prestations, portant ses talents aux nues. Qui était-il ? Simplement le tenancier de la taverne de Fort Dearborn, son mari. Lorsqu'il s'aperçut du changement de comportement de sa sœur, qui devenait plus raisonnable suite aux conseils que Cayce lui avait donnés lors de son étude de vie, il conçut une certaine antipathie, d'ailleurs parfaitement infondée, pour le parapsychologue, qu'il ne parvint jamais à surmonter ; il refusa même de le rencontrer ou de discuter avec lui.

Son épouse Sarah ne souffrait pas du même blocage mental : elle avait été une des femmes dont Fran s'était occupé durant la guerre de 1812. Ce n'est que lorsque son premier bébé eut atteint l'âge de trois semaines, que son état nécessitait l'aide d'un médecin spécialiste qu'il était impossible de trouver sur place et alors que sa mort semblait ne plus pouvoir être évitée, que Hal, faisant soudainement volte-face, se rendit chez Fran, pour lui demander d'obtenir une étude physique de la part de «ce charlatan».

Fran expliqua alors à son frère que Cayce ne faisait

de telles études que sur la demande expresse des parents; mais Hal ne voulut pas s'abaisser à cela. Cependant, à la demande de Fran, Cayce, conscient qu'il ne disposait que de très peu de temps pour sauver la vie de l'enfant, fit une exception à la règle qu'il s'était fixée. La solution aux problèmes gastriques qui étaient en train de faire mourir l'enfant était simple : il suffisait de diluer une dose de Castoria et de la lui administrer. La guérison fut presque instantanée et, trois jours plus tard, le bébé était en parfaite santé; jamais plus il n'eut à souffrir des mêmes symptômes. Quelques années plus tard, il souffrit d'une inflammation du gros intestin, qui fut également guérie par une étude physique.

Des quelques vingt rescapés de Fort Dearborn qui s'étaient retrouvés dans la péninsule de Chesapeake, seuls Hal et l'un des trois maris de Fran s'oppposèrent implacablement à toute aide et à tout réconfort qu'une étude aurait pu leur apporter. En fait, le second mari de Fran n'était pas entré dans sa vie antérieure avant qu'elle s'établisse en Virginie, où lui aussi s'était rendu pour se soigner dans la même pension qu'elle.

Durant la guerre de 1912, Fran n'avait fait aucune distinction entre les alliés et les ennemis lorsqu'elle soignait les blessés. Ainsi, lorsque Fran refit sa vie sur des bases plus stables, le poids qui reposait sur ses épaules diminua et la santé et l'équilibre de toute sa famille commençèrent à s'améliorer. Les querelles se turent et les tensions disparurent. Les «vieilles affaires restées pendantes» depuis Fort Dearborn avaient enfin été réglées.

C'est alors qu'une certaine Mary Barker fit son entrée en scène en ouvrant une petite boutique de souvenirs pour les touristes. Mary, à peine plus jeune que Fran, était atteinte d'une sorte de polio qui avait fait de son corps une forme obèse et estropiée. Elle était incapable de se déplacer seule depuis l'âge de neuf ans. Dès le moment de sa première rencontre avec Fran, elle développa une obsession presque névrotique qui faisait qu'elle la suivait partout dès qu'elle avait un moment de libre et l'exaspérait à cause de l'affection maladroite qu'elle lui témoignait.

Fran réussit néanmoins à surmonter ces difficultés et obtint de la part de Cayce une étude physique, en espérant que Mary pouvait encore être guérie. L'étude prescrivit une série de massages que Mary était bien incapable de faire elle-même. À cette époque, elle n'était même plus en mesure de travailler pour gagner sa vie décemment. Avec une compassion non feinte, la mère de Fran décida de prendre Mary sous son toit et, pendant trois mois, Fran lui fit ses massages quotidiens, ainsi que les bandages dont elle avait besoin. La jeune fille se remit petit à petit et commença même à pouvoir marcher. Elle demanda ensuite à ce qu'Edgar Cayce fasse une étude de vie, qui lui apprit qu'elle avait été la fille de Fran dans une vie antérieure et qu'elle avait souffert de malnutrition lorsque des domestiques indiens s'étaient enfuis avec elle pour lui sauver la vie. À l'âge adulte, elle fut incapable de s'établir quelque part définitivement, convaincue que sa mère l'avait volontairement abandonnée. L'amertume qu'elle en avait conçue et l'apitoiement sur son propre sort s'étaient manifestés maintenant sous la forme de cette polio qui l'avait défigurée. Lorsqu'elle s'en alla finalement pour poursuivre seule sa carrière, elle et Fran restèrent de bonnes amies.

Aujourd'hui, Fran est une respectable mère de famille qui a l'air d'avoir quinze ou vingt ans de moins que son âge réel, parce qu'elle suit scrupuleusement les conseils de son étude physique. Elle fait preuve d'une discrétion parfaitement compréhensible lorsqu'elle parle des profits qu'elle a retirés des études faites pour les membres de sa famille ou pour ses amis. Ceux-ci, comme beaucoup d'autres citoyens qui doivent leur longévité et leur sérénité à Edgar Cayce, ne reconnaissent pas volontiers en public qu'ils ont bénéficié de son aide, à moins que quelque journaliste ne jette sur eux son dévolu parce qu'ils étaient parmi les rares témoins à avoir échappé à une issue fatale grâce à Edgar Cayce.

Le karma de groupe ne s'applique pas seulement à quelques rares privilégiés qui suivent le même cycle d'âmes et de réincarnations dans des familles identiques. Il a des implications universelles.

Edgar Cayce expliqua très clairement que toutes les âmes qui s'étaient trouvées impliquées dans la conquête du Mexique et de l'Amérique du Sud avec les conquistadores Cortez et Pizarro payèrent tous en fonction des pillages et des massacres d'Aztèques qu'ils avaient commis. Le génocide d'une civilisation entière est un phénomène inacceptable; mais les aventuriers avides d'or et de richesses, dit Cayce, qui prirent part à ces expéditions se retrouvèrent en masse en Espagne durant la guerre civile, au début de ce siècle. Là, des frères, des pères, des mères et des sœurs se dressèrent les uns contre les autres, jusqu'à ce que leur civilisation ne soit plus qu'un vaste charnier. Cela jette-t-il un éclairage nouveau sur la raison pour laquelle certains groupes ethniques, apparemment innocents de toute faute, sont sujets à des massacres et à des horreurs que rien ne semble justifier?

Toutes les races humaines semblent évoluer en fonction du cycle de leurs âmes. Il semble que, de nos jours aux États-Unis, les dirigeants noirs soient en train de conduire leur race vers un héritage de droits économiques et sociaux qu'on leur a longtemps dénié.

Que penser alors de la haine impardonnable de quelques groupes minoritaires tels que les Musulmans? Si on la compare à la rationnalité de la majorité des dirigeants noirs, responsables et disciplinés, comment peut-on expliquer alors leur conduite?

Il est possible que des réactions aussi implacables,

loin de refléter le cycle des âmes de Noirs, soient plutôt le fait d'une intrusion dans la race noire d'âmes qui haïssent avec une même intensité le Noir et l'homme blanc. De telle âmes pourraient bien avoir appartenu à cette espèce de marchands d'esclaves du Sud qui faisaient fouetter les hommes et maltraitaient leurs femmes et leurs enfants. De telles âmes s'étaient elles-mêmes condamnées à se réincarner sous les traits d'un Noir. Mais alors que la peau maintenant foncée de celui qui fut autrefois marchand d'esclaves peut légitimement faire enrager sa conscience, son subconscient peut tout aussi bien être excédé par la faute et la honte qu'il ressent à la suite des crimes commis autrefois contre ceux de la race noire, à laquelle il appartient maintenant; ce qui fait que, finalement, il déteste autant les Noirs, qui sont les siens, que les Blancs.

Chapitre 17

L'attitude actuelle vis-à-vis de la réincarnation

I. Le public

Si le lecteur se pose la question de savoir pourquoi la réincarnation semble prospérer davantage dans les sociétés orientales et primitives, faisons lui comparer l'éducation faite de tolérance et de permissivité d'un jeune Indien Tlingit, par exemple, à celle que reçoit un enfant né dans la ville coloniale de Salem et qui posséderait la même aptitude à se remémorer sa vie antérieure. Cela serait, dans le second cas, considéré instantanément comme l'œuvre du démon et l'enfant serait exorcisé en bonne et due forme. Quelques-unes des femmes qui furent pendues à Salem étaient à peine plus âgées que des enfants.

De telles horreurs sont immanquablement assimilées à ce que le grand psychiatre Jung appelait l'«inconscient collectif» d'une nation entière. Et lorsqu'une race est à ce point atteinte dans sa santé mentale, les tabous ne manquent pas de retarder l'évolution de sa raison intellectuelle pour les générations à venir. Dans sa pièce, «The Crucible», Arthur Miller fait le rapprochement historique entre l'hystérie collective des procès de Salem et la parodie de procès que l'on intenta à John T. Scopes pour avoir enseigné le principe de l'évolution darwinienne à sa classe dans les années 20 ou aux auditions des membres du Comité des activités antiaméricaines au début des années 50.

Si un scientifique, un professeur ou un politicien, si brillant soit-il peut être empêché d'occuper la place qu'il mérite dans son pays uniquement par coercition, on imagine aisément comment les enfants, qui croient à l'évidence de ce que voient leurs yeux et de ce qu'entendent leurs oreilles (et qui pensent que leurs parents en font de même), peuvent être influencés jusqu'à laisser dans l'ombre leur propre potentiel psychique. Un enfant qui voit et qui parle à une réplique exacte et tangible d'un de ses grand-parents morts et qui est assez imprudent pour le dire, court le risque, soit d'être ridiculisé, soit d'être puni et envoyé chez un psychologue spécialisé pour les enfants. Inévitablement, il sera amené, de gré ou de force, à réprimer l'évidence de ce que lui indiquaient ses propres sens, jusqu'à ce que ceux-ci soient complètement atrophiés.

II. Les églises

Les États-Unis, la démocratie la plus jeune et la plus forte qui ait jamais existé dans l'histoire du monde, se sont montrés capables d'assimiler des idéologies hostiles et d'en tirer même des enseignements — pour autant qu'une petite minorité de personnages lunatiques soit empêchée de contaminer par ses idées la majorité silencieuse. Les brutalités de Salem, par exemple, conduisirent directement à l'insertion du principe de la liberté de croyance dans la Constitution.

Si la Constitution est la base sur laquelle repose la démocratie américaine, alors, lorsque le révérend Wally White veut se débarrasser de Bridey Murphy «parce que la réincarnation est une attaque contre les principes établis de la religion,» il se trouve autant dans l'erreur que ses prédécesseurs de Salem.

Quels sont donc «les principes établis de la religion» que lui et sa clique mettent toujours tant de zèle et de hargne à protéger? Sont-ils si faibles que la protection que leur garantit la Constitution est insuffisante à leurs yeux? Assurément, les erreurs commises par les églises officielles ressemblent plus vraisemblablement à celles que critiquait le pape Pie XII en 1950 : «Nous ne pouvons nous abstenir d'exprimer notre préoccupation et notre anxiété pour ceux qui... se sont laissés emporter par le tourbillon de leurs activités extérieures au point de négliger la tâche principale de tout bon chrétien : sa propre sanctification.

«Nous nous sommes déjà exprimé publiquement en écrivant que ceux qui pensent que le monde peut être sauvé par ce que l'on a justement appelé «l'hérésie de l'action» feraient mieux de porter un meilleur jugement.»

Quatorze ans plus tard, le cardinal Dopfner, le gouverneur, âgé de 51 ans, du siège de Munich, définissait l'état actuel de la religion occidentale en termes à ce point brillants et lucides qu'ils furent considérés comme définitifs.

Le prestige du cardinal Dopfner était tel qu'il fut choisi par le pape Paul VI pour être l'un des quatre modérateurs lors de la seconde session du Concile Vatican II, en 1964. En cette qualité, il fit la déclaration suivante devant un public de 2800 personnes, rassemblées dans le Palais des congrès de Munich : (ces extraits sont repris du magazine Time)

« Quantité de fidèles ont été perdus parce que l'Église catholique apparaissait beaucoup trop comme « une institution qui enchaînait la liberté » et comme « un souvenir suranné d'une autre époque. » Elle parlait à l'homme dans un langage trop ancien, avec des rituels incompréhensibles, en prêchant des concepts qui n'avaient plus aucune prise sur la vie courante. Au lieu de s'immiscer dans les affaires du monde, l'Église semblait se cantonner dans « un ghetto qu'elle s'était elle-même imposé, essayant de bâtir son petit monde bien à elle, à côté de l'autre monde, le grand. » « Soumis à un « formalisme antique », le catholicisme donnait souvent l'impression de s'indigner de la présence inévitable du pluralisme idéologique, de la démocratie politique et de la technologie moderne.

« Ces vérités, si désagréables fussent-elles, persuadèrent le pape Jean XXIII de la nécessité du concile, qui donna une nouvelle force à la compréhension du catholicisme, qui devenait ainsi « ecclesia semper reformanda » — une église en perpétuelle réforme.

« Le Christ lui-même était pur de tout péché, mais la continuation de son œuvre a été confiée aux frêles humains, des pécheurs. Ainsi l'église s'est-elle parfois rendue coupable de « manquer de terminer ce que Dieu avait désiré. La présentation de l'amour du Christ peut rester en retrait si l'église recourt à la force plutôt qu'à l'humilité — à la force au lieu de se mettre au service d'autrui. »

« Cela signifie, à en croire Dopfner, que toute réforme ne peut être entreprise par l'église lors des conciles que dans un esprit de pénitence, en reconnaissant que cela se passe au sein « d'une communauté de pécheurs. » Une réforme doit également être basée sur les

278

enseignements du Christ et de l'Écriture sainte. Elle doit aussi aller dans le sens d'une rénovation plutôt que dans celui d'une révolution, en ayant soin de préserver ce qui est bon des traditions passées tout en restant ouvert aux possibilités ultérieures de développement.

«Nous courons le danger de résister aux idées, aux formes et aux possibilités auxquelles appartient peut-être le futur; et souvent nous considérons comme impossible ce qui se manifestera finalement comme une forme parfaitement légitime du christianisme,» ajoutait encore le cardinal.

«Même dans le domaine de l'enseignement par l'église, un développement est loin d'être impossible,» précisait Dopfner, «car un dogme en tant que tel n'est pas synonyme de vérité divine; il n'est que l'expression incomplète de la richesse de la vérité divine, car il considère la révélation en termes humains.»

«Cela ne signifie pas que l'église puisse désavouer ou modifier les définitions dogmatiques du passé, mais elle peut par contre découvrir de nouveaux aspects de la vérité et trouver de nouveaux moyens d'exprimer des enseignements traditionnels.

«Ainsi l'ancienne croyance des catholiques selon laquelle «il n'y a aucun espoir en dehors de l'église» peut être amplifiée pour la rendre moins offensante à l'égard des protestants. Il faudrait également la modifier pour reconnaître que «la parole et la grâce de Dieu sont tout aussi effectives en se manifestant en dehors de l'église.»

«De faire reconnaître cela par les plus hautes autorités de l'église est assurément une innovation qui, à l'époque ou d'autres personnes étaient persécutées parce qu'elles professaient une foi différente et étaient conséquemment considérées comme hérétiques, aurait été tout simplement inconcevable.

«'Mais,' devait encore dire le cardinal dans sa péroraison, 'la reconnaissance de l'Esprit saint en dehors des limites de l'église catholique jette un pont en direction de nos «frères séparés» et élargit le domaine de l'église en tant que telle... Nous considérons cela comme le premier pas d'une route au long de laquelle Dieu seul peut en définitive nous mener.'» (Time, 4 février 1964)

Ces paroles résonnent en fait d'une sombre magnificence parce que, dans leur essence même, elles s'appliquent à toutes les dénominations où l'intolérance a donné naissance à un chemin détourné.

Vous remarquerez également que les rédacteurs du Time reconnaissent en la personne du cardinal Dopfner «une des plus hautes autorités de l'église.» Pourtant j'estime qu'aux yeux d'un personnage omniscient comme le révérend Wally White, les déclarations du cardinal pourraient aussi bien être considérées comme «une attaque contre les principes établis de la religion,» comme chacun d'ailleurs des principes contenus dans «l'hérésie formelle» de la réincarnation.

L'intolérance religieuse subit un examen encore plus pénétrant que celui des rayonx X ou celui du cardinal Dopfner dans ce bref extrait de l'essayiste juif Harry Golden :

«Peut-être, la plus importante de toutes les inspirations, les anti-sémites brûlent souvent d'une haine consumée pour Jésus-Christ, qu'ils dirigent prudemment contre les gens qui L'ont produit.

«Haïr les Juifs permet également aux anti-sémites de décocher des flèches contre l'éthique contraignante du christianisme sans risquer d'avoir à affronter toute la communauté.»

En bref, l'euphorie lénifiante de la fausse justice mène inévitablement à la persécution.

La persécution doit inévitablement renforcer l'esprit de revanche, peu importe que celle-ci soit pathétique ou même sans effet, même aux échelons délaissés de l'inversion sexuelle, où l'homosexuel est considéré davantage comme un monstre que comme un estropié glandulaire. Privé de ses droits sociaux et de ses privilèges, il a hérité de la cape du paria qui était portée, au siècle dernier, par les immigrants qui fuyaient les despotes et les ghettos européens.

Il y a une centaine d'années environ, des inscriptions sur les fenêtres des bureaux informaient les chômeurs que «les Irlandais et les chiens n'avaient pas besoin de faire leurs offres.» Le juif se trouva aussi isolé dans le quartier qui lui était dévolu à New-York qu'il l'était à Varsovie ou à Prague. Le noir était réduit au statut d'humanoïde dans l'Atlantide. Cette nouvelle race d'hommes libres, malgré son droit de naissance unique, mijotait toujours dans le creuset de son ignorance; et maintenant encore, le vrai indigène d'Amérique, «conçu dans la liberté» doit encore émerger.

Mais le voudra-t-il? Ou faudra-t-il attendre jusqu'à ce que toute cette intolérance ait disparu des cinquante États du pays?

Edgar Cayce, lorsqu'il était hypnotisé, répondait par la négative. Cette nation s'est dépensée plus que toute autre au moment d'écrire sa Constitution — passant comme un pacte avec Dieu, comme d'autres l'avaient fait dans la Bible. D'autres nations, moins engagées que celle-ci, n'ont pas besoin de se conformer à des modèles aussi idéalistes, bien que la moitié de l'Europe et presque toute l'Asie adhèrent à des manifestes assez cyniques et désuets pour dénier à l'homme le droit à «l'égalité, la fraternité et la liberté.»

La réincarnation réitère dans chacun de ses principes, chacune de ses croyances, que toute religion simulée ne peut que donner naissance à un simulacre de peuple — que la racine de tout mal, le poison mortel dont l'homme se nourrit encore, est l'inclination sournoise et honteuse qu'il a à persécuter sans être pris à son propre piège.

Chapitre 18

La réincarnation dans le futur

Dans le monde matériel où nous vivons, les évènements qui se produisent projettent toujours leurs ombres, même si ces dernières ne peuvent être discernées que par le regard rétroactif de l'historien.

Edgar Cayce se refusait toujours à imposer ses théories aux autres ; mais lors des conférences qu'il fit au Cayce Hospital au début des années 30, il indiqua clairement quelles étaient ses croyances quant à l'avenir qui nous attend. Il voyait un développement des facultés de l'homme, un élargissement de ses cinq sens et, corollairement, une acceptation logique et rationnelle de vérités plus profondes.

Si le principe de la réincarnation est inhérent à ces vérités plus profondes, il sera automatiquement reconnu et accepté par la race humaine lorsqu'elle atteindra ce niveau de perception.

Cayce lui-même était déjà capable de lire dans les

esprits et de voir les auras des gens; il décrivit ses réactions de la manière suivante : «Pour autant que je puisse m'en souvenir, j'ai vu des couleurs en relation avec les gens. Je ne me souviens pas d'une époque où les êtres humains que je rencontrais ne se soient pas imprégnés sur le fond de ma rétine avec des nuances de bleu, de vert et de rouge qui descendaient lentement de leur tête et de leurs épaules. Il me fallut beaucoup de temps avant de réaliser que les autres personnes ne voyaient pas ces couleurs; cela me prit beaucoup de temps avant que je n'entende le mot «aura» et que j'apprenne à l'appliquer à un phénomène qui m'avait toujours été familier.

«Je ne pense jamais aux gens sans les mettre en relation avec leur aura; je les vois changer chez mes amis et ceux que j'aime au fur et à mesure que le temps passe — à cause de la maladie, de la fatigue, de l'amour, du travail. Pour moi, l'aura est le baromètre de l'âme. Elle montre dans quelle direction soufflent les vents du destin.

«Bien d'autres personnes ont fait des expériences semblables aux miennes, sans souvent se rendre compte pendant de nombreuses années que ce qui leur arrivait était absolument unique.

«J'ai entendu de nombreuses personnes faire des commentaires sur l'influence des lunettes oculaires parmi les gens civilisées. Ils semblent les considérer comme quelque chose de néfaste. Serait-ce là une conséquence de l'effort constant que font nos yeux pour voir toujours davantage et de franchir ainsi l'étape suivante de notre évolution? Je pense que cela est vrai et qu'on l'acceptera, dans le futur.

«Qu'est-ce que cela signifiera pour nous si nous franchissons cette nouvelle étape sur la voie de notre évolution? Eh bien, cela signifiera simplement que nous serons tous capables de voir ces fameuses auras!

«Une aura est un effet, non une cause. Chaque atome, chaque mollécule, chaque groupe d'atomes et de mollécules, si simple ou si complexe soit-il, contient sa propre histoire — sa conception, son dessin — dans les vibrations qu'il émet.

« Comme l'âme d'un individu voyage au travers des royaumes de l'être, elle se modifie et change son modèle de comportement lorsqu'elle use, ou abuse, des occasions qui se présentent à elle. L'œil humain est capable de percevoir ces vibrations sous la forme de couleurs.

« Ainsi, à chaque moment, dans quelque monde que ce soit, une âme fera irradier son histoire au travers des vibrations qu'elle émet. Si une autre conscience peut appréhender ces vibrations et les comprendre, elle connaîtra alors l'état de cette âme sœur, sa condition ou même les progrès qu'elle a pu faire.

« Imaginez ce que cela peut signifier! Chacun sera capable de voir si vous allez lui dire un mensonge, même un tout petit rien du tout! Tous, nous devrons être francs et honnêtes; il n'y aura plus de place pour la supercherie!

« Les dangers, les catastrophes, les accidents, la mort même ne viendront plus par surprise. Nous les verrons arriver, comme le faisaient les prophètes depuis longtemps; et, tout comme les prophètes, nous saurons reconnaître notre mort et lui souhaiter la bienvenue, car nous comprendrons sa vraie signification.

« Il est bien sûr difficile de nous projeter dans un tel monde — un monde où les gens verront les vices et les vertus de leurs semblables, leurs faiblesses et leurs forces, leurs maladies, leurs malheurs, les succès qui les attendent. Nous pourrons nous voir comme les autres nous verront et nous seront alors une race toute différente de celle que nous sommes actuellement. Combien de nos vices vont subsister, lorsqu'ils seront tous connus de chacun? »

Dans le même style, Edgar Cayce expliquait son attitude vis-à-vis des pouvoirs latents de la concentration mentale, qui sera également appelée à se développer chez les êtres humains.

«Mon expérience m'a enseigné que pratiquement chaque phase d'un phénomène quelconque peut être expliquée par les activités du subconscient. Tout d'abord, laissez-moi vous parler d'une de mes propres expériences — une expérience que je n'ai d'ailleurs jamais recommencée! En vous expliquant pourquoi, je peux vous donner mon avis sur la manière dont la télépathie devrait, et ne devrait pas, être utilisée.

«Il y a de cela plusieurs années, lorsque je travaillais dans un studio de photographie, une jeune femme qui était une vraie musicienne collaborait avec moi. Elle avait commencé à s'intéresser à la photographie, ainsi qu'aux phénomènes parapsychologiques qui se manifestaient en moi.

«Un jour, je lui dis que je pouvais contraindre un individu à venir me voir. Je lui ai dit cela parce que je pensais justement à ce sujet et que j'étais en train de l'étudier. Je pensais qu'en se concentrant suffisamment, il devait être possible de se créer une image mentale et, en «voyant» une autre personne faire quelque chose, on serait mentalement capable d'amener cette personne à faire ce que justement on se représentait.

«Cette jeune femme me dit alors : «Je crois la plupart de ce que vous m'avez dit, mais cela, vraiment, je ne peux y croire! Il faudra réellement que vous me le prouviez!»

«Très bien», répondis-je «donnez-moi les noms de deux personnes qui, selon vous, ne se laisseraient pas influencer par mon pouvoir.»
«Jamais vous ne pourriez faire venir mon frère ici,» dit-elle, «et je sais également que vous ne pourriez pas faire venir Monsieur B., car il ne vous apprécie guère.»

«Je lui dis qu'avant midi le lendemain, non seulement son frère serait ici au studio, mais qu'en plus il me demanderait de faire quelque chose pour lui. «Et le jour suivant, avant deux heures de l'après-midi,» lui dis-je encore, «Monsieur B. sera là également.»

«Elle hocha la tête avec incrédulité et me dit qu'elle ne pouvait croire à ce genre de choses.

«Notre studio était arrangé de telle façon que, depuis le deuxième étage, nous pouvions regarder dans un miroir et voir ce qui se passait dans la rue au-dessous. À dix heures le lendemain matin, je m'assis pour méditer pendant environ trente minutes, en ne pensant qu'à son frère et en me demandant si peut-être je n'avais pas surestimé mes capacités en disant qu'il allait me demander de faire quelque chose pour lui, d'autant plus que sa sœur m'avait souvent signalé qu'il n'avait aucune patience dès qu'il s'agissait de parler de mon travail.

«Après environ une demi-heure de cette concentration intense, je vis le garçon passer dans la rue juste en dessous, puis tourner et se diriger en direction des escaliers. Il resta là quelques secondes, regardant vers le haut des escaliers — puis s'en alla. Quelques minutes plus tard, il revint sur ses pas et monta les escaliers jusqu'au deuxième étage.

«Sa sœur le regarda, ébahie, et s'exclama : «Mais que fais-tu donc ici?» «Le garçon s'assit sur le bord de la table, en retournant son chapeau entre ses mains. Puis il dit : «En fait, je le sais à peine moi-même. J'ai eu quelques ennuis hier soir au magasin et tu m'as si souvent parlé de Mr Cayce que je me demandais s'il ne pourrait pas m'aider...»

«Sa sœur faillit s'évanouir!

«Le lendemain, à onze heures du matin, je repris place dans le même fauteuil. La fille me dit : «Si cela a marché avec mon frère, cela va certainement marcher aussi avec Mr B.!»

«Je lui dis que je préférais ne pas rester là lorsque

Mr B. arriverait, parce qu'il me détestait tellement et qu'il ne saurait pas pour quelle raison il était venu. Elle me dit par la suite qu'il était venu aux environs de midi et demie, après que je fus sorti. Elle lui demanda si elle pouvait lui être utile. Il répondit : «Non. Je ne sais pas ce que je fais ici!» Et il sortit sans rien dire!

«Mais plus j'étudiais ces phénomènes, plus j'étais convaincu que je ne devais pas répéter ce genre d'expériences. Quiconque tente de contrôler une autre personne peut le faire — mais attention! La chose précise que vous désirez contrôler chez l'autre individu sera la chose qui va justement vous détruire. Ce sera votre Frankenstein!

«Car, comme le précisent les informations des études, quiconque désire contraindre autrui à se soumettre à sa propre volonté est un tyran. Même Dieu ne nous impose pas Sa volonté. Soit notre volonté est la même que la sienne, soit nous nous opposons à sa volonté. Chaque personne dispose d'un choix individuel.

«Quel rôle la télépathie joue-t-elle dans notre vie? Car il ne faut pas perdre de vue que chaque chose bonne peut également être dangereuse. Je ne peux rien mentionner de bien qui ne puisse être également sujet à une mauvaise utilisation. Comment, dès lors, pouvons-nous faire usage de ce don de lire dans les esprits, ou de cette télépathie, de manière constructive?

«La meilleure règle que je puisse donner est la suivante : «Ne demandez pas à une autre personne de faire ce que vous ne voudriez pas faire vous-même.» «Lorsque le Seigneur s'en alla en Judée, un des nobles du district, un pharisien, lui demanda de venir dîner avec lui.

«Jésus accepta l'invitation et ses disciples allèrent avec lui. Au moment de s'asseoir à table, une femme de la rue vint, elle lui lava les pieds avec ses larmes et les essuya avec ses cheveux. Elle oint également ses pieds d'un onguent précieux.

«Le noble se dit à lui-même — comme beaucoup d'entre nous le feraient aujourd'hui — «Quelle sorte d'homme est-ce donc? Ne sait-il donc pas qui est cette femme?» Jésus, qui savait ce qui se passait dans son esprit, lui dit : «Simon, j'ai quelque chose à te dire... Il y avait un certain créancier qui avait deux débiteurs; un lui devait cinq cents sous et l'autre cinquante. Comme ni l'un, ni l'autre n'avaient de quoi le payer, il oublia simplement ces deux dettes. Dis-moi, maintenant, lequel des deux va l'aimer le plus?» Simon répondit en disant : «Je suppose celui des deux qui lui devait le plus.» Jésus lui dit alors : «Tu as bien jugé.» (Luc 7:36-50)

«Remarquez que Jésus n'a pas dit à Simon : «C'est justement ce à quoi tu penses,» ni ne l'a accusé de manquer de courtoisie en ayant omis de faire apporter de l'eau pour ses pieds, ni d'huile pour l'oindre. Jésus parlait simplement de façon à faire remarquer à Simon qu'il ne devait pas mettre la faute sur le compte de quelqu'un d'autre.

«Nous aussi, à certains moments, nous sommes capables de sentir ce que les gens pensent et nous pouvons connaître la direction que prennent leurs pensées. À de pareils moments, notre conversation et nos actes envers eux ne peuvent que consister à leur montrer — comme le Seigneur l'avait fait comprendre à Simon — que leurs pensées les plus intimes peuvent être portées à la connaissance de ceux qui sont étroitement associés à Dieu.

«Ceux d'entre vous qui ont étudié l'histoire de l'Atlantide (dans les études) savent que des forces comme la télépathie y étaient hautement développées. Nombre d'individus pouvaient penser avec une telle concentration qu'ils étaient capables de créer instantanément des objets matériels avec le seul pouvoir de leur concentration. L'utilisation de telles forces à des fins personnelles,

288

comme ils le firent alors, ne peut qu'aboutir à la destruction.

« Cette même force de l'esprit existe toujours, comme elle existait du temps de l'Atlantide.

« Aujourd'hui les plus graves péchés de la terre sont toujours l'égoïsme et la domination de la volonté d'un individu par celle d'un autre individu.

« Peu nombreux sont ceux qui autorisent d'autres individus à vivre leur propre vie. Nous voudrions leur dire comment faire ; nous voudrions les forcer à vivre comme nous le faisons et à voir les choses telles que nous les voyons. La plupart des épouses veulent dire à leur mari comment faire et la plupart des maris veulent dire à leur femme ce qu'elles peuvent et ne peuvent pas faire !

« Avez-vous jamais cessé de penser que personne d'autre ne peut répondre à Dieu à votre place ? Ni que vous pouvez répondre à Dieu à la place de quelqu'un d'autre ?

« Si une personne désire avant tout se connaître elle-même, alors la possibilité de connaître la pensée des autres viendra. La majorité de ceux qui vont s'exercer dans cette direction parviendront à leurs fins. Mais assurez-vous de ne pas vouloir faire l'œuvre de Dieu ! Sachez vous contenter de la vôtre et vous en aurez suffisamment !

« Nous avons le droit de faire part aux gens de notre propre expérience et les laisser décider pour eux-mêmes ; mais nous n'avons aucun droit de les forcer, car Dieu demande à chaque homme, où qu'il soit, de regarder, d'observer et de comprendre par lui-même.

« La réponse est propre à chacun de nous, de savoir s'il vaut la peine ou non de développer ces capacités. Si nous avons une idée exacte de ce que signifie le mot « psychique », nous savons alors qu'il s'agit d'une faculté qui existe — qui a toujours existé — et qui nous appartient de plein droit dès la naissance, parce que nous sommes les fils et les filles de Dieu. Nous avons la possibilité de nous associer avec l'Esprit.

«Lorsque nous utilisons les forces qui sont en nous pour servir les Forces créatrices et Dieu, nous pouvons être sûrs de leur utilisation correcte. Par contre, si nous les utilisons à des fins égoïstes et personnelles, alors nous en abusons. Nous devenons alors comme le Fils de la Perdition — ou appelez-le comme vous le voulez.»

Une fois qu'Edgar Cayce était en état d'auto-hypnose, on lui demanda : «De quelle manière devrions-nous présenter les travaux de l'ARE à quelqu'un dont la foi est orthodoxe?»

«Invitez-le à venir voir ce qui se passe,» répondit-il. «Mais ne lui imposez rien, ne le forcez pas. Car seuls ceux qui ont besoin de répondre à «quelque chose en-dedans d'eux-mêmes» sauront observer.

«Ne les dérangez pas, ne mettez pas sur eux la faute. Car si ton Père, Dieu, a trouvé une faute dans chaque mot que tu as prononcé, dans chaque geste que tu as fait au cours de ton expérience, quelle aura alors été ta chance lors de cette expérience?

«Si tu désires obtenir sa clémence, sois toi-même miséricordieux et bienveillant avec tous ceux que tu rencontreras, quelle que soit leur foi, à quelque groupe qu'ils appartiennent.»

Chapitre 19

Conclusion

La réincarnation n'est pas une théorie ; il s'agit d'un code d'éthique pratique qui affecte directement le comportement de l'homme.

La réincarnation faisait partie intégrante des premières versions des évangiles et son abolition par deux macabres païens n'a malheureusement toujours pas éré reconsidérée. On trouve encore quelques références éparses à son sujet dans la Bible, mais les encyclopédies n'ont jamais cessé d'amoindrir l'importance qu'elles lui accordaient, spécialement depuis 1911 — année de la publication de la dernière édition de l'Encyclopedia britannica à traiter honnêtement de ce phénomène sous le terme de métempsycose.

Toutes les études faites par Edgar Cayce la reconnaissent sans équivoque et insistent fréquemment sur le fait que les aspects positifs et négatifs de la conduite d'un individu dans ses vies antérieures ont une conséquence directe sur le modèle de son comportement actuel. Les influences négatives peuvent être surmontées et annihilées, dès l'instant qu'un homme est prêt à accepter ses problèmes comme étant la conséquence directe de son propre comportement et à reconnaître qu'il en est le seul responsable.

Dans aucun cas la réincarnation semble n'avoir représenté un danger quelconque pour les croyances philosophiques ou spirituelles de l'homme, que dans le cas où elle entre en conflit avec une vanité démesurée ou dans celui d'un ego qui aurait pris une telle importance au point d'être la queue qui ferait remuer le chien...

Et, malgré cela, aucune autre croyance n'a été aussi catégoriquement reniée et jamais on ne l'a mise au bénéfice du doute; jamais détracteurs n'ont réclamé des «preuves» avec autant de vigueur et de vacarme. Mais sur les épaules de qui devrait justement reposer le poids de cette preuve?

Il n'y a aucune preuve historique de l'existence du continent perdu de l'Atlantide. Mais, il y a cinq cents ans, il n'y avait aucune preuve historique de l'existence du continent américain. Pour cette raison, il n'y avait pas de preuve historique de l'existence des Manuscrits de la Mer Morte jusqu'à ce qu'un chevrier arabe les découvre, tout à fait par hasard, alors qu'il n'avait qu'une chance sur un million de les trouver.

À propos de n'importe quel phénomène terrestre, la plupart des hommes seront toujours prêts à croire pour ainsi dire n'importe quel mensonge — pour autant qu'il soit assez énorme, assez absurde et qu'on le lui répète assez souvent. Jamais même ils ne penseront à exiger une quelconque preuve. Ainsi, ces hommes croiront ce qu'ils lisent dans leurs journaux, ce que leur apprennent les bulletins d'information à la télévision. Ils accepteront sans sourciller les promesses électorales d'un démagogue. Ils seront aveuglément convaincus de l'infaillibilité et de l'incorruptibilité de leur avocat, de leur médecin et de leur dentiste. Si un médecin opère un patient pour une appendicite et qu'au moment de le recoudre, il oublie par inadvertance une bande de gaze sous la plaie, le patient en question mourra avant d'avoir eu le temps de savoir pourquoi l'opération qu'il a subie n'a pas été le succès que l'on pouvait honnêtement escompter.

Apparemment seule la réincarnation inspire à l'homme ce sentiment de crainte supersticieuse et ce n'est vraiment que lorsqu'il se sent réellement menacé par ce genre de crainte, souvent vague et confuse, qu'il exige alors une preuve irréfutable au point même que la Mère de Toute Vie ne saurait lui donner satisfaction.

Pourquoi la loi karmique de la renaissance et de la restitution est-elle le souffre-douleur de tout esprit orthodoxe? Serait-ce le fait que chaque âme de la création ait à revenir de son plein gré pour refaire l'expérience, du bien comme du mal, à laquelle elle avait contraint les autres? C'est le fait que nous devrons éventuellement hériter des faiblesses que nous avons condamnées chez les autres, avec toutes les persécutions que cela peut entraîner.

C'est le fait que chaque âme est à la fois son propre juge et son propre jury et qu'elle ne saurait se condamner qu'elle-même

C'est le fait qu'en dernière analyse la seule personne qui n'ait jamais été dupée, c'était soi-même — et encore le subterfuge avait-il échoué!

Notre préoccupation quasi obsessionnelle de la superficialité et notre souci constant de nous conformer à ce qui est à la mode nous privent non seulement de notre individualité et de notre stature, mais encore nous rongent jusqu'à faire de nous des êtres complaisants et abrutis. Ne serait-ce que parce que nous avons rejeté le principe de la réincarnation que nous gaspillons les trois quarts de notre vie à vouloir impressionner les autres, à nous faire passer pour ce que nous ne sommes pas? S'il en était ainsi, le moment viendra alors immanquablement où il nous sera impossible d'être honnêtes avec nous-mêmes; alors rien ne sera plus nécessaire à notre bien-être que la réincarnation.

Peut-être sa composante désagréable repose-t-elle dans le fait que, même lorsqu'elle est réduite à ses aspects les plus simples, la réincarnation n'offre que peu, si ce n'est aucune consolation à l'indolent et au paresseux qui blâme son père et sa mère parce que ceux-ci ne se sont jamais inquiétés de faire de lui quelqu'un d'apprécié par les autres — comme s'ils y pouvaient quelque chose... La réincarnation n'est en aucun cas la panacée pour le fainéant qui se vautre et attend d'être aimé pour toutes les fautes qu'il a commises — pour sa paresse, pour son laisser-aller, pour son désir de jouer les fiers-à-bras sans en payer le prix.

«L'ego est si souvent prisonnier de lui-même,» disait Edgar Cayce, «qu'il craint constamment de perdre son importance, sa place et sa liberté. Mais pour bénéficier soi-même de la liberté, il faut savoir en donner! Pour vivre en paix, il faut la faire! Ce sont là des lois immuables... Car la patience est indispensable. Ce n'est qu'avec de la patience que tu te rendras compte que ton corps n'est qu'un temple, un édifice extérieur; alors que l'âme et l'esprit en sont les ornements permanents.»

Cela s'oppose certainement à la vieille maxime matérialiste qui veut que l'on haïsse le perdant et que l'on admire celui qui a vaincu par la force, peu importe le nombre de victimes qu'il a laissées derrière lui.

Avons-nous, en excluant la loi de la réincarnation, écarté le principe d'un Créateur juste et bon? Il semblerait alors que nous ayons créé nous-mêmes le piège dans lequel nous sommes tombés. Car, les cinq sens et l'homme sont assurément insuffisants pour lui permettre de rejeter avec conviction l'existence de Dieu.

L'homme ne se trouve-t-il pas plus en sécurité en L'acceptant qu'en le rejetant? Car, dès qu'il aura réussi à réduire toutes ses croyances à néant, l'homme cessera dès lors lui-même d'exister.

Cela semblerait indiquer qu'un athée ne serait qu'un homme qui ne pourrait contempler le firmament sans être pris de vertige, simplement parce qu'il n'aurait aucun moyen de le comparer avec quelque chose qui lui serait familier.

Probablement cela explique-t-il aussi pourquoi il éprouve autant de difficulté à se représenter l'idée même de la réincarnation. L'idée qu'il s'agit là d'une des pierres angulaires d'une foi sincère manque d'une base matérialiste réconfortante. Le fait lui-même est suffisant pour la rendre suspecte à n'importe quel pécheur persuadé d'être né avec le péché originel, persuadé que la seule voie de son salut se trouve dans des souffrances interminables et insensées.

Pour lui, l'hérésie permanente de la réincarnation consiste à croire que l'homme est un agent libre et que son Dieu est un Dieu d'amour. Cela signifie qu'il ne pourra pas connaître davantage son Créateur avant d'avoir appris à aimer ses semblables.

À quoi est-il ensuite confronté? Au fait peu agréable qu'aucun homme n'est capable d'aimer les autres avant d'avoir pu surmonter les obstacles qui l'empêchaient de s'aimer lui-même.

S'il ne peut jamais aimer les autres, ou devenir aimable à leurs yeux, logiquement comme le jour succède à la nuit, les autres ne pourront jamais l'aimer.

Dans ce cas, il se trouvera tourmenté et aigri, car il ne pourra ni aimer, ni être aimé. Il sera prisonnier de la nuit éternelle et d'une solitude implacable. La solitude est l'adversaire le plus farouche de l'homme, car c'est le seul poison qui puisse finalement exterminer l'âme, inexorablement.

Tout lecteur qui se sera maintenant aperçu que tout étude sérieuse du phénomène de la réincarnation ne peut pas être entreprise autrement que sous la lumière du Christ fera bien de laisser tomber ses propres dogmes en se référant au révérend Weatherhead et à son essai, «The Christian Agnostic», publié chez Abingdon Press, New-York, en 1965. Aucun autre homme d'église de si haute estime n'a été plus en accord avec l'interprétation que fit Edgar Cayce de la Bible.

Dans le chapitre «Reincarnation and Renewed Chances», le Dr Weatherhead parle de son acceptation personnelle de la métempsycose de la manière suivante : «Je pense à Betty Smith, née dans une famille prospère, à qui furent données toutes les chances, qui bénéficia d'une éducation idéale, qui aima et qui épousa un homme qui fut à même de la faire vivre dans un environnement identique à celui dans lequel elle avait toujours vécu, qui donna naissance à une demi-douzaine d'enfants en excellente santé et qui vécut finalement toute sa vie dans les meilleures conditions possibles.

«Je pense ensuite à Jane Jones, née aveugle, ou sourde, ou encore estropiée, dans une maison misérable, où un père ivrogne transformait en enfer la vie de tous les jours. Jane ne peut jamais échapper à ce milieu, elle ne put jamais se marier et fonder son propre foyer; elle ne put jamais bénéficier des mêmes avantages que Betty Smith et elle mourut jeune encore, d'une maladie incurable...

«Certains s'imaginent que «ces choses seront compensées au ciel...» Serait-ce à dire que Betty devrait alors souffrir, dans une autre vie, uniquement parce qu'elle fut heureuse sur terre? Quelle serait la signification de ce renversement de situation, en termes de justice? Nulle. Et cela ne ferait certainement aucun bien à Jane. Et d'ailleurs, elle ne serait pas assez vindicative et mesquine pour désirer pareille chose. Mais alors, Jane devrait-elle être «récompensée» ou simplement «compensée»?

«Quelle sorte de compensation peut faire oublier un demi-siècle de souffrance terrestre? On se choque à l'idée que l'on puisse donner une certaine somme d'argent à un homme emprisonné à tort. Mais comment cela pourrait-il compenser sa détresse, les années ainsi perdues, sa misère et le chagrin de ses parents? Il impossible de compenser ce genre de choses, ces pertes sont irréparables.

«La détresse humaine n'est-elle alors qu'une affaire de hasard? Si c'était le cas, comme la vie serait injuste! Est-ce l'affaire de la volonté de Dieu? Quel père injuste il ferait alors; un père, sur terre, qui exercerait aussi partialement sa volonté serait jeté en prison, ou enfermé dans un asile psychiatrique!»

Ce sont là les paroles déterminées du ministre du temple de la Cité de Londres, mais le Dr Weatherhead frappe aussi fort que le fit toujours Edgar Cayce. Le Dr Weatherhead croit sincèrement que le christianisme est une manière de vivre, et non «un système théologique avec lequel il faudrait être en accord intellectuel...»

«Si vous aimez le Christ et cherchez à le suivre, adoptez l'attitude d'un chrétien agnostique vis-à-vis des problèmes intellectuels, du moins pour le moment...

«Franchement, je me demande souvent pourquoi les gens qui vont à l'église sont si nombreux. Le christianisme doit disposer d'un pouvoir particulièrement attractif, ou alors les églises l'auraient fait disparaître il y a longtemps déjà.»

Malgré cela, la réincarnation ne se verra assigner aucune place dans notre société jusqu'au jour où les dogmes de l'orthodoxie cesseront de pourvoir en arguments ses détracteurs. La réincarnation n'aura jamais de sens pour l'homme de la rue aussi longtemps qu'il craindra, et rejettera, le concept désuet d'un Dieu vindicatif et vengeur.

Le Dr Weatherhead, comme Edgar Cayce du reste, fait de cela la pierre angulaire de toute son argumentation et il ne fit aucune exception, pas même pour cet homme d'église anglais qui avait usé de tous les argument pour détruire la métempsycose, en affirmant ; «Ma préexistence supposée ne peut avoir de signification morale actuelle simplement parce que je suis empêché de me souvenir de quoi que ce soit à ce sujet.»

Le Dr Weatherhead ne manqua pas de répondre vertement à cette affirmation : «Quelle déclaration absurde! Si l'on donnait maintenant une drogue au Dr Whale et qu'il perde la mémoire de ce qui s'est passé pendant sa jeunesse, cela voudrait-il dire que toute cette période n'aurait «aucune signification morale actuelle»? C'est oublier complètement que c'est justement au cours de cette période que s'est formé son caractère, qu'il est devenu ce qu'il est, qu'il s'en souvienne ou pas! Un juge n'est pas souvent d'accord pour excuser un prisonnier et de lui enlever toute responsabilité morale s'il affirme simplement ne se souvenir de rien du tout!

«Aucun d'entre nous ne peut se souvenir maintenant de ses premières années. Mais n'importe quel psychologique ne niera l'importance et l'impact qu'elles ont eu sur notre comportement.

«Les incidents de l'enfance nous sont arrivés à nous pas à d'autres enfants; bien qu'ils soient maintenant oubliés, il continuent néanmoins à déterminer nombre de nos réactions actuelles face à la vie. Le modèle de comportement d'un adulte est une sorte de mémoire emmaganisée. Nous n'avons pas besoin de nous souvenir de nos impressions mentales pour être influencés par elles.»

Dans le même esprit, le Dr Weatherhead présente cet argument on ne peut plus convaivant : «Le chrétien intelligent croit que Dieu élabore un plan pour la vie de chaque homme et de chaque femme et que l'accomplissement de ce plan signifie que «sa volonté est faite sur la terre comme au ciel»…

«Mais comment le monde peut-il progresser si la naissance de chaque nouvelle génération le remplit à nouveau d'âmes non régénérées, aux tendances animales? Le monde ne sera jamais parfait tant que ceux qui y naissent n'apprendront pas à tirer avantage des leçons apprises au cours des vies antérieures, au lieu de chaque fois repartir de zéro. À vrai dire, le nombre des prodiges est limité et il en va de même pour les saints; mais il pourrait très bien se trouver d'autres planètes, plus appropriées que celle où nous vivons, qui pourraient leur servir de salles de classe. C'est-à dire qu'il nous faudrait abandonner cette idée que la terre est le lieu de l'avènement d'une société parfaite.

«Ces pensées me font dire que je suis en accord avec feu Dean Inge, un penseur non des moindres, qui disait de la doctrine de la réincarnation qu'il la trouvait à la fois crédible et attractive.

«On peut se demander pourquoi les hommes ont accepté si rapidement l'idée d'une vie après la mort et discrédité, si largement, du moins en Occident, celle d'une vie avant la naissance. Ainsi, de nombreux arguments pour une immortalité à sens unique me semblent militer fortement en faveur d'une vie à double sens en dehors du corps actuel.»

Mais même si nous résumons le débat à la vie après la mort, nous ne pouvons mieux faire que de conclure avec une des paroles de la Bible qui fut parmi les préférées d'Edgar Cayce.

Dans Luc 17:19-31, le Christ parle aux Pharisiens du mendiant Lazare, «nourri des miettes de la table des riches», qui mourut et fut emmené auprès d'Abraham. Mais lorsque le riche mourut à son tour, il se retrouva en enfer, d'où il pouvait voir Lazare à l'abri au paradis.

299

«Puis il dit (à Abraham), «C'est pourquoi je te prie, mon père, de l'envoyer à la maison de mon père; car j'ai cinq frères; afin qu'il puisse leur dire, à moins qu'ils ne viennent eux aussi dans ce lieu de tourments.»

«Abraham lui répondit : «Ils ont Moïse et les prophètes; laissons-les les écouter.»

«Et l'homme riche répondit : «Bien plus, père Abraham : si l'un seulement d'entre eux venait de la mort et leur disait, ils se repentiraient.»

«Et Abraham lui dit : «S'ils n'entendent pas Moïse et les prophètes, ils ne seront pas convaincus non plus, bien qu'un soit déjà ressuscité d'entre les morts.»

L'ARE aujourd'hui

En plus de la richesse du matériel accumulé dans les dossiers de Cayce, celui-ci a été à l'origine de la création de la Fondation Edgar Cayce et des organisations qui sont affiliées. Il s'agit de l'Association for Research and Enlightment, Inc. (Association pour la Recherche et l'Éclaircissement) et de l'Edgar Cayce Publishing Co. (Compagnie des publications Edgar Cayce), toutes deux basées dans les mêmes quartiers que la Fondation, à Virginia Beach.

La Fondation s'est engagée dans la tâche gigantesque de cataloguer les centaines de sujets abordés dans les études de Cayce. En raison de leur âge, ses papiers se détériorent très rapidement et ils sont maintenant en train d'être mis sur microfilms, pour des raisons de sécurité tout d'abord, pour des raisons de facilité d'accès ensuite. Les sujets abordés touchent pour ainsi dire tous les domaines de la pensée humaine, de la valeur des cacahuètes à la construction de la Grande Pyramide d'Égypte, de la façon de se débarrasser des vers à la prédiction du futur.

L'Association pour la Recherche et l'Éclaircissement est une association ouverte à tous, une organisation à but non lucratif telle que définie dans la loi du Commonwealth of Virginia, dans le but d'entreprendre des recherches dans le domaine de la parapsychologie et du psychisme. Elle se consacre à l'analyse des études d'Edgar Cayce et entreprend de nombreuses expériences d'ordre psychique ou parapsychologique. Elle prend une part active et encourage toutes les investigations entreprises par des personnes qualifiées dans les domaines de la médecine, de la psychologie et de la théologie. Les membres actifs de l'ARE, comme on les appelle généralement, sont des gens appartenant à toutes les religions et de nationalités for différentes. Étrangement, ils semblent tous capables de réconcilier leurs différentes fois avec la philosophie métaphysique qui se dégage des études d'Edgar Cayce. Les gens de l'Association viennent de toutes les classes sociales : on y trouve des médecins, des juristes, des pasteurs, des artistes, des hommes d'affaires, des enseignants, des étudiants, des ouvriers et des femmes au foyer.

L'Association, dirigée par un collège de curateurs, donne de nombreuses conférences au siège de Virginia Beach, ainsi que des conférences régionales à New-York, Dallas, Denver, Los Angeles et d'autres grandes villes américaines.

La Fondation Cayce et ses organisations affiliées occupent un grand bâtiment de trois étages, situé sur un des points les plus élevés de Virginia Beach, en bordure de l'Océan Atlantique.

Des centaines de visiteurs viennent chaque année. En plus de la bibliothèque et des bureaux, la Fondation met à leur disposition des chambres d'invités, une cafétéria, un vaste hall et une imprimerie. Le nombre des membres de l'Association et l'intérêt qu'y porte le public ne cessant de croître, ce ne sont pas moins de trente-cinq personnes, pour la plupart des volontaires, qui travaillent à Virginia Beach, répondant aux nombreuses questions des visiteurs, mettant à leur disposition les ouvrages de la bibliothèque, leur donnant des détails sur les conférences et sur la littérature annexe qu'ils peuvent consulter. Les visiteurs peuvent bien entendu visiter le bâtiment et personne ne manque d'aller voir le coffre-fort qui renferme les documents originaux des études.

Pour celui qui serait encore sceptique, il est une réponse de circonstance ; elle est d'Abraham Lincoln : «Aucun homme ne dispose d'une mémoire assez bonne pour mentir avec succès. »

Achevé d'imprimer à Montréal
par Presses Elite Inc.

Composition : Gervic inc.

IMPRIMÉ AU CANADA